La littérature baroque
en Europe

COLLECTION FONDÉE PAR JEAN FABRE
ET DIRIGÉE PAR ROBERT MAUZI

LITTÉRATURES MODERNES

La littérature baroque en Europe

DIDIER SOUILLER

Maître de conférences à l'Université de Dijon
Ancien élève de l'Ecole Normale Supérieure

PRESSES UNIVERSITAIRES DE FRANCE

DU MÊME AUTEUR

Le roman picaresque, PUF, « Que sais-je ? », nº 1812 (1980).
La dialectique de l'ordre et de l'anarchie dans les œuvres de Shakespeare et de Calderón, Peter Lang, Berne (1985).
Calderón, Balland éd., coll. « Phares » (en préparation).

ISBN 2 13 041483 4

Dépôt légal — 1re édition : 1988, avril

108, boulevard Saint-Germain, 75006 Paris

Voulez-vous voir
un nouveau Protée d'amour
et un nouveau Caméléon ?

Marino, *Amour inconstant.*

Oh ! rigoureux bourbier
de la réalité ! Oh ! masque du jour !
Nuit ténébreuse enfin,
du soleil antipode et du sommeil épouse !

Tirso de Molina,
El burlador de Sevilla (III, v. 302-305).

Dieu vienne en aide à l'homme ainsi enveloppé
dans les replis infinis de l'erreur.

E. Spenser, *La Reine des fées,* I, I, 18.

Qui je suis ? je m'en vais te l'apprendre :
Un sujet merveilleux fait d'une âme et d'un corps...
Une belle, superbe et frêle architecture...
Un mixte composé de lumière et de fange,
Où s'attachent sans fin le blâme ou la louange.
Un Vaisseau plein d'esprits et plein de mouvements...
Qui se mine à toute heure et se détruit sans cesse...

Tristan, *La Folie du sage,* IV, 1.

A MON PÈRE

SOMMAIRE

Introduction

Encore un livre sur le baroque !

Actuellement, une telle réaction semble prévisible et même justifiée, en un sens, si l'on pense qu'il y a déjà quelques bons livres qui traitent cette question ; d'ailleurs, il ne s'agit pas ici de nier la dette que l'on a à leur égard ou l'admiration — légitime — qu'ils suscitent. Cependant, il apparaît que c'est le fait de se pencher *encore* sur le problème du baroque qui provoque agacement ou embarras. Pourquoi ?

Pour tenter de répondre, il serait bon de revenir dans le temps, lorsque cette notion s'est manifestée et s'est imposée. En 1954, Jean Rousset, publia sa *Littérature de l'âge baroque en France*, dont le sous-titre, *Circé et le Paon*, fournissait comme la clef d'une approche thématique ; ce livre fut suivi, en 1961, d'une *Anthologie de la poésie baroque française* et de *L'Intérieur et l'Extérieur*, en 1976, qui rassemblait des « Essais sur la poésie et sur le théâtre au XVIIe siècle ». Ces remarquables ouvrages ont, depuis, habitué les esprits à attribuer à Jean Rousset la paternité ou l'invention de ce baroque, enfin admis en France, pays traditionnellement attaché à célébrer les valeurs sûres du règne de Louis XIV, qui, disait-on avec une belle assurance, s'étaient posées en s'opposant au baroque. Or, ce n'est pas diminuer le mérite des études que l'on vient de mentionner que de dire que leur auteur n'a pas « inventé » la notion de baroque (comme en témoignent les œuvres d'Eugenio d'Ors, 1935, ou, plus anciennement, de H. Wölfflin, 1888)[1], mais, à partir de son travail, le terme

1. Pour tous ces titres se reporter à la bibliographie.

est devenu un lieu commun de la critique, bien au-delà des domaines universitaires consacrés, pour susciter, dans les années soixante, une sorte de mode. Si, pour Lanson, nombre de baroques relevaient du chapitre « Attardés et égarés », maintenant les généralisations hâtives de quelques-uns et les rapprochements superficiels des autres sont devenus sans doute responsables de la réaction de rejet qui a suivi l'engouement pour une notion dont on oublia trop vite qu'elle cherchait, à l'origine, à éclairer la poésie française de la fin du XVIe et du début du XVIIe siècle.

Dès lors, évoquer le baroque provoque instantanément une avalanche d'objections : chaque spécialiste y allant de son domaine particulier ou de sa référence précise pour remettre en cause — avec érudition — l'ensemble de la catégorie. Le livre de P. Charpentrat, *Le Mirage baroque*, est un bon exemple de cette démarche critique : il se présente comme un « rapide essai », constitué de « remarques fragmentaires... et qui mettent en question, dans le domaine pourtant relativement cohérent et individualisé de l'architecture, les frontières du monde baroque » (p. 180). Parti d'un légitime agacement devant l'emploi abusif et parfois ridicule du qualificatif baroque (p. 9-10), le critique en vient à se demander si l'art baroque existe, pour conclure : « Si nous ne proscrivons pas radicalement le mot... ne l'utilisons que pour la commodité, pour plus de rapidité, dans les opérations grossières et approximatives, en le lestant d'une épithète ou d'un déterminant qui lui donne un minimum de contenu : on peut à la rigueur concevoir un *baroque tchèque* ou un *baroque piémontais...* » (p. 182). Belle conclusion, mais l'auteur oublie ainsi qu'il s'est enfermé d'emblée dans le domaine restreint de l'architecture, ce qui devrait lui interdire d'extrapoler et de parler du baroque en général.

D'autre part, pour endiguer le flot baroque, on a vu également se dresser une nouvelle notion, encore plus floue et contestable, car assurément difficile à cerner : le *maniérisme*. D'aucuns, à ce moment, préférèrent s'appuyer sur le livre de Gustav René Hocke, paru à Hambourg en 1957, *Laby-*

rinthe de l'art fantastique ; prenant comme point de départ une juste analyse de thèmes baroques, comme le monde comparé à un labyrinthe ou la fascination pour l'anamorphose, il propose une chronologie assez étrange pour un « maniérisme "conscient" *(sic)* entre 1520 et 1650 » (p. 15). Un concept d'histoire de l'art en remplace un autre, mais ils ont au moins en commun une semblable boulimie spatio-temporelle et une belle désinvolture à l'égard des faits : G. R. Hocke, pour les besoins d'un rapprochement un peu naïf avec le Gréco, fait naître Góngora à Tolède (p. 28) ! On espère que ce n'est pas cela « le droit d'interpréter les phénomènes historiques avec les yeux et à travers les prédilections d'une génération qui a grandi au sein de l'art dit moderne » (p. 44), droit qui nous vaut d'apercevoir Marino et Góngora devenus porte-parole de la lutte des classes (p. 42), sans que l'on sache dans quels poèmes, bien sûr. L'ensemble de ce livre, assurément original, prend sa source dans une analyse bien limitée d'un secteur restreint (les maniéristes italiens : Pontormo, Rosso, Beccafumi, etc.) pour, encore une fois, généraliser ses conclusions.

Le maniérisme n'a certainement pas contribué à clarifier la situation : M. Raymond voit la présence de ce style sous des formes diverses à travers tout le XVIe siècle : maniérisme *rhétorique*, dès le début du siècle ; *esthétique*, vers le milieu ; *noir*, dès les premiers temps des guerres de religion ; *métaphysique*, après 1580[2]. En revanche, un comparatiste, soucieux d'une large information, comme A. Cioranescu, en vient, dans son *Barroco o el Descubrimiento del Drama*, à prêter à la littérature baroque les caractéristiques du maniérisme *i.e.* la recherche angoissée d'une forme originale d'expression. Laissons donc les historiens de l'art rétablir les définitions et la chronologie du moment maniériste, sans équivoque : « un art trouble et plein de contradictions, héritant des inquiétudes de Léonard et des tourments de Michel-Ange se formulait en utilisant en quelque sorte les formes classiques

2. *Etre et Dire,* Lausanne, 1970, p. 81.

dans un esprit qui n'est pas le leur [...] vers 1540-1550, le maniérisme italien est présent dans toute l'Europe »[3].

Alors, plus soucieux de l'évolution historique, réapparaissent les nostalgiques de la valse à trois temps de la dialectique hégélienne, qui rappellent, à la manière d'Henri Focillon, que tous les styles traversent successivement trois phases : ébauche archaïque d'abord, puis plénitude et équilibre et, enfin, dépassement dans l'exubérance et la fantaisie. Cette présentation a l'avantage de flatter quelques vieux démons de la critique française : le baroque ne serait qu'une dégénérescence, un peu excessive ; mais, en même temps, se fait jour la tentation de penser systématiquement l'évolution de l'art que l'on force à rentrer dans le cadre de catégories définies une fois pour toutes : on sait jusqu'où cette tendance a conduit Eugenio d'Ors avec sa théorie des *eons*, par exemple...

Peut-on croire que, maintenant, les passions sont un peu apaisées ? On pourrait le penser en considérant le tout récent regain d'intérêt pour le baroque ; apparemment, on cherche plus à comprendre et moins à polémiquer. En 1983, paraissait le compte rendu du Colloque de Cerisy de 1976, sous le titre significatif de *Figures du baroque* : il ne s'agit pas de se demander pour la *n*-ième fois si le baroque existe, mais de lire ses manifestations comme révélatrices du fonctionnement d'un imaginaire : « Ces schèmes du baroque, ces formants que nous avons tout de même voulu appeler des "figures", correspondent donc à une exigence rhétorique, puisque les mouvements qui les affectent sont comparables aux métamorphoses qui combinent, défont et recombinent des figures de rhétorique ou des tropes [...] : roue, dérive, déplacement à partir d'un manque, etc., qui ne se laissent réduire à aucune image empirique ou sensible d'eux-mêmes, composent bien cet alphabet de "formes" que Bachelard avait reconnues comme archétypes... » (p. 13-14). En 1984, Dominique Fernandez publiait un *Banquet des anges*, consacré au simple plaisir, loin des disputes d'école, de la promenade dans l'Europe baroque.

3. A. Chastel, *L'Art italien*, Paris, 1982 (nouv. éd.), p. 400 et 404.

Elle existe, quoi qu'en disent certains érudits. Au même moment, on assistait à Paris à la reprise de *L'Illusion comique*, dans une mise en scène remarquée de G. Strelher.

Le problème reste entier dans la mesure où penser le baroque, c'est d'abord éviter les écueils qui ont mené aux controverses et fausses pistes dont on vient de parler. Le petit jeu de l'étymologie, par lequel il convient toujours de commencer, recèle peut-être, derrière sa banalité, un avertissement : l'origine du mot *baroque*, on l'a assez dit, est douteuse ; que l'on se tourne vers les formules mnémotechniques de la logique *formelle* scolastique, vers l'italien *barochio* de la fin du Moyen Age qui désignait des pratiques financières discutables, ou vers le portugais *barocco*, terme utilisé depuis le XVIe siècle pour décrire les perles de *forme* irrégulière, le mot a été voulu péjoratif et il implique d'emblée un jugement critique et formel *a posteriori*. Or, faut-il juger un art à distance, hors de son contexte, ou le comprendre tel qu'en lui-même ? D'autre part, le phénomène baroque doit-il être d'abord perçu dans le domaine exclusif des beaux-arts ? Voilà deux questions qui remettent en cause les démarches traditionnelles et laissent envisager l'utilisation d'une autre méthode. Depuis trop longtemps, en effet, la réflexion naît d'une analyse de la sculpture et de l'architecture baroques, pour dégager des critères caractéristiques qui sont, *ensuite*, appliqués à la littérature, sans que l'antériorité des uns sur l'autre fasse l'objet d'un questionnement réel, comme si cette démarche allait de soi.

Déjà Wölfflin, procédant par confrontation de contraires, dont chaque élément définit un aspect de l'esthétique classique ou baroque, proposait cinq couples d'antithèses ; leur formulation révèle bien l'origine esthétique du classement : linéaire et pictural — plan et profondeur — forme fermée et forme ouverte — multiplicité et unité — clarté et obscurité. La troisième partie de la *Littérature de l'âge baroque* de Jean Rousset commence par un chapitre VII, intitulé : « Formes baroques (Du baroque dans les beaux-arts) » ; le chapitre suivant, lui, s'appelle alors : « D'un baroque littéraire »... Et dans un *Adieu au baroque* — bien postérieur — le même auteur avouait avec franchise : « Puisque ce XVIIe siècle retrouvé était celui des architectes et de tout un art pictural et plastique lié à l'architecture, c'est de lui qu'allait dépendre la reconquête des autres secteurs. L'exploration de la littérature n'éviterait pas le détour des formes visuelles » (*L'Intérieur et l'Extérieur*, p. 240). Même Claude-Gilbert Dubois, dans son remarquable *Le Baroque*, *profondeurs de l'apparence*, avant d'envisager, avec à-propos, les conditions de naissance du baroque, fait un détour par l'art de la Contre-Réforme et reconnaît : « La notion de baroque en littérature résulte de l'application en ce domaine des critères retenus pour qualifier les arts de la construction et de la décoration » (p. 59).

Ce que l'on se propose ici, c'est de renverser l'ordre communément suivi ou, pour utiliser une image célèbre, d'opérer une sorte de révolution copernicienne, situant les manifestations appartenant à la sculpture ou à l'architecture sur la périphérie, *en même temps* que la littérature ; ces trois formes d'expression renvoient alors à un centre commun, qu'il appartiendra de définir et qui assume le rôle de source originelle. Dans cette perspective, littérature *et* beaux-arts ne sont plus que des *produits*, d'égale importance, d'un même foyer et aucune forme d'expression artistique ne doit plus bénéficier d'une antériorité dans la tentative d'explication de l'ensemble. La difficulté vient, bien évidemment, du fait que le centre, présent partout dans les phénomènes culturels (peu ou prou), n'est formulé nulle part en tant que tel. Dans un cyclone, au centre, règne, paraît-il, le calme le plus étrange ; ce qu'on ne perçoit que trop, ce sont les effets, sur le pourtour. De même, considérer le spectacle tumultueux et frappant des différentes littératures européennes, à la fin du XVIe siècle et au début du XVIIe siècle, conduit à discerner, en remontant à l'origine, une crise globale de la vision du monde et des catégories traditionnelles de la pensée, rendue manifeste par l'incertitude et l'angoisse générales, dont témoigne la mélancolie, largement répandue chez les contemporains. L'échec de la pensée à rendre compte de la totalité a pris la forme de ce qu'on nommera une crise ontologique; la substance essentielle, l'être, à partir duquel s'ordonnent les étants, semble bien disparaître derrière la succession sans fin des apparences trompeuses, soudainement privées de leur référence à la chose en soi, au nouménal. Tel est le noyau d'où proviennent et prennent leur sens les différentes manifestations de la littérature baroque : un non-essentialisme, une perte de l'absolu, sans retour compensatoire à un quelconque réel, perçu comme tel.

En ce qui concerne la littérature ou les beaux-arts, de 1570 à 1650, de nombreuses observations ont été faites : on les a immédiatement considérées comme caractéristiques de l'art baroque, mais on ne s'est pas demandé POURQUOI telle forme d'expression a été valorisée plutôt que telle autre. Pourquoi, par exemple, cette complaisance du baroque pour le nocturne ou le macabre? Si l'époque a une unité il faut la chercher dans une perception commune des problèmes de l'heure. Etudiant un sonnet de Sempronio (1603-1646), Jean Rousset relève « un identique groupement d'images de la mobilité, soumises au même schème d'éblouissement et de déception, d'apparition et d'évanouissement ». Soit. Mais il ajoute immédiatement : « Ce sont là des traits que l'on retrouve dans toutes les littératures européennes de l'époque »[4]. Conclusion qu'il a paru nécessaire de prolonger, car le constat ne suffit pas à lui seul à expliquer pourquoi une telle sensibilité s'est manifestée à travers toute l'Europe. La réponse à cette question pourrait bien fournir la clef de l'esthétique baroque.

Aussi, pour éviter l'éternel écueil que l'on a évoqué, a-t-il fallu se priver délibérément de l'histoire de l'art — tant sollicitée jusqu'alors — pour se tourner vers d'autres disciplines, qui connaissent un récent et nouveau développement : essentiellement la littérature comparée et, parmi les sciences humaines, l'histoire.

L'approche comparatiste se révèle particulièrement précieuse en ce qui concerne la France, victime des guerres de Reli-

4. *L'Intérieur et l'Extérieur*, p. 76.

gion et des tumultes civils qui, jusqu'à la fin de la Fronde, ont entravé l'affirmation de l'Etat et, parallèlement, l'élaboration d'une littérature nationale réellement forte et originale. En refusant de se cantonner dans les frontières françaises, on s'ouvre un vaste champ d'exemples, à étudier simultanément et sur un pied d'égalité. Le chauvinisme et la fascination du classicisme louis-quatorzien ne sont pas les seuls obstacles ; si la tradition universitaire espagnole s'accommode bien du terme *baroque*, touchant les œuvres du Siècle d'Or qui font suite à Cervantès, en revanche, la critique anglo-saxonne semble peu encline à accepter un tel concept, comme si Shakespeare devait éternellement rester... shakespearien. Pourquoi Góngora et Quevedo relèveraient-ils du baroque et non Shakespeare, leur contemporain ?

La prise en considération du vaste ensemble transnational, constitué par la littérature baroque européenne, à la fin du XVIe et au début du XVIIe siècle, se justifie grâce à deux autres remarques, qui se complètent l'une l'autre. Il ne faut pas perdre de vue, d'abord, que la circulation des idées était très rapide, ainsi que le prouvent les salons et les centres intellectuels qui servirent de relais ; citons, au hasard, sir Walter Raleigh et Francis Bacon, Peiresc, le P. Mersenne, les frères Dupuy, Huygens, les cardinaux Barberini ou les réunions d'anciens élèves du Colegio Imperial de Madrid. L'Italie et surtout la France, dans une moindre mesure l'Angleterre, se révélèrent des pays très ouverts aux influences extérieures : la France des années 1640, par exemple, a subi fortement la fascination du théâtre espagnol du Siècle d'Or (alors à son apogée) et ce, malgré la rivalité armée avec les Habsbourg de Madrid.

Curieusement, au contraire, des conflits constants, comme celui qui opposa l'Angleterre à l'Espagne (malgré une accalmie après la mort d'Elisabeth Ire) et la fermeture de ce dernier pays sur lui-même, n'empêchèrent pas le développement de littératures souvent comparables. L'Espagne du Siècle d'Or a ignoré les productions de l'Angleterre élisabéthaine (la réciproque n'est pas vraie) et, pourtant, les deux formes littéraires les plus en vogue dans les deux pays (le théâtre et le roman picaresque) se rejoignent. Cette similitude, au moment où l'on relève une absence de communication, est bien le meilleur indice de la constitution d'une même conscience collective dans l'Europe baroque.

La méthode comparatiste permet ainsi de parler d'une vision du monde caractéristique du « moment » baroque. Il n'est évidemment pas question de réintroduire ici le concept de *Weltgeist*, cher aux historiens romantiques allemands, mais plutôt de rappeler que toute époque (ou toute culture) engendre un système complexe et collectif, constitué de représentations et d'images : mythes et valeurs, reconnus ou subis par les groupes ou l'ensemble des nations concernées. Ce qu'explique un historien comme Lucien Febvre, peu suspect de romantisme idéaliste : « Chaque époque se fabrique mentalement son univers. Elle ne le fabrique pas seulement avec tous les matériaux dont elle dispose, tous les faits (vrais ou faux) dont elle a hérité ou qu'elle vient d'acquérir. Elle le fabrique avec ses dons à elle, son ingéniosité spécifique, ses qualités, ses dons et ses curiosités, tout ce qui la distingue des époques précédentes »[5]. Le cloisonnement des disciplines a souvent de fâcheuses conséquences et, si l'on parle aujourd'hui volontiers d'*interdisciplinarité*, les faits n'ont pas suivi. Il est dommage, par exemple, que les études portant sur le baroque n'aient pas utilisé systématiquement les résultats des investigations conduites par ce qu'on a appelé la « nouvelle histoire » (ou « l'Ecole des Annales ») ou ne se soient pas inspirées de sa méthode.

Marc Bloch, Lucien Febvre ou Fernand Braudel ont dépassé définitivement le schéma simpliste de l'histoire événementielle et les limites des frontières nationales, pour mettre à jour une autre logique de l'évolution historique, par grandes masses spatio-temporelles, projet qu'illustre, par exemple, le désormais célèbre ouvrage : *La Méditerranée et le Monde méditerranéen à l'époque de Philippe II*. Dans cette perspective,

5. *Le Problème de l'incroyance au XVI*[e] *siècle*, Paris, 1968 (rééd.), p. 12.

on peut se demander si un profil conjoncturel déterminé ne correspond pas, sur le plan économique, politique, social et intellectuel, à l'épanouissement en Europe de la littérature baroque. Alors, à partir d'une énumération systématique des principaux indices communs à l'espace européen à la fin du XVIe siècle et au début du XVIIe siècle pourraient se constituer les grandes lignes de ce noyau central, que l'on vient d'évoquer, et dont la nature peut seule rendre compte des formes de l'expression baroque. La synthèse à laquelle parviennent les travaux historiques de ce type permet de l'espérer. Au demeurant, il semble bien que les historiens aient déjà opéré ce « réajustement » dont on parlait précédemment, en resituant la littérature au niveau des autres productions d'une époque — sans pour autant privilégier les forces économiques comme le font les marxistes. C'est ainsi que Jean Delumeau, réfléchissant sur l'ensemble de *La Civilisation de la Renaissance*, en vient à prôner « une histoire totalisante [qui] regroupe nécessairement dans une même synthèse la montée des nations, celle de l'économie, l'approfondissement religieux et l'épanouissement littéraire, phénomènes conjoints et solidaires... »[6]. Une telle mise en perspective de facteurs « conjoints » amène à discerner la réelle interaction qui peut s'exercer entre « l'histoire des mentalités » et l'étude comparatiste : les deux approches sont finalement complémentaires. La première, s'appuyant sur des séries documentaires homogènes, jusqu'alors négligées parce que non « artistiques » ou non « signifiantes » (par exemple l'étude des testaments ou des minutes notariales), permet de dégager les attitudes mentales des hommes dans leur vie quotidienne et, ainsi, d'éclairer les changements de l'expression littéraire. En même temps, le texte, qui appartient à l'ensemble « littérature », peut être pris aussi comme un document ou un témoignage pour l'historien. « En réalité, une pensée théologique, un thème artistique ou littéraire, bref, tout ce qui paraît ressortir d'une inspiration individualiste, ne peuvent

6. Paris, 1973, p. 664.

trouver forme et style que s'ils sont à la fois très proches et un peu différents du sentiment général de leur époque. Moins proches, ils ne seraient même pas pensables par les auteurs, ni compris, pas plus de l'élite que de la masse. Pas du tout différents, ils passeraient inaperçus et ne franchiraient pas le seuil de l'Art. Le proche nous révèle la vulgate, le dénominateur commun de l'époque »[7]. Les écrivains baroques offrent alors des représentations partielles de la sensibilité collective à un moment donné.

On s'étonnera sans doute de voir le nom de Michel Foucault mentionné à côté des « pères fondateurs » des *Annales*, tant leurs méthodes, comme leurs objectifs, sont différents ; néanmoins, la notion d'*épistémé*, élaborée dans *Les Mots et les Choses*, paraît opératoire ici, puisqu'il ne s'agit pas d'une catégorie *a priori*, au sens kantien, mais plutôt « d'*a priori* historiques », qui se succèdent au cours de l'histoire, constitués systématiquement par l'ensemble des conditions préalables de la connaissance et ce, pendant une période limitée, avant de céder la place. Avec les chapitres II et III, on découvre les éléments d'une épistémé baroque, c'est-à-dire les cadres invariants d'une lecture du monde : « Les codes fondamentaux d'une culture — ceux qui régissent son langage, ses schémas perceptifs, ses échanges, ses techniques, ses valeurs, la hiérarchie de ses pratiques — fixent d'entrée de jeu pour chaque homme les ordres empiriques auxquels il aura affaire et dans lesquels il se retrouvera » (Préface).

En définitive, c'est sans doute à l'histoire qu'il appartiendra de résoudre la première des querelles suscitée par la notion de baroque : la datation. Quand commence et quand finit la période baroque ? Il convient, d'abord, de dépasser ces termes de « commencement » et de « fin », pour les remplacer par la question suivante : qu'est-ce qui, dans l'évolution de la conjoncture européenne, a causé le surgissement de représentations baroques ? Et, pareillement, on s'interrogera, pour

7. Ph. Ariès, *Essais sur l'histoire de la mort en Occident*, Paris, 1975, p. 17.

finir, sur la nature des indices qui permettent de discerner la résorption de la crise baroque. La chronologie ne dépendrait plus ainsi de la subjectivité plus ou moins grande, mais toujours présente, des historiens d'art, mais de données objectives et — si possible — chiffrables. Du même coup, on évitera de se laisser enfermer dans les éternelles fausses questions, telles que la naissance romaine du baroque ou sa dépendance à l'égard des Jésuites et des enseignements tridentins.

Voilà évidemment un (trop ?) vaste programme, sans doute peu compatible avec les dimensions de ce livre ou avec les seules forces d'une personne : une équipe interdisciplinaire serait mieux à même d'en venir à bout. Aussi ne prétend-on nullement rendre compte de la question de manière exhaustive, mais seulement indiquer quelques directions et poser quelques jalons, dans l'espoir de relancer la quête. On a tenté de s'appuyer sur l'étude *conjointe* de cinq littératures, celles d'Angleterre, d'Espagne, de France, d'Italie et d'Allemagne, sans accorder à aucune plus de poids que ne lui confère son importance propre dans l'histoire littéraire européenne du moment ; de ce point de vue, il est incontestable que la littérature allemande baroque offre nettement moins de références que la littérature élisabéthaine (jusqu'à la révolution puritaine), dont la richesse n'est égalée que par celle du Siècle d'Or espagnol. D'autre part, il ne s'agit pas de répondre à la question : un tel est-il baroque et tel autre non ? Question sans intérêt, dans la mesure où nombre d'écrivains empruntent des traits à l'écriture ou sacrifient à des genres baroques, sans pour autant nécessairement illustrer, par l'ensemble de leur œuvre, la problématique de la crise baroque. Lors de l'examen de chaque élément du « dossier » baroque, il a été fait appel à un choix d'exemples que l'on espère aussi variés et aussi représentatifs que possible. En définitive, c'est l'ensemble de la littérature européenne de 1580 à 1650 qui a été délibérément considéré comme un seul texte, donné à lire sans distinction d'appartenance nationale et dont l' « auteur » est *l'imaginaire collectif d'une génération*.

PREMIÈRE PARTIE

Situation historique : Baroque et crise de conscience européenne (1580-1640)

« Et si la nuit présente était la dernière de ce monde ? »

John Donne, *Holy Sonnet*, IX.

C'est donc aux historiens que s'adresse la première question. En multipliant les perspectives de recherche, grâce à la variété d'investigation que proposent les méthodes évoquées dans l'Introduction, peut-on parvenir à dégager les grands traits d'une conjoncture correspondant à la période de parution des œuvres dites « baroques » ? Si cette conjoncture a une existence réelle bien déterminée, voire chiffrée par la variation des indices de référence, une chronologie sera fournie qui mettra fin aux discussions sur la délimitation du « moment » baroque ; mais ce n'est qu'au terme du parcours que l'on pourra isoler le domaine correspondant dans l'histoire littéraire de chaque pays. Ainsi la littérature baroque apparaît-elle comme un *produit*, dans le domaine de l'écrit, d'une certaine sensibilité en face de l'ensemble conjoncturel préalablement dégagé.

I. L'HISTOIRE ÉVÉNEMENTIELLE : APRÈS « LE BEAU XVIe SIÈCLE »

Les images d'Epinal sont tenaces et souvent se trouvent à l'origine de préjugés qui empêchent une interprétation juste du passé : le XVIe siècle a trop longtemps été associé à l'essor artistique de la Renaissance, à l'optimisme gargantuesque de l'humanisme et au nouvel art de vivre des cours princières dont témoignent en France les châteaux de la Loire. Ce sont là des réalités qu'il ne faut évidemment pas nier, mais qui appartiennent à la première moitié du siècle ; le second versant fut différent et bien plus sombre. Le règne brillant de François Ier, organisateur d'un Etat moderne et centralisé, fut effacé par les guerres de Religion, de même que l'utopie rabelaisienne de Thélème laissa la place aux ruines sanglantes et fumantes des *Tragiques* de d'Aubigné. Peut-être même convient-il de cesser d'interpréter l'ensemble du XVIe siècle à la seule lumière de l'humanisme érasmisant et de la civilisation de cour, qui ne concernent qu'un très faible pourcentage des populations. Précédant une suite de travaux portant sur *La Peur en Occident* et *Le Péché et la Peur*, Jean Delumeau, dès 1981, lançait un avertissement en ce sens : « On ne peut comprendre le succès de la Réforme que si l'on abandonne l'idée que l'optimisme a été la dominante dans la culture dirigeante de l'époque. Il faut au contraire souligner que la notion d'un progrès moral et technique de l'humanité était absente de l'outillage mental du temps. En réalité, l'homme de la Renaissance s'est, le plus souvent, senti fragile et malheureux »[1]. Deuxième rupture : il est apparu nécessaire de reconnaître que le XVIIe siècle offre, sur bien des plans, une détérioration des conditions durant la plus grande partie de sa première moitié ; telle est du moins l'impression de F. Braudel : « Puis-je confier que, spécialiste du XVIe siècle, je me suis étonné, il y a longtemps, et je m'étonne encore

1. *Au Monde*, le 1er février 1981.

devant les spectacles des villes pestiférées du siècle suivant et leurs sinistres bilans? Indéniablement il y a eu aggravation d'un siècle à l'autre »[2].

Curieusement, la lecture de l'histoire événementielle et l'étude de la succession des souverains européens permettent de dégager une cohérence bien différente du partage traditionnel en siècles : de 1559 à 1660 ce sont cent ans de mutations et de bouleversements, scandés par la suite de trois générations. A partir de 1558-1559, une série de décès de monarques coïncide avec la fin du premier XVIe siècle : ainsi disparaissent tour à tour Marie Tudor, Charles Quint, le pape Paul IV et Henri II, enfin Marie de Lorraine, régente d'Ecosse. Inversement, à la fin de cette période, au milieu du XVIIe siècle, après la terrible guerre de Trente Ans, on assiste à la disparition des principaux chefs, comme pour mieux souligner le passage à un autre âge : l'empereur Ferdinand III meurt en 1657 et Mazarin en 1661 ; entre ces deux dates, on relève aussi le décès de Cromwell et de Charles-Gustave de Suède. Deux générations marquées par de terribles conflits : celle de Philippe II d'Espagne, d'Elisabeth d'Angleterre et d'Henri III, en France, d'une part ; celle de Louis XIII et de Richelieu, de Philippe IV, de Charles Ier et de Cromwell, d'autre part. Au milieu, à partir des années 1590, la génération d'Henri IV, de Jacques Ier et de Philippe III qui connut une paix précaire, mais réelle, après l'échec de l'Invincible Armada, l'Edit de Nantes et la trêve avec la Hollande ; en fait, les antagonismes ne désarment pas, mais tout se passe comme si les adversaires épuisés refaisaient leurs forces : à l'ordre international de Loyola et à la sainte Ligue s'oppose l'Union évangélique.

La seconde partie du XVIe siècle est marquée par une intensification et une généralisation des conflits jusqu'au milieu du siècle suivant ; la lutte pour l'hégémonie européenne, qui avait opposé François Ier à Charles Quint, se trouve bientôt transformée en choc des impérialismes (Espagne,

2. *Civilisation matérielle, Economie et Capitalisme*, t. I, p. 67.

Angleterre) et guerre de Religions (fidèles de Rome contre Réformés) : les ambitions individuelles se masquent derrière le zèle pour les différentes confessions et l'unité de certains Etats éclate, en France, aux Pays-Bas, en Allemagne... Ces antagonismes secoueront l'ensemble de l'Europe jusqu'à la conclusion des traités de Westphalie, en 1648, qui mirent fin à la guerre de Trente Ans ; affrontement particulièrement atroce, auquel non seulement les Etats allemands, mais le reste des nations européennes prirent part, au grand dam des populations locales : « La guerre de Trente Ans est après la *peste noire* le plus gros accident démographique que connaisse en un demi-millénaire l'histoire de l'Europe. L'Empire est passé de 20 millions à 7 millions d'habitants [...] le bilan des pertes indirectes cumulées en Europe atteint de 16 à 17 millions de morts en une génération »[3]. Parler d'embrasement de l'Europe n'est donc pas un vain mot. Encore faut-il ajouter la constante menace turque dans les Balkans et sur tout le pourtour de la Méditerranée chrétienne, pour achever de décrire la montée des différents périls qui, nés des événements contemporains, accablaient la conscience européenne. Le rêve des érasmisants d'unité de la chrétienté, sous la direction (spirituelle) du pape et (temporelle) de l'empereur, était bien loin !

Sans doute, les ravages de la guerre auraient-ils suffi à eux seuls à assombrir les esprits, mais on doit observer que les conflits armés n'étaient qu'un élément parmi d'autres — le plus immédiatement perceptible — d'une conjoncture historique défavorable, sans que l'on sache vraiment qui, de la crise des subsistances, de la chute de la démographie, de l'étendue des épidémies ou de l'inflation, a joué le rôle initial décisif. Il faut se contenter d'observer leur interaction, qui survient à partir de 1560 et surtout de 1580, pour ne se modifier et tendre très graduellement à diminuer qu'à partir de 1650 environ. Quel que soit l'indice de référence retenu, ces dates reviennent — sans exception.

3. P. Chaunu, *Eglise, Culture et Société,* Paris, 1981, p. 448 et p. 17.

L'exploitation de l'or et surtout de l'argent des Indes d'Amérique par les Espagnols a déterminé à travers toute l'Europe, irriguée par Séville[4], une flambée continue des prix. Fernand Braudel, dans *La Méditerranée et le Monde méditerranéen à l'époque de Philippe II* (t. II, p. 469)[5], présente par exemple deux tableaux des prix du blé en Espagne et en Italie : les maxima coïncident avec la période 1580-1640. Après le constat du phénomène (« la montée des prix, générale au XVIe siècle a puissamment travaillé les pays méditerranéens, surtout au-delà des années 1570. Elle y a déchaîné ses multiples et habituelles conséquences. La violence, la durée de cette « révolution » — en fait elle déborde sur le XVIIe siècle — ont forcément attiré l'attention des contemporains »), l'historien ne craint pas de le commenter ainsi : « Il faut dramatiser ce qui fut dramatique. Les témoignages sur la montée des prix sont innombrables. Ce qui les rapproche, c'est la stupéfaction des témoins et leur impuissance à comprendre les raisons d'un phénomène qu'ils voient toujours dans ses réalités locales, qu'ils opposent d'autant plus facilement au bon vieux temps que la fin du XVe siècle a connu de hauts salaires et que le premier tiers du XVIe siècle a été une période heureuse, de vie relativement à bon marché... » (p. 468 et 471).

Le pire réside dans la distorsion croissante qui s'observe entre la montée de la population et le plafonnement de la production céréalière, essentielle dans une alimentation consistant surtout en pain et rarement en viande : d'où, à la fin du siècle, la multiplication des disettes et des famines. A nouveau, les courbes de la démographie rejoignent celles de la conjoncture économique : après la Peste noire, la croissance de la population s'affirme en Europe à partir de 1450 et elle se poursuit avec ensemble jusqu'en 1560, voire parfois 1580. Ensuite, les crises répétées du dernier tiers du siècle arrêtent

4. Voir P. Chaunu, *Séville et l'Atlantique (1504-1650)*, 12 vol., Paris, 1955-1960.
5. 5e éd., Paris, 1982.

l'augmentation de la population et font même régresser sensiblement l'effectif total. Il est frappant de constater que, vers 1560, un maximum démographique a été atteint, qui ne sera plus dépassé dans de nombreux pays avant le milieu du XVIIIe siècle !

A cette stagnation de la production agricole deux conséquences, tandis que la population croît sur sa lancée : d'abord l'inflation des pauvres, mendiants et vagabonds (ils ne sont pas étrangers au surgissement du roman picaresque dans la littérature), qui envahissent les villes, inquiètent les pouvoirs et constituent un terrain de choix pour propager les épidémies. Ensuite, une population affaiblie, puisque moins bien nourrie, et d'autant plus sensible à ces mêmes maladies. L'engrenage est dramatique en effet : les épidémies sont plus meurtrières dans le dernier tiers du XVIe siècle, plus fréquentes et plus violentes aussi. La variole reste une des causes de l'effrayante mortalité infantile ; il faut mentionner le typhus et la malaria, la coqueluche et la rougeole, mais la vraie terreur demeure la peste, qui s'abat impitoyablement sur le XVIe siècle finissant et le début du XVIIe siècle : 1563-1566 ; 1575-1578 ; 1589-1590 ; 1597-1601, surtout : « Le tournant du XVIe et du XVIIe siècle avait vu l'un des plus sévères retours du fléau en Europe : l'épidémie, pour une fois d'origine nordique, court des Flandres à la Normandie pour trouver en Espagne, entre 1596 et 1602, un foyer privilégié. Ce n'est que la première des grandes pointes qui s'inscrivent au XVIIe siècle [...] : en 1609 du Piémont à la Catalogne, 1614, 1619, 1621, 1624 et 1625 en Méditerranée occidentale encore ; puis la grande flambée générale de 1629 à 1636, à coup sûr l'une des plus meurtrières et des plus étendues, suivie de retours marqués dans les années 1650, et enfin de l'épidémie de 1665, dont la peste de Londres demeure l'épisode le plus spectaculaire et, grâce à Defoe, le mieux connu, mais qui fut un phénomène européen. Un décrochement très marqué s'inscrit alors ; la peste, semble-t-il, quitte l'Europe... »[6]. Encore une fois, les statistiques de

6. M. Vovelle, *La Mort et l'Occident de 1300 à nos jours*, Paris, 1983, p. 259.

l'épidémie rejoignent les autres indices pour délimiter un ensemble conjoncturel homogène.

Si le spectacle de la mort, les méditations sur la précarité de la vie humaine hantent la littérature baroque, il ne faut y voir que le reflet de la réalité vécue. En définitive, l'espérance de vie humaine a régressé : « Le tragique XVIIe siècle, c'est la rencontre de ces différentes séries causales, un triomphe momentané, mais prolongé de la mort sur les forces de vie [...]. Quarante à quarante-trois ans d'espérance de vie à la naissance dans la période faste, 1538-1624, réduite à trente-deux - trente-six ans entre 1625-1699, pour ne retrouver qu'au XVIIIe siècle les ordres de grandeur de la Renaissance »[7]. Ce sont là des estimations globales qui tiennent compte du temps de répercussion ; les études régionales sont évidemment plus précises : « En Languedoc, Le Roy-Ladurie note que le puissant essor du XVIe siècle est cassé après 1560-1570. Cette démographie médiocre des années 1560-1600 semble refléter les classiques misères de la guerre [...]. Après 1600, malgré le retour de la paix, ne revient plus la démographie exubérante de la première moitié du siècle... »[8].

La rapide évocation des différents facteurs qui concourent à ce renversement de tendance de la fin du XVIe siècle ne serait pas complète sans la mention de quelques conclusions issues des travaux de l'histoire des climats. C'est à Emmanuel Le Roy-Ladurie que l'on doit d'avoir attiré l'attention sur l'hypothèse d'un « petit âge glaciaire » de 1550 à 1850, en faisant reposer son étude sur des documents concernant les forêts et les vendanges et, bien sûr, les mouvements des glaciers. Dans notre perspective, ce qui compte c'est l'apparition de « la même chronologie, avec rupture de pente au deuxième tiers du XVIe siècle. Partout donc, de l'Italie à la Suisse et de l'Angleterre au Languedoc les rigueurs hivernales se multiplient à partir de 1540-1550 [...] progressivement au XVIe siècle, à partir de 1540-1560, et jusque bien au-delà de 1600, il y a

7. *Ibid.*, p. 261.
8. G. Livet, *Les Guerres de Religion*, 5e éd., 1983, p. 86.

moins d'hivers doux, des séries moins fournies et moins intenses d'étés brûlants... et les glaciers atteignent à la fin du XVIe siècle leur maxima... »[9]. L'importance de ces observations est évidente, quand on voit comment la détérioration du climat a pu s'intégrer dans l'ensemble conjoncturel précédemment dessiné : les mauvaises récoltes s'ajoutent au plafonnement des productions céréalières, dans le cadre d'une démographie en expansion. De plus, dans des esprits prompts à recourir à des interprétations religieuses — pour ne pas dire superstitieuses —, des phénomènes naturels, catastrophiques pour une économie essentiellement agraire, étaient promptement attribués à la colère de Dieu. Aussi, voit-on le portier shakespearien de l'Enfer accueillir « un fermier qui s'est pendu à force d'attendre une bonne récolte »[10] ; dans le monde de la comédie, le désordre des saisons est attribué aux disputes des divinités du folklore[11]. Toute compréhension de la littérature baroque doit ne jamais perdre de vue cet environnement historique et les conditions de vie des contemporains, devenues beaucoup plus difficiles en cette fin du XVIe siècle qui répète avec ferveur cette prière de la litanie des saints : « A peste, fame et bello, libera nos, Domine. »

II. L'APPORT DE L'HISTOIRE DES MENTALITÉS

Indiscutablement, ce domaine particulier des recherches historiques a connu ces dernières années un grand développement, qui ne peut laisser indifférent l'historien de la littérature : par la connaissance des mentalités, on pénètre aisément dans l'univers commun aux esprits de toute une époque, leurs hantises et les questions qui ne cessaient de les poursuivre, ainsi que les images dont la récurrence est signe d'appartenance à la sensibilité contemporaine.

9. *Histoire du climat depuis l'an mil*, Paris, 1967, p. 224, 235-237.
10. *Macbeth,* II, 3, trad. F.-V. Hugo.
11. *Le Songe d'une nuit d'été*, acte II, v. 103 et s.

Une chose frappe d'emblée : la notion de baroque est ici admise sans discussion et elle s'impose même pour rendre compte d'un ensemble cohérent de l'évolution de la civilisation européenne, selon une chronologie qui correspond à celle des fluctuations de l'économie. L'importante étude de Michel Vovelle *(op. cit.)* aborde « le frisson du baroque » *(sic)* comme un « épisode dont les traits se mettent en place entre 1570-1580 et le milieu du XVIIe siècle » (p. 239) et va même jusqu'à parler de « la crise de sensibilité collective qui culmine entre 1560 et surtout 1580 et 1640-1660 » (p. 285). Pour l'auteur, si la manifestation extérieure la plus visible et la plus signifiante est l'instauration d'un « grand cérémonial de la mort à l'âge baroque », la réalité, au niveau de l'individu, est celle d'une vie dans la pensée de la mort : « La mort envahit la vie : tel est le trait majeur de la sensibilité collective qui va l'emporter pour plus d'un siècle et demi, jusqu'au milieu du siècle des Lumières » (p. 290). On songe à Montaigne, dont le point de départ a consisté en une incessante méditation de la mort : « Il est incertain où la mort nous attende, attendons la partout. La préméditation de la mort est préméditation de la liberté »[12]. Les remarques qui précèdent sur l'environnement historique expliquent sans peine le pourquoi de ce surgissement de la mort au premier plan dans la conscience collective. Encore convient-il d'ajouter que, de cette angoisse à l'échelle de l'individu, a pu se développer toute une culture officielle, sécrétée, en un second temps, par les Eglises et les pouvoirs en place, et comme chargée d'encadrer et de canaliser les peurs et les questions du plus grand nombre : « L'investissement massif des Eglises sur la mort et les fins dernières, à l'époque classique, n'est pas une entreprise cléricale méditée ; mais sur fond des sollicitations de la démographie, elle répond à une demande de la sensibilité collective, exprimée dès l'aube du baroque. Ce

12. *Essais*, I, 20 : « Que philosopher c'est apprendre à mourir », éd. P. Villey, t. I, p. 87 ; même édition pour les autres citations de Montaigne.

besoin encore multiforme, indiscipliné dans ses expressions esthétiques ou littéraires, telles que nous les voyons culminer — quelque part entre 1600 et 1650 — va se trouver ensuite comme canalisé... » (M. Vovelle, p. 276). Le dépassement de la vieille question de la naissance italienne (ou jésuite) du baroque s'impose devant le constat de l'universalité de cette nouvelle sensibilité tragique, de part et d'autre des frontières de la Réforme et du catholicisme tridentin : « Le trait commun le plus frappant est certainement, quels que soient les dogmes adoptés, l'atmosphère doloriste du temps » (p. 313).

Le détour par l'histoire des mentalités évite donc un contresens auquel bien des commentateurs, il faut le reconnaître, n'échappent pas toujours : celui qui consiste à ne voir dans la méditation sur la mort ou dans la description des spectacles macabres qu'une mode ou une affectation un peu gratuite, au lieu de sentir l'actualité profonde du thème et son retentissement au niveau individuel. Il n'en est pas de meilleur exemple que la fin de *Roméo et Juliette* : pour le jeune homme, devant ce qu'il croit être le cadavre de son épouse, la mort est une sorte de rival, au même titre que le comte Paris, avec qui il faut lutter en un combat personnel : « La mort qui a sucé le miel de ton haleine n'a pas encore eu de pouvoir sur ta beauté : elle ne t'a pas conquise... Dois-je croire que le spectre de la Mort est amoureux et que l'affreux monstre décharné te garde ici dans les ténèbres pour te posséder ? »[13].

Plutôt que d'évoquer une mode, il devient nécessaire de tenter de définir la nouvelle relation *personnelle* qui s'édifie, au sein d'une culture et dans la vie privée, entre l'homme et la mort (et *sa* mort), à partir du moment où le monde qui l'entoure et l'art qui l'exprime ne cessent de lui renvoyer cette image. Faut-il rappeler que la notion de « mort-spectacle » n'inclut pas seulement la mise en scène de l'agonie

13. V, 3, trad. F.-V. Hugo, comme les autres textes de Shakespeare, sauf indication contraire.

des Grands ou l'indispensable présence du clergé au chevet des mourants les plus humbles, mais aussi l'afflux des spectateurs sur le lieu des supplices des victimes de la justice, civile ou religieuse (*auto da fe* dans la péninsule ibérique, par exemple) ? Mort sur le bûcher, sur la roue, dans une cage de fer suspendue ou par décollation, c'est toujours une mort hurlante, convulsive et exposée[14]. D'où l'intérêt présenté par l'œuvre de Philippe Ariès, qui n'a cessé d'utiliser toutes les formes de la représentation de la mort, devenues l'unique sujet de son ouvrage *Images de l'homme devant la mort* (Paris, 1983). Auparavant, dans ses *Essais* (déjà cités), il a insisté sur cette étrange familiarité avec la mort à l'époque baroque, qui est pour lui une forme d'érotisation : « Un grand phénomène s'est passé entre le XVIe et le XVIIIe siècle [...] dans le monde obscur extravagant des fantasmes, dans le monde de l'imaginaire, et l'historien devrait ici se faire psychanalyste » (p. 51). Sans aller jusque-là, on peut relever « deux grandes catégories, apparentées d'ailleurs l'une à l'autre, celle de l'érotisme macabre et celle du morbide ». Et c'est alors que sont prises en compte les représentations artistiques contemporaines : « La Mort ne se contente pas de toucher discrètement le vif, comme dans les danses macabres, elle le viole [...]. Mais l'érotisme pénètre même l'art religieux, à l'insu des moralistes rigoureux qu'étaient les contre-réformateurs. » Et l'historien de citer, évidemment, en référence Thérèse d'Avila et Ludovica Albertoni sculptées par le Bernin. Ce n'est pas par hasard si les œuvres religieuses les plus « orthodoxes » confirment ces remarques, avec « les scènes de violence et de torture que la Réforme tridentine a multipliées avec une complaisance que les contemporains ne soupçonnaient pas... ». La curiosité scientifique et le souci de l'artiste de rendre parfaitement la corruption des cadavres se mêlent étrangement : « Il est difficile de faire le partage

14. On se reportera à l'effarant catalogue de la *Mostra di Strumenti di Tortura dal Medioevo all'epoca industriale,* Firenze, Qua d'Arno Editori, 1983-1984.

de la science froide, de l'art sublimé (le nu chaste) et de la morbidité » (p. 112). Philippe Ariès cite « Rubens, Poussin » ; il faut ajouter l'école espagnole de sculpture polychrome[15].

Ces constantes de l'imaginaire pourraient certes tenter le psychologue, mais dans la perspective de la compréhension de la littérature baroque, c'est moins ce type d'explication qui compte que la description d'un panorama aussi complet que possible des hantises de la sensibilité collective. Une telle présentation a été faite récemment par l'historien Jean Delumeau, dans son étude de *La Peur en Occident* du XIVe au XVIIIe siècle (Paris, 1978), dont la lecture s'impose à l'historien de la littérature. C'est pourquoi, il n'est pas question de s'attarder en un plat résumé, à l'énumération de ces différentes peurs, partagées par le plus grand nombre, ni à la démonstration du mouvement par lequel la culture des élites a intégré ces manifestations paniques, en les faisant entrer dans de vastes schémas explicatifs. On se bornera à deux remarques qui complètent le propos initial.

L'apparition, d'abord, de ce que J. Delumeau appelle une « mentalité obsidionale », résultant du sentiment universel de lutte défensive de l'humanité contre des ennemis innombrables — dans le visible et l'invisible : « ce sont les chrétiens les plus "motivés" qui, en règle générale, ont eu le plus peur — et le plus consciemment peur — des Juifs. En même temps, ils avaient peur de l'idolâtrie, des Turcs, des morisques — autres *conversos* — et de tous les ennemis qui, sur l'ordre de Satan, attaquaient conjointement la citadelle chrétienne » (p. 304).

En un deuxième temps, le titre de ce travail sur les mentalités, qui porte du XIVe au XVIIIe siècle, ne doit pas faire illusion : l'époque baroque n'est pas incluse dans un ensemble plus vaste ; elle est, au contraire, présentée comme l'apogée de ces peurs, le moment précis où la culture se doit — pour y faire face — de sécréter des réponses adaptées, de sorte que l'on aboutit à la même délimitation chronologique que

15. Ce dont témoigne le Musée national de Sculpture de Valladolid, Collège Saint-Grégoire.

précédemment. Pour ce faire, il est possible d'utiliser un « instrument de mesure » relativement fiable : il s'agit du relevé statistique des procès pour sorcellerie à travers toute l'Europe (catholique et réformée) aux XVIe et XVIIe siècles ; sorciers et surtout sorcières représentent les alliés de Satan, le grand orchestrateur de tous les périls qui menacent la chrétienté ; l'acharnement contre ces nouveaux « boucs émissaires » traduit la montée de la peur et la passation devant les tribunaux achève de démontrer que ces paniques étaient partagées également par les élites dites « éclairées ». Or, l'évolution de la courbe de ces procès est très significative : « Durant tout le XVIe siècle et la première moitié du XVIIe siècle, procès et exécutions de sorciers et de sorcières se sont multipliés en différents coins de l'Europe occidentale et centrale, la folie persécutrice atteignant son paroxysme entre 1560 et 1630 » (p. 350)[16].

A partir des travaux des historiens, non seulement on peut comprendre la présence de l'angoisse au sein de la littérature baroque, mais on ira jusqu'à affirmer, sans craindre l'exagération, que c'est là une de ses caractéristiques dominantes. Les exemples abondent, dans les différents pays, de ce qui souvent apparaît sous la forme de la *mélancolie*, plus ou moins clairement assumée. Montaigne reconnaît : « Je suis de moi-même non mélancolique, mais songe-creux. Il n'est rien de quoi je me sois toujours plus entretenu que des imaginations de la mort : voire en la saison la plus licencieuse de mon âge » *(op. cit.)*. Jean-Baptiste Chassignet soupire :

> Je cherche des déserts la vaste solitude
> Pour fuir du palais l'aigre sollicitude,
> Mais la peine, et l'ennui nous suit jusqu'au trépas
>
> (*Le Mépris de la vie...*, LX)

16. On trouvera un tableau statistique plus complet dans *Le Catholicisme entre Luther et Voltaire*, du même auteur, Paris, 2e éd., 1979, p. 258 à 261.

et le calviniste Sponde reprend : « Je m'ennuie de vivre... » (*Stances de la mort*). C'est le même ton désespéré qui prévaut encore dans la bouche d'un prince, martyr inébranlable de la foi dans le Dieu des Chrétiens : « Chaque jour appelle celui qui le suit et fait ainsi succéder des pleurs à des pleurs, des peines à des peines [...]. L'homme n'est sorti de la terre que pour faire à sa surface un court voyage : et quel que soit le chemin qu'il prenne, il faut toujours qu'il finisse par rentrer dans son sein » (Calderón, *Le Prince Constant*, II, 1, trad. Damas-Hinard).

Plus généralement, de tels accents, si souvent repris, ont frappé les contemporains eux-mêmes. C'est toute l'Europe baroque qui porte le deuil : l'histoire du costume montre le passage des brillants habits de la Renaissance à la mode espagnole des vêtements noirs, chers à Philippe II et que Philippe IV imposera à la cour jusqu'à sa mort (1665). De ce point de vue, rien n'est plus significatif que d'observer, sur les représentations de la signature des traités de Westphalie ou de l'entrevue franco-espagnole de l'île des Faisans, l'opposition entre l'austérité, maintenant anachronique, des Espagnols et le développement du costume « à la française », qui marque la fin d'une époque — et d'une hégémonie. Médecins et psychologues (avant la lettre) s'intéressèrent à ce type de caractère : le Dr Huarte dans son *Examen des esprits* (2e éd., 1594) affirme la puissance et la supériorité du génie mélancolique ; Jourdain Guibelet publie à Paris en 1603 *Trois Discours sur la mélancolie*, mais ce thème attire encore plus les écrivains anglais : Timothy Bright écrit en 1586 un *Treatise of Melancholy*, qu'effacera la célèbre *Anatomie de la mélancolie* de Robert Burton, publiée pour la première fois en 1621. Dès l'introduction, l'auteur tente de montrer par « un bref aperçu général du monde » que la mélancolie est « une maladie innée en chacun de nous ».

Burton ne manquait pas d'exemples à citer parmi ses contemporains : on appelle en effet la mélancolie la « maladie élisabéthaine ». Premier signe : dans la littérature de cette époque, la fréquence de la réflexion sur le suicide, qui commence avec *La Reine des fées* de Spenser : le chevalier Croix-Rouge y est tenté par le discours de Désespoir et sa longue démonstration :

> Est-il donc injuste à chacun de donner son dû,
> de laisser mourir qui déteste la vie,
> de laisser mourir en paix qui vit ici-bas dans la peine[17] ?

John Donne, qui deviendra le prédicateur anglican le plus célèbre, écrit au cours d'une crise traversée en 1608, un traité sur le suicide, *Biothanatos*, où il accumule les références érudites qui justifient son propos. Sur la scène, un type nouveau fait son apparition : le *malcontent*, pour reprendre le titre d'une pièce de Marston, sorte de rêveur mélancolique assoiffé de pureté et déçu par un monde et une humanité qu'il perçoit irrémédiablement en deçà de son idéal. A cette catégorie appartiennent Flamineo du *Démon blanc* de Webster, Vendice de *La Tragédie du vengeur* de Tourneur et, bien sûr, Hamlet.

Lorsque l'on emploie le terme *élisabéthain*, il faut comprendre l'ensemble de la littérature qui s'étend de la seconde partie du règne d'Elisabeth Ire (fin des années quatre-vingt) à la guerre civile et à la révolution puritaine (fin des années quarante du siècle suivant). Les dernières années du règne de la souveraine furent sombres en raison de difficultés économiques, de successives mauvaises récoltes, de la révolte d'Essex et des incertitudes de la succession. Cette morosité ne fit que croître sous le règne de Jacques Ier, où cynisme et désillusion dominent les esprits en réaction contre l'idéal de la période précédente, celui du gentleman de la Cour, séduit par la poésie pétrarquisante et la pastorale. Robert Ellrodt, dans son étude sur les *Poètes métaphysiques anglais* (3 vol., Paris, 1960), qualifie de « nausée » cette crise de dégoût où surnage une fascination malsaine : c'est l'époque où Shakespeare écrit ses pièces « noires » *(Timon d'Athènes, Troïlus et Cressida, Mesure pour Mesure)* ; où Donne, en

17. Livre I, chant 9, 38, trad. M. Poirier.

chaire, déclare : « nous ne faisons que réprouver les actes que nous avons commis nous-même ; nous dénonçons la corruption du siècle et c'est nous qui l'avons corrompu » (*Sermon* du 1er avril 1627, trad. R. Ellrodt).

Semblable mélancolie envahit la littérature espagnole contemporaine du règne de Philippe IV (1621-1665), cependant elle apparaît moins tourmentée par la seule déchéance morale de l'individu et plus soucieuse des conséquences d'une décadence qui s'impose chaque jour plus nettement aux yeux de tous, malgré les efforts du comte-duc d'Olivarès pour tenter de surmonter un mal, sensible dès les dernières années du règne de Philippe II (mort en 1598) : banqueroutes, échec de l'Invincible Armada, enlisement dans la lutte contre les Provinces-Unies. L'Espagne s'épuise, ses responsables politiques comme son élite culturelle souffrent du fossé qui sépare de plus en plus les héritiers de la « prépondérance espagnole » (H. Hauser) de leurs rêves. « Leur conscience de vivre un temps fort de l'Histoire des hommes, et de le vivre au sommet fut, au contraire des autres, hypertrophiée, excessive. Ils purent croire que Lépante était le plus grand événement de l'Histoire depuis la naissance du Christ, que l'argent des Indes affluerait toujours davantage, que leur roi était le plus grand prince de la terre, leur armée invincible, ils purent croire enfin que Dieu était espagnol »[18]. La mélancolie s'exprime alors, quand les échecs s'accumulent, par une attitude de désillusion et de renoncement, une sorte de fatigue de l'héroïsme qui avait animé la génération de Charles Quint et celle des conquistadors : après le triomphe de Lépante, le désastre de Rocroi. Reste alors le mépris du monde : *vanitas vanitatum* ; le peintre sévillan Valdès Leal, qui fut le témoin de la grande peste qui, en 1649, fit, selon des estimations récentes, 60 000 morts sur 150 000 habitants environ dans le grand port espagnol, réalisa, pour l'hôpital de la Charité, un tableau au titre révélateur du stade ultime de la mentalité espagnole : *Finis gloriae mundi*. On y voit, dans deux cercueils ouverts,

18. B. Benassar, *Un siècle d'or espagnol*, Paris, 1982, p. 288.

rongés par la pourriture et la décomposition, les restes encore somptueusement vêtus, d'un chevalier et d'un évêque...

Le sentiment de la décadence persiste toujours au sein des différentes œuvres des auteurs du Siècle d'Or. Les uns ironisent contre ceux qui partent en guerre contre les moulins à vent, les autres préfèrent s'étourdir dans les plaisirs de la vie frivole ou recourir aux charmes d'un monde d'illusion et de fantaisie, grâce, par exemple, à la magie d'un théâtre, conforme aux rêves de toute une société ou apte à rappeler les souvenirs d'un passé glorieux, par un phénomène de compensation. D'autres enfin, comme Quevedo, dénoncent inlassablement les maux qui accablent le pays avec une grande lucidité, même s'ils sont incapables de proposer des remèdes, ce qu'atteste *La Politique de Dieu*.

En réalité, malgré les différences nationales, c'est toute l'Europe qui, à travers chaque littérature, exprime, à la fin du XVIe siècle et au début du XVIIe siècle, une vision tragique et assez désespérée du monde : le réel quotidien n'est plus ressenti que comme une source d'horreur ou de déception, cause de nostalgie d'un passé perçu comme meilleur (sentiment qui, en ce qui concernait la première moitié du XVIe siècle, n'était pas faux, on l'a vu). Théophile soupire :

> Aujourd'hui l'injustice a vaincu la raison,
> Les bonnes qualités ne sont plus de saison,
> La vertu n'eut jamais un siècle plus barbare,
> Et jamais le bon sens ne se trouva si rare.

Mais force est de conclure :

> Cependant il faut vivre en ce commun malheur.
>
> *(Elégie, à une dame.)*

On serait tenté de voir dans cette angoisse commune à toutes les littératures baroques une des sources de ce que Pascal a décrit comme le besoin de *divertissement* chez l'homme : se fuir soi-même, pour échapper au spectacle de la misère de sa condition ; l'auteur des *Pensées*, né en 1623, doit en effet beaucoup aux idées qui avaient cours au début du siècle et, même, on le sait, à Montaigne. La notion de divertissement, sans avoir été formulée aussi nettement, affleure souvent dans les écrits des élisabéthains ou des auteurs du Siècle d'Or. Le Docteur Faustus de Marlowe, au milieu des plaisirs, se trouve saisi par le vertige :

> Déjà depuis longtemps je me serais tué
> Si le plaisir n'avait vaincu le désespoir[19]

de même que le voluptueux Balthazar, que dépeint Calderón, s'abandonnant à Vanité et Idolâtrie pour oublier les avertissements de la Mort *(Le Festin de Balthazar, auto sacramental)*.

En définitive, comme l'observe Richard Alewyn, « le baroque n'a pas été une époque heureuse. Si l'on écarte le luxe et la pompe dont il couvre sa nudité, on se trouve devant un sombre fond d'angoisse, de haine et de souffrance universelles »[20]. L'époque se complaît à représenter la passion du Christ au jardin des Oliviers : c'est un thème pictural fréquent et une source de méditation constante, car, en cet instant, le Fils de Dieu symbolise toutes les misères et les angoisses de la condition humaine, manifestations de la colère de Dieu :

> Tu sentis les effrois de son âpre disgrâce
> Quand les grumeaux de sang ondoyaient sur ta face,
> Quand l'ange serénait ton courage troublé...
>
> (Sponde, *Stances de la Cène*.)

Les partisans d'une lecture strictement déterministe et matérialiste de l'histoire seraient facilement tentés de ne voir dans ce pessimisme universel que la transposition, dans les mentalités, des conséquences d'une conjoncture difficile. Une telle explication serait insuffisante dans la mesure où la période coïncide aussi avec une rupture intellectuelle specta-

19. Trad. de F. C. Danchin, Paris, 1947, sc. 7.
20. *L'Univers du baroque,* Paris, 1964, p. 67.

culaire : les représentations traditionnelles du monde s'effondrent, sans que l'on puisse encore entrevoir la voie du salut. D'où une augmentation du désarroi.

III. L'HISTOIRE DES IDÉES

A l'encontre du schéma traditionnel et simplificateur qui pense par coupures nettes et brutales, la Renaissance n'a nullement rompu avec les philosophies issues du Moyen Age : au contraire, aussi bien dans le domaine de la métaphysique que dans celui de la pensée politique ou de la représentation du monde physique, on observe une grande continuité. La mutation n'a pas été le fait de la génération de Laurent de Magnifique ni de celle d'Erasme ou de Luther : elle s'est opérée seulement à la fin du XVIe siècle et au début du suivant.

La conception « officielle » du monde, en Europe à la fin des années 1500 et pour de nombreuses années encore, est celle d'un univers strictement ordonné et hiérarchisé, depuis le Créateur jusqu'aux derniers des végétaux et des minéraux, en passant par tous les « états » d'une société monarchique. Pensée traditionnelle, théologico-politique et totalisante qui englobe le cosmos, Dieu et les créatures angéliques ainsi que le fonctionnement de l'homme lui-même. Ses sources sont Aristote, Ptolémée *(L'Almageste)*, Thomas d'Aquin et, en matière politique, par-delà le *Policraticus* de Jean de Salisbury, le *De Civitate Dei* d'Augustin. Cet ensemble cohérent[21] — du moins pour l'esprit — fonctionne selon les figures de la clôture, de la hiérarchie pyramidale et de l'analogie microcosme-macrocosme. Il sera repris en France par Pierre de Boaistuau, avec deux œuvres publiées en 1558 : *Bref Discours de l'excellence de l'homme* et *Le Théâtre du monde ou Ample Discours des misères humaines*, ou par Jean Bodin et

21. On en trouve un excellent exposé dans E. M. W. Tillyard, *The Elizabethan World Picture*, publié pour la première fois en 1943.

son *Théâtre de la nature* (1596-1597), par exemple ; en Espagne, par le jésuite Suarez dans ses *Disputationes Metaphysicae*, pour ne citer que l'œuvre la plus importante. De la représentation de ce monde clos, à structure théologico-politique rigidement ordonnée, il ressort que le désordre est la marque du péché en l'homme et que l'Ordre voulu par Dieu est sacré. Cette conception est universellement admise ; elle préexiste dans tous les esprits avant toute énonciation personnelle et traverse toute la littérature baroque, de l'épopée chevaleresque et pastorale :

> C'est à tort, dit alors le vieux Mélibée, que les hommes,
> accusent le ciel de leur fortune insuffisante,
> puisque le ciel sait mieux ce qui leur convient le mieux.
> A chacun il accorde la fortune dont l'homme
> — il le sait — pourra faire l'usage le plus propre...[22],

jusqu'à la représentation dramatique de la transgression de cet Ordre, qu'invoque un père offensé, lorsqu'il se tourne vers le roi, garant du respect de la hiérarchie et représentant de Dieu : « Roi don Pèdre d'Aragon, monarque chrétien que l'ignorant nomme cruel, mais que le sage nomme le justicier... mon fils s'est rendu coupable contre Dieu, contre vous et contre moi »[23]. De même que Dieu domine la Création, le roi domine la société, fermée et immuable dans ses « états » et corporations, à la manière du cosmos géocentrique, où la Terre occupe le milieu immobile, tandis que gravitent autour d'elle les sphères qui portent les sept planètes ; l'ultime ferme le monde créé et supporte les étoiles fixes. Monde d'harmonie, dont la métaphore est constituée par la musique que produisent les mouvements de ces sphères...

Tel est, très rapidement résumé, le point de départ, la référence commune de tous les esprits, qui va brusquement se trouver confrontée à une triple remise en cause, dans les domaines historico-politique, anthropologique et scientifique. Pour simplifier, on pourrait symboliser ce nouvel apport par

22. Spenser, *La Reine des fées*, *op. cit.*, VI, 9, 29.
23. Calderón, *Trois Justices en une*, *op. cit.*, II, 2.

trois noms (Machiavel, Montaigne et Galilée) qui incarnent, chacun dans son domaine respectif, une révolution intellectuelle.

La mention de Machiavel peut surprendre, dans la mesure où cet auteur appartient à la Renaissance classique italienne. Son ouvrage le plus célèbre, *Le Prince*, composé probablement en 1513, ne fut publié pour la première fois qu'en 1532 ; édition autorisée par le pape Clément VII et qu'accepte de protéger un cardinal... Or, c'est à partir du milieu du XVIe siècle que l'on découvre l'immoralité de Machiavel et le caractère dangereux de son œuvre. La seconde moitié du XVIe siècle (et les siècles suivants !) est prise d'une extraordinaire hystérie antimachiavélique. Le message de Machiavel a été compris avec un demi-siècle de retard : objet de haine pour tous les nostalgiques de l'ordre et bréviaire secret pour ceux qui participent à la grande remise en cause de la fin du siècle.

Dans *Le Prince*, en effet, Machiavel répudie foncièrement la théorie selon laquelle c'est la Providence qui fait l'Histoire ; cette laïcisation opère une séparation d'avec le récit théologico-politique médiéval, qui cherchait surtout à montrer l'action divine à l'intérieur du temps des hommes. Dès lors, on assiste à l'émergence du politique comme univers autonome. Machiavel se définit comme celui qui voit les choses en elles-mêmes, en refusant toute métaphysique, toute religion et tout *a priori* — et ce sont les fameuses formules : « quand il s'agit de juger l'intérieur des hommes et surtout celui des princes [...], il ne faut s'attacher qu'aux résultats : le point est de se maintenir dans son autorité ; les moyens quels qu'ils soient paraîtront toujours honorables et seront loués de chacun »[24] (chap. XVIII). Ainsi éclate pour la première fois la notion de raison d'Etat, dans un monde qui ne veut connaître qu'une position, celle de l'Evangile, à savoir que morale et politique doivent coïncider.

Les deux Réformes (protestante *et* catholique), en remettant en lumière les fondamentales exigences chrétiennes, ne

24. Trad. R. Naves.

pouvaient que revenir à la position de l'Evangile. Il fallait donc rejeter Machiavel. Pourtant, voici le paradoxe : dénoncé, interdit, peu ou pas publié à travers toute l'Europe, *Le Prince* est au centre de toutes les discussions ; de grandes quantités de livres ne cessent de paraître pour le réfuter et assurent ainsi la diffusion de sa pensée... Dans le théâtre élisabéthain *le* machiavel devient un type et un critique (Ed. Meyer) n'a pas relevé moins de 395 références à cet auteur. Même fascination dans l'Espagne du Siècle d'Or, où la liste des écrivains qui prétendent démontrer ses erreurs est considérable.

« Après sa mise à l'Index romain, Machiavel continue à jouir un temps d'une certaine impunité en France, grâce à Catherine de Médicis et à la ferveur du gallicanisme. Il va pourtant être bientôt l'objet des attaques et des calomnies des intellectuels et des idéologues, lesquels restent toutefois un peu moins virulents que les terroristes de la Contre-Réforme. Si Cappel, traducteur de Machiavel, dit son admiration pour celui-ci, l'humaniste Etienne Pasquier le déclare, dès 1560, "digne du feu" »[25].

Machiavel est un écrivain d'une époque où l'optimisme et la foi en les possibilités de l'homme ne semblaient pas admettre de doute, comme en témoignent *Le Courtisan* de Castiglione (1528) ou les œuvres de Rabelais. A Montaigne, homme de la deuxième moitié du siècle, il revint d'anéantir définitivement cette image rassurante d'un Homme éternel, être raisonnable, susceptible de perfectionnement, source et objet de connaissance et déjà décrit par une longue lignée de moralistes depuis l'Antiquité. Pour l'auteur des *Essais*, l'injonction du dieu à Delphes, de se connaître soi-même, débouchait sur un constat lamentable pour l'homme : de toutes les choses, « il n'en est pas une seule si vide et si nécessiteuse que toi qui embrasses l'univers : tu es le scrutateur sans connaissance, le magistrat sans juridiction et après tout le badin de la farce »[26].

25. Christian Bec, *Machiavel*, Paris, 1985.
26. *Op. cit.*, III, 9, t. II, p. 1001.

Mettant au premier plan la découverte de l'individualité, Montaigne ne distingue plus les hommes selon le degré plus ou moins fort de leurs qualités générales, mais en fonction de la disposition chaque fois unique de ces qualités. D'où sa démarche, en ce qui le concerne : pour cerner la spécificité de sa propre personne, le recours aux plus menus détails, le récit de ses habitudes et l'utilisation de l'anecdote intime. L'Homme n'existe plus, il n'existe que des hommes. « Oui, je le confesse... la seule variété me paye, et la possession de la diversité, au moins si aucune chose me paye [...]. La vie est un mouvement matériel et corporel, action imparfaite de sa propre essence, et déréglée » (III, 9, *passim*).

De *L'Apologie de Raymond de Sébond* (II, 12) à l'essai *De la vanité*, environ dix ans, mais un même propos : « il n'y a point de science » (p. 592). Dans le premier cas, la démonstration est plus générale et fondée sur un curieux paradoxe : pour défendre le philosophe espagnol, dont il a traduit l'ouvrage, Montaigne en vient à dire que, si les arguments de celui-ci dans sa *Théologie naturelle* paraissent insuffisants à ses détracteurs, ceux-ci n'ont rien de mieux à lui opposer, car la raison humaine est incapable de rien fonder ! « Le moyen que je prends pour rabattre cette frénésie et qui me semble le plus propre, c'est de froisser et fouler aux pieds l'orgueil et humaine fierté ; leur faire sentir l'inanité, la vanité et dénéantise de l'homme ; leur arracher des poings les chétives armes de leur raison » (p. 448). Avec le second essai, il s'agit moins de la connaissance humaine que de la « vanité » de nos « vacations » quotidiennes : Montaigne s'obstine à voyager, car toutes les objections qu'on lui oppose sont vaines et il démonte progressivement les bonnes raisons de l'interlocuteur qu'il se forge pour les besoins de la cause. Lorsque ce dernier conseille de rechercher la sagesse plutôt que de voyager, l'auteur se saisit du prétexte pour montrer la vanité de la sagesse et des grandes constructions éthiques : « J'avais à dire que je veux mal à cette raison trouble-fête et que ces projets extravagants qui travaillent la vie, et ces opinions si fines, si elles ont de la vérité, je la trouve trop chère et incommode » (p. 996).

La voie est ouverte qui mène au scepticisme. L'influence de Montaigne sur ses contemporains et la génération suivante fut considérable. En France, tout d'abord, avec Mlle de Gournay et surtout Pierre Charron, mais aussi à travers toute la première moitié du XVIIe siècle, sur les mondains et les libertins, de Méré à Bussy ; à Descartes, il montre le chemin de la remise en question du dogmatisme ; à Pascal, surtout, il fournit une mine d'exemples des contradictions, des insuffisances et des misères de l'homme. Les objectifs si différents de ces deux derniers auteurs, l'un cherchant à se rendre « comme maître et possesseur de la nature », l'autre désirant, de toutes ses forces, s'abandonner en Dieu, prouvent bien quelles étaient les virtualités et la fécondité de la pensée de Montaigne. D'où son retentissement à l'étranger, particulièrement en Angleterre, où les *Essais* sont traduits par John Florio dès 1603 : on en trouve des traces évidentes dans l'œuvre de Shakespeare, comme dans celle de Webster. En Italie, des morceaux choisis paraissent en 1590 à Ferrare, traduits par G. Naselli. L'Espagne, en revanche, restera obstinément fermée à Montaigne — comme aux nouveautés venant du reste de l'Europe.

Si Machiavel et Montaigne sont incontestablement chacun à l'origine d'une mutation profonde de la pensée européenne, il en va différemment en ce qui concerne l'évolution vers une approche scientifique de la nature du cosmos. Galilée reste le savant le plus prestigieux, mais d'autres lui ont ouvert la voie : Copernic, Tycho Brahé et Kepler, par exemple. Ce qui frappe dans l'histoire de ce savoir qui allait se constituer comme science dès la fin du XVIIe siècle, c'est la rapidité du bouleversement qui devait placer le soleil au centre de notre système planétaire et faire s'effondrer les limites du cosmos traditionnel, décrit par Ptolémée et Aristote, en faveur d'un univers infini... « la route qui du monde clos des Anciens mène au monde ouvert des Modernes, a été parcourue avec une vitesse surprenante : cent ans à peine séparent le *De Revolutionibus Orbium Caelestium* de Copernic (1543) des *Principia Philosophiae* de Descartes (1644) ; à peine quarante ans, ces *Principia* des *Philosophiae Naturalis Principia Mathematica* de Newton (1687) »[27]. Notre regard rétrospectif, cependant, risque de fausser l'interprétation de la réception de cette vision nouvelle, qui ne fut pas acceptée d'emblée comme la seule et indiscutable expression de la vérité. Le bilan de l'évolution des idées entre 1580 et 1640 révèle une extraordinaire confusion des esprits et des doctrines : l'héliocentrisme a été surtout perçu comme une hypothèse parmi d'autres. Notre esprit moderne répugne à admettre la coexistence dans un même discours de deux théories contradictoires qui semblent s'exclure ; l'époque semble s'en être accommodée : les exemples abondent. Ainsi, sous le règne de Philippe IV, parurent deux éditions nouvelles de l'*Index* espagnol (distinct de l'*Index* romain) ; or dans la catégorie des livres interdits figuraient les œuvres de Francis Bacon, mais les ouvrages de Kepler et Tycho Brahé étaient autorisés — alors que de plus, il s'agissait d'auteurs hérétiques ! Bacon lui-même, si bien placé dans une histoire des sciences pour ses critiques contre l'aristotélisme, son recours à la connaissance fondée sur la libre observation et sa foi dans le développement de la science, n'aimait point les mathématiques et ce qui pouvait déranger son propre système, comme les découvertes de Kepler ou de Harvey... Longtemps les plus novateurs ont tenté de mêler aux cadres anciens leurs nouvelles propositions en un curieux équilibre : Copernic, par exemple, bien qu'il ait replacé le soleil au centre du monde, maintint la sphère des étoiles fixes, comme s'il ne pouvait renoncer à l'idée d'un cosmos ordonné et fini. Giordano Bruno, quant à lui, partant de l'idée de la toute-puissance de Dieu, se refusa à concevoir une création limitée et parvint à l'affirmation d'un univers aux dimensions infinies, peuplé de mondes innombrables ; en fait, observe sévèrement A. Koyré : « La conception du monde de Bruno est vitaliste et magique ; ses planètes sont des êtres

27. A. Koyré, *Du monde clos à l'univers infini*, Paris, 1973, p. 14.

animés qui se meuvent librement dans l'espace selon leur propre désir, comme le font celles de Platon ou de Patrizzi. Bruno n'est aucunement un esprit moderne » (*op. cit.*, p. 78).

La même incertitude s'observe dans les autres domaines de ce qui bientôt allait s'appeler la science : l'ancien s'effondre, mais nul ne perçoit encore ce qui va le remplacer et permettre de ne plus succomber aux habitudes de pensée périmées. Ce n'est qu'en 1687, date de la publication des *Principia Mathematica* de Newton, que se constitue un système cohérent. Dans l'intervalle, la science nouvelle s'instaure, progressivement, par une succession de tentatives partielles, en marge de la science officielle et des autorités et souvent grâce à de courageuses initiatives individuelles. La médecine hippocratico-galénique reste longtemps en vogue, avec sa théorie des quatre humeurs et sa doctrine des tempéraments et dyscrasies, et ce, malgré certaines réfutations de Galien, dès 1543, dans le *De Humani Corporis Fabrica* de Vésale, et les travaux de Harvey sur la circulation du sang. Galilée, grâce aux observations des taches du soleil, faites au moyen d'une lunette astronomique, anéantissait la théorie scolastique du sublunaire, seul sujet aux forces du changement, mais il eut le tort de ne pas suivre Kepler sur la question de la trajectoire elliptique des planètes, sans doute par un reste d'attachement aux prestiges du mouvement circulaire... On imagine ce que devait être la confusion des esprits en général, si les plus lucides erraient ainsi entre l'ancien et le nouveau[28].

Un équivalent de la situation du public contemporain cultivé est fourni de façon frappante par l'ensemble des poésies de John Donne : si l'*Alchimie de l'amour* parle, de manière très conformiste, « au milieu de la rude et rauque musique de ce bas monde », de l'harmonie des sphères célestes, le *Sonnet sacré XIV*, tout à la fois, commence par une vieille image, celle de l'homme microcosme :

> Je suis un petit univers fait artificieusement
> d'éléments et d'esprit angélique

28. Voir les œuvres de John Dee, Robert Fludd ou du jésuite Athanasius Kircher.

et poursuit par la célébration des nouvelles découvertes qui brisent les limites du monde ancien :

> Vous qui par delà ce ciel qui passait pour le plus élevé
> Avez trouvé de nouvelles sphères et pouvez décrire de nouvelles terres[29].

Le désarroi du poète culmine dans son *Premier Anniversaire* (1611), souvent cité par les historiens : « la nouvelle philosophie met toute chose en doute », etc. (voir les v. 205 à 218). La situation de Donne est particulièrement précieuse : à cheval sur deux siècles (1571-1631), il vit dans un pays qui connaît un remarquable développement de sa puissance, fondé sur l'économie maritime et les échanges commerciaux. L'Angleterre voit en effet monter la classe des affairistes, dont la philosophie illustre la nouvelle pratique active à l'échelle d'un monde à conquérir, en conflit avec la conviction, encore universellement admise, que le salut repose sur la tradition. Une telle contradiction a été représentée par Spenser, au moyen de l'affrontement qui oppose Sire Guyon, le valeureux chevalier, au dieu des Richesses, Mammon :

> — Mon fils, dit-il alors, renonce à ton dédain amer,
> et laisse la rudesse de cet âge ancien
> à ceux qui y vécurent dans le délaissement.
> Toi qui vis en un temps plus tardif dois louer
> ton travail contre richesse, risquer ta vie pour l'or.
>
> (*La Reine des fées,* II, VII, 15 et 17.)

Ainsi se marque le passage du féodalisme médiéval, agraire et rural, au mercantilisme, bourgeois et commerçant, qui donne le premier rôle à la richesse de la nation et assimile cette richesse au stock monétaire. C'est là une mutation au moins aussi importante que les trois précédentes et qui concerne l'évolution historique des Etats européens. Avec l'époque baroque s'opère un glissement de la puissance du sud vers le nord ; du monde méditerranéen, de tradition catholique romaine, vers de nouvelles nations, comme les

29. Trad. Pierre Legouis.

Provinces-Unies, ou des impérialismes récents, comme celui de l'Angleterre. Encore faut-il se garder, sur ce point, des généralisations hâtives et suivre, une fois encore, l'exemple de Fernand Braudel qui, de 1949 à 1965, a revu et corrigé les conclusions de son immense travail sur *La Méditerranée et le Monde méditerranéen à l'époque de Philippe II* : il ne s'agit plus de parler d'effondrement à la fin du XVIe siècle. « En tout cas, ce n'est pas avec le renversement de la tendance séculaire lors des années 1590, ou avec le coup de hache de la crise courte de 1619-1621, que s'achèvent les splendeurs de la vie méditerranéenne »[30]. *Splendeurs* voilà le terme clef : la puissance et la richesse économiques passent au nord, mais l'Italie comme l'Espagne doivent encore beaucoup apporter à la culture et à la civilisation européennes, durant la première moitié du XVIIe siècle. Cependant, que ces deux derniers pays perdent l'initiative et se trouvent peu à peu à l'écart du circuit des richesses constitue le signe d'une évolution importante dans l'histoire des idées : le monde régi par le catholicisme romain et sa tradition se découvre moins apte à suivre, sinon mener, le mouvement qui va conduire à l'édification du capitalisme : l'Angleterre et les Provinces-Unies appartiennent au monde réformé, qui ne met pas l'interdit sur le prêt à intérêt et les richesses acquises par les « métiers mécaniques »[31]. On opposera ainsi deux exemples extrêmes : l'Angleterre, dont la noblesse n'a jamais dédaigné de participer au monde du négoce, et l'Espagne, désespérément crispée dans une tentative de fidélité à l'idéal traditionnel, qui ne veut voir que deux « états » : les nobles et les paysans. Quel qu'ait été le choix décidé par chaque nation, l'établissement d'un nouveau système économique était un défi supplémentaire à l'ordre ancien. Naguère simple outil d'échange, l'argent devenait l'instrument d'une spéculation démesurément accrue, si bien qu'à une société stable, fondée sur la terre et la valeur

30. *Op. cit.*, t. II, p. 518.
31. Consulter Max Weber, *L'Ethique protestante et l'Esprit du capitalisme*, Paris, 1re éd., 1922.

foncière, se substituait une société théoriquement plus fluide, du moins ouverte, où l'acquis prenait le pas sur l'héritage.

A distance, il est aisé pour l'historien de dresser un tableau de l'évolution des idées qui ait un sens et montre les directions suivies ; sur le moment, c'est une évidence, les choses ne peuvent apparaître aussi clairement, d'autant que la période retenue ici a été caractérisée par son extrême confusion. Néanmoins, on tentera de dégager deux sortes de conséquences à cette crise intellectuelle qui vient ajouter ses effets aux crises historiques précédemment décrites. Conséquences immédiates, communément ressenties et dont les signes sont perceptibles dans les littératures contemporaines.

En ce qui concerne le sentiment religieux et l'anthropologie, tout d'abord, on observe de multiples expressions qui insistent sur la sensation de solitude et d'écrasement de l'homme, dans un monde devenu trop grand et qui a donc perdu toute dimension humaine. Rappelons la découverte du Nouveau Monde et, de manière générale, l'élargissement du monde connu :

> Mais que les plus sensés considèrent
> que nous ne connaissons du monde que la moindre partie
> et que des hommes hardis et entreprenants
> mainte vaste région découvrent chaque jour,
> jamais mentionnée par les siècles passés.
>
> (Spenser, *La Reine des fées,* Préambule, livre II, 2.)

C'est devenu d'ailleurs un lieu commun de l'histoire des idées que d'observer que l'abandon simultané du géocentrisme et du monde clos a entraîné un décentrement de l'image que l'homme avait de lui-même et une angoisse, devant « le silence des espaces infinis », que Pascal a évoquée dans son portrait de la misère de l'homme. Encore convient-il d'ajouter que la relation de la créature à son Créateur s'est trouvée simultanément distendue, pour ne pas dire brisée. Le monde traditionnel était, on l'a vu, placé directement sous l'œil de Dieu, l'homme au milieu ; dans *La Cène des cendres*, Bruno affirme la pluralité des mondes, répandus dans un espace infini et par là même sans forme : sphère dont le centre est partout et la circonférence nulle part. Dans cette perspective, quelle « dignité » peut-on reconnaître à l'homme, puisque s'effondre la démonstration d'un Pic de La Mirandole, appuyée sur l'idée de l'homme microcosme *i.e.* écho du macrocosme ? Paradoxalement, dans l'ouvrage où Bruno exalte le plus l' « héroïque » folie du dépassement de soi par le « furieux », il dénonce en même temps (II, 1) les « difficultés de l'œuvre », le « poids de la fatigue », des « nerfs trop faibles » et « le péril de mort » qui compromettent sa tentative et la condamnent à l'échec[32]. On peut voir dans cette démarche, en quelque sorte panthéiste, une tentative, voisine de celles de Telesio et de Campanella, pour retrouver Dieu, dans un monde infini qui le signifie et l'exprime — à la limite : qui est Dieu. L'explication mécaniste de l'Univers (Galilée, Descartes) s'oppose alors radicalement au parcours suivi par Bruno, mais aboutit à la même conséquence pour la créature : l'éloignement de Dieu. Ce qui ne signifie pas qu'une interprétation mécaniste est un obstacle à la croyance religieuse : Galilée, pour qui « la nature est écrite en langage mathématique » (cf. son *Saggiatore* de 1623), en trouvait la confirmation dans l'idée de création d'un monde conçu comme système compréhensible mathématiquement. Il est vrai, cependant, qu'une telle idée ouvrait la porte au déisme, qui réduit Dieu à n'être plus que l'origine d'un système mécanique autonome. Conclusion sensible dans l'œuvre de Descartes et qui lui fut fort reprochée, notamment par Pascal : « Je ne puis pardonner à Descartes ; il aurait bien voulu, dans toute sa philosophie, se pouvoir passer de Dieu ; mais il n'a pas pu s'empêcher de lui faire donner une chiquenaude, pour mettre le monde en mouvement ; après cela, il n'a plus que faire de Dieu »[33]. La lecture mécaniste ne s'est pas imposée d'emblée, mais, repre-

32. Voir l'éd. *Des fureurs héroïques* établie par P.-H. Michel, Paris, 1954, p. 43.

33. *Pensées*, n° 77, éd. Brunschvicg.

nant une dissociation déjà proposée par Pomponazzi[34], la science va tendre à se constituer indépendamment de Dieu, en un mouvement de séparation finalement irréversible, entre raison et foi, connaissance scientifique et vérité théologique, au cours du XVIIe siècle. Or, curieusement, ce Dieu lointain, qui laisse l'homme s'ébattre en ce monde, se rencontre déjà dans les œuvres du fulgurant Marlowe, qui invoque, d'une part, « celui qui est assis là-haut et qui ne dort jamais, qui ne peut se circonscrire en un seul lieu, mais partout remplit tous les continents de l'étrange effusion de son énergie sacrée... »[35], termes qui rappellent Bruno (qui venait de séjourner en Angleterre), tandis que « Le Dieu Suprême, premier moteur de cette sphère enchâssée de mille lampes... » (*ibid.*, 1re partie, IV, 2) semble renvoyer, d'autre part, au *primus motor* cartésien... mais dans un cadre aristotélicien ! Marlowe, qui hésite déjà prophétiquement entre Bruno et Descartes, se révèle un témoin privilégié des tentations intellectuelles de son temps.

Le certain est que l'homme eut l'impression d'être exclu d'un macrocosme à son image. Néanmoins, si le Dieu des philosophes s'éloigne, cela ne veut pas dire que la religiosité européenne fléchit. On observe plutôt le contraire : comme les valeurs spirituelles cessent d'être l'apanage du cloître et s'irradient dans le monde, celui-ci apparaît comme le lieu où un chrétien peut espérer réaliser sa vocation ; la place accordée aux *œuvres*, dans la théologie catholique romaine, montre que la perfection spirituelle et morale peut être atteinte. Le grand développement de la mystique baroque, dont on reparlera ultérieurement, coïncide avec une tentative individuelle d'approfondissement de la foi. Tandis que le macrocosme ne renvoie plus à l'homme ni à Dieu, on assiste à la découverte compensatrice, par chacun et en chacun, de l'intériorité où règne un Dieu plus intime à l'homme

34. 1462-1525 : voir en particulier sa doctrine de la « double vérité ».
35. *Tamerlan*, IIe partie, II, 2, trad. Jean Richepin, Paris (1889).

que son intériorité même. Cet effort suppose une renonciation et une libération par rapport aux passions et aux engagements d'un monde considéré comme mauvais et trompeur. L'ascèse religieuse rejoint ici l'effroi, relevé par les historiens des mentalités, au spectacle du monde contemporain ; d'où un sentiment apocalyptique devant ce siècle déshumanisé. Et d'Aubigné de présenter un Créateur qui s'éloigne de la Création et des hommes :

> Dieu voulut en voir plus, mais de regret et d'ire
> Tout son sang écuma : il fuit, il se retire.
> [...]
> Il se repentit donc d'avoir formé la terre.
> [...]
> Il sauta de la terre en l'obscur de la nue.
> La terre se noircit d'épais aveuglement,
> Et le ciel rayonna d'heureux contentement[36].

Le déchaînement de l'histoire des hommes devient le signe de l'abandon par Dieu de son alliance providentielle avec le temps humain, ce dont, on l'a vu, tente de rendre compte l'œuvre de Machiavel, dans une perspective laïque.

La deuxième série de conséquences, issues de la crise intellectuelle de la fin du XVIe siècle, concerne non plus la situation de l'homme, mais le statut de la pensée en général. A ce sujet, les historiens de la littérature parlent volontiers de *sagesse* ; le terme est juste s'il se limite à marquer la relativisation et l'absence de portée systématique d'une réflexion qui se borne à un art de vivre la précarité, ici et maintenant. Devant l'importance des bouleversements politiques et religieux, nombreux sont ceux qui, à la suite d'un Montaigne, préfèrent renoncer à tout changement par crainte du pire ou, plus prosaïquement, qu'une nouvelle incertitude en remplace une autre. De là, une attitude faite d'acceptation, sans illusion, de la forme traditionnelle de la société et des idées qui l'accompagnent : « Le sage doit au-dedans retirer son âme de la presse et la tenir en liberté et puissance de juger librement

36. *Tragiques*, *les Feux*, v. 1389 à 1420, *passim*.

des choses, mais, quant au-dehors, qu'il doit suivre entièrement les façons et les formes reçues » (*Essais*, I, 23, *op. cit.*, p. 118). Tendance assez répandue, qu'il faut rapprocher de la première maxime de la morale provisoire de Descartes (« obéir aux lois et aux coutumes de mon pays, retenant constamment la religion en laquelle Dieu m'a fait la grâce d'être instruit dès mon enfance », etc.) ou de « la pensée de derrière » de Pascal, qui lui permet de « juger de tout par là, en parlant cependant comme le peuple » (336). La fréquence de cette démarche devait être grande puisqu'elle suscita l'ironie de Ben Jonson :

> Pour la religion, n'en professer aucune,
> Mais s'étonner toujours de leur diversité ;
> Déclarer que, pour vous, n'y eût-il d'autres lois
> Que celles du pays, elles vous suffiraient :
> C'est l'avis de Bodin, de Nic. Machiavel[37].

L'allusion à Bodin s'avère encore mieux venue que ne pouvait l'imaginer le dramaturge anglais, ignorant, par la force des choses, l'*Heptaplomeres*, ouvrage resté longtemps secret, de l'auteur de *La République*. On y trouve un entretien entre sept esprits de diverses croyances (et incroyances), qui représentent les diverses options religieuses ou rationalistes du temps : devant la diversité et le désaccord général, toutes les religions sont renvoyées, en quelque sorte, dos à dos, en tant que simples expressions particulières d'une seule et même religion naturelle et raisonnable. Ce n'est pas uniquement la modernité du propos qui doit étonner, mais la conclusion qui se dégage : la nécessité de la tolérance. Constat paradoxal en ces temps de guerres de Religion et de fanatisme officiel et étatisé ? Sans doute pas, si l'on songe à la confusion des valeurs en général et à l'éclatement du catholicisme en particulier ; spectacle dont la vue amena d'autres esprits à suivre le même chemin que Bodin, comme Edward Herbert of Cherbury (1583-1648) : sa recherche de la vérité et des causes des erreurs (pour reprendre le titre de ses œuvres)

37. *Volpone*, IV, 1, trad. M. Castelain.

devait aboutir, dans le *De Religione*, par le moyen d'une étude comparée des religions, au déisme. Ultime conséquence d'une crise de la pensée qui, loin du paradis perdu de l'unité, constate amèrement que toutes les théories se valent.

IV. L'HISTOIRE LITTÉRAIRE

L'histoire de l'art a cet avantage sur celle des littératures qu'elle s'accommode aisément d'un aperçu synthétique, par-delà les frontières nationales : on parle sans gêne de « l'art de la Renaissance » ou de « l'art romantique ». Il en va tout autrement en ce qui concerne le domaine littéraire, où une longue tradition a fermement établi l'habitude de n'étudier l'évolution que d'une littérature en elle-même, sans s'ouvrir plus sur l'extérieur que ne le permettent les timides chapitres intitulés : « Influences ». Certes, il y a une justification de fond évidente à cette démarche : le matériau qui permet à l'artiste de s'exprimer est la langue, d'où les divisions naturelles en champs linguistiques. C'est faire fi, cependant, de la grande leçon des historiens, que l'on a rappelée précédemment : il n'y a pas d'évolution séparée, mais de vastes ensembles conjoncturels ; dès lors, on ne peut plus parler que de spécificités nationales, qui illustrent la manière, propre à chaque peuple, de représenter, par la littérature, la problématique d'ensemble. Aussi le propos de ce livre étant, comme on l'a dit, de ne traiter la littérature baroque que comme un seul texte, il suffira de passer en revue, très brièvement, les principaux pays retenus, pour relever seulement les noms des auteurs réellement au cœur de la période déterminée par les analyses des historiens, en marquant, à chaque fois, les particularités nationales qui ont permis un développement (ou une limitation) des grandes tendances littéraires et de l'imaginaire baroque.

L'habitude a été prise, concernant l'ensemble germanique, de considérer la fin du XVIe siècle et le début du siècle suivant comme une période d'effacement, plutôt pâle, entre la formidable impulsion donnée par l'humanisme et la traduction de la Bible par Luther et, d'autre part, l'*Aufklärung*. Cela est indéniable ; néanmoins, la littérature baroque allemande révèle trois tendances fort significatives, qu'il ne faut pas perdre de vue. La recherche de Dieu, tout d'abord, par des voies mystiques qui permettent de retrouver cette unité perdue que l'on a évoquée : avec Jakob Boehme (1575-1624), le dépassement des dualités antinomiques ; même soif du divin dans les écrits délicats de Friedrich Spee (1591-1635) et surtout dans le *Pèlerin chérubinique* d'Angelus Silesius (1624-1677), héritier d'une tradition apophatique, où Dieu est rien et tout, unité où se perdent toutes les contradictions. La négation du monde qu'implique la démarche de ces deux auteurs religieux est parallèle au besoin de fuite ou à l'horreur que ressentent, sur un mode plus profane, Gryphius (1616-1664) et Grimmelshausen (1620-1676) devant le spectacle atroce de la guerre de Trente Ans : c'est là un deuxième trait caractéristique des littératures germaniques du temps. Tant l'œuvre poétique que dramatique de Gryphius est marquée par la violence, la cruauté ou les images apocalyptiques, et le héros de Grimmelshausen, Simplicius, erre durant son enfance et une bonne partie de sa vie dans un pays ravagé par le conflit. Un troisième groupe d'écrivains illustre les possibilités de liberté novatrice de l'écriture poétique baroque : Paul Fleming (1609-1640), Abraham a Santa Clara (1644-1709) et Christian Hofmann von Hofmannswaldau (1617-1679).

L'exemple allemand est précieux : d'abord parce qu'il offre, à son niveau le plus simple, un tableau de trois orientations littéraires que l'on retrouvera dans d'autres pays : le mysticisme, la description du monde contemporain et de ses déchirements et, enfin, l'originalité créatrice de genres et d'écritures nouveaux. Ensuite, l'ensemble germanique amène à nuancer les justes remarques de Victor-L. Tapié[38], qui insiste sur le rôle d'un pouvoir fort et avide de grandeur dans le développement du baroque. L'Allemagne, dévastée et partagée

38. *Le Baroque*, PUF, coll. « Que sais-je ? », cf. p. 45.

en un grand nombre d'Etats, d'importance très variable, prouve qu'il s'agit d'un facteur important, mais non déterminant.

L'histoire de la littérature anglaise permet de refuser la théorie, encore vivace, associant le phénomène baroque à la catholicité romaine et à la vigoureuse reprise en main qui suivit le Concile de Trente. L'Italie a certes exercé une grande fascination sur les élites anglaises, mais l'influence de Rome et des jésuites, si elle se manifesta, ce ne fut que négativement, étant donné le contexte religieux et politique. En revanche, le domaine littéraire anglais pose la question du bien-fondé de l'utilisation du terme baroque, ainsi que le remarquait déjà W. P. Friederich[39] : « Ce terme n'est presque jamais utilisé par les spécialistes de littérature anglaise pour décrire la période qui a produit les grandes pièces de Shakespeare ; les pièces moins importantes de Middleton, Heywood, Beaumont et Fletcher, Massinger, Webster, Shirley et Ford ; la poésie riche, subtile, complexe et infiniment compliquée de Donne, Herbert, Traherne, Vaughan, Carew, Crashaw, Suckling, Marvel ; et le plus grand *corpus* de poésie religieuse chrétienne jamais produit par un pays protestant — les deux épopées de Milton et *Samson Agonistes* »*. Le point de vue du critique est celui du comparatiste qui refuse les périodisations nationales et tente de conclure sans préjugé : « la littérature anglaise, depuis environ 1600 jusqu'à 1675, est plus caractéristique de la signification du terme baroque que la littérature de n'importe quel autre pays »* (p. 144 et 145). On proposera seulement de corriger la chronologie de ce tableau qui a trop tendance à faire coïncider, au début, baroque et période jacobéenne et à l'étendre sur sa fin pour y inclure Marvell et surtout Milton (1608-1674), homme du passé, dont l'œuvre témoigne — un peu à la manière de d'Aubigné en France — d'un décalage historique : ses grandes épopées ont été écrites après la parenthèse puritaine. La

39. *Outline of Comparative Literature*, Chapel Hill, North Carolina UP, 1954.

NB. — Le signe * indique une traduction faite par l'auteur.

dictature cromwellienne (1649-1660) marque une rupture dans l'évolution littéraire, que matérialise déjà, en 1642, la fermeture des théâtres et qui ne saurait être minimisée. En revanche, faire commencer la période avec le siècle, c'est oublier l'enseignement des historiens et la fin, plutôt sombre, du règne d'Elisabeth Ire. D'emblée, la production dramatique élisabéthaine, marquée par Sénèque, doit être rattachée, par sa violence et son audace, à l'esthétique baroque : dès *Gorboduc, La Tragédie espagnole, Doctor Faustus* ou *Titus Andronicus*. Il serait artificiel de ne faire du règne de la grande souveraine Tudor que l'apogée d'un classicisme Renaissance : même si Sir Philip Sidney est le plus italianisant et le plus classique, il ne faut pas oublier que son *Arcadie* est un rêve baroque, mêlant pastorale et chevalerie, au même titre que *La Reine des fées* de Spenser.

En fait, la littérature anglaise de la fin du XVIe siècle et du début du XVIIe siècle présente bien les trois grandes orientations relevées à propos des œuvres de l'ensemble allemand : le théâtre se révèle d'abord comme le lieu où s'expriment les effrois, les incertitudes et les audaces du temps, au long d'une production dramatique d'une exceptionnelle qualité, depuis la fin du XVIe siècle : à côté de Shakespeare, Marlowe et Ben Jonson, mais aussi Tourneur, Webster, John Ford, etc. ; de John Lyly aux « poètes métaphysiques » triomphent les raffinements d'un style nouveau, tandis que les angoisses religieuses et la nostalgie du divin sont à la source de l'inspiration de poètes aussi différents que George Herbert ou Richard Crashaw et de la méditation de Benoît de Canfield.

Ni le terme *baroque* ni la périodisation ne donnent lieu à discussion lorsque l'on traite la littérature espagnole, à condition, du moins, de ne pas s'enfermer dans la fausse solution proposée par l'expression *Siècle d'Or*[40], qui englobe XVIe et XVIIe siècles. En accord avec les données historiques, il faut retenir comme point de départ les dernières années du règne

40. Voir à ce sujet la mise au point de B. Bennassar dans *l'Introduction* de *Un siècle d'or espagnol*, Paris, 1982.

de Philippe II, plus difficiles et marquées, on l'a vu, par l'amertume des échecs (l'Invincible Armada) et des banqueroutes répétées, pour ne s'arrêter qu'à la mort de Philippe IV (1665). Certains, plus soucieux de mettre en valeur le lien avec les événements historiques, insistent sur le tournant que constituent la bataille de Rocroy (1643) et les traités de Westphalie (1648) ; le tarissement de la production littéraire n'a pas coïncidé avec l'effondrement de la puissance militaire, mais il est exact que l'essentiel est dit et écrit durant la première moitié du XVIIe siècle. Si Calderón continue à écrire jusqu'à sa mort (1681), il ne fait qu'exploiter des formules mises au point antérieurement (surtout celle de l'*auto sacramental*) ; Quevedo meurt en 1645, Tirso de Molina en 1648 et Gracián en 1658. L'exemple espagnol illustre au plus haut point la tension des esprits entre une grandeur et des conceptions du monde révolues et une réalité quotidienne toujours plus incertaine et décevante : la littérature baroque de ce pays est exactement contemporaine de la décadence.

S'agissant de l'Espagne, il est inutile de démontrer quelle fut l'importance des courants mystique et ascétique, depuis ces deux « phares » de la fin du XVIe siècle que sont Thérèse d'Avila et Jean de la Croix, jusqu'au jésuite Juan Eusebio Nieremberg (1595-1658). A la manière de l'Angleterre élisabéthaine *(lato sensu)*, les échos de la crise intellectuelle trouvèrent à s'exprimer au théâtre, qui brille alors d'un éclat incomparable : la voie est ouverte par Lope de Vega, suivi de multiples dramaturges dignes d'intérêt, qui accompagnent Tirso de Molina et surtout Calderón de La Barca. La richesse de la littérature espagnole est alors telle que les grandes questions contemporaines se trouvent aussi à l'origine du roman picaresque, qui s'impose à partir de 1599, et de la réflexion morale multiforme du satirique Quevedo *(Les Songes)* et de l'énigmatique Gracián (le *Criticón*). Enfin, les recherches de l'écriture sont en Espagne à la source de deux écoles : le *cultéranisme* de Góngora et le *conceptisme* de Quevedo, théorisé par Gracián. Il reste que c'est à dessein que le « cas » Cervantès n'a pas encore été abordé : sa formation culturelle (il est né en 1547) en fait un homme de la Renaissance qui ne reniera jamais l'idéalisme, le platonisme, la foi en la Nature et une certaine forme d'optimisme, excluant donc le choix d'attitudes négatives ; cependant la désillusion (le *desengaño*), qui sera le mot clef du baroque, domine son œuvre : tout le XVIIe siècle héritera de sa confrontation entre l'idéal et la réalité et reprendra sa réflexion sur les prestiges de l'imaginaire. Dire que dans l'œuvre de Cervantès se rencontrent la Renaissance et le Baroque n'est pas recourir à un artifice dialectique facile, mais tenter de cerner une situation que met aussi en valeur la parution au XVIIe siècle de ses œuvres essentielles (de 1605 à 1616).

Les difficultés renaissent avec la France, qui présente un cas particulier de discontinuité dans l'histoire de sa littérature à l'époque baroque. Du début des guerres de Religion à la Fronde et aux fêtes de cour à Versailles, le baroque français évolue : né d'une crise, il tend de plus en plus à exprimer les valeurs de l'ostentation et de la pompe monarchique. On peut distinguer ainsi un premier temps, qui coïncide avec les conflits civils de la fin du XVIe siècle, les querelles religieuses et la dissolution de l'Etat et de la puissance royale, jusqu'à la restauration opérée par Henri IV et la lente reprise en main du royaume. Cette gigantesque commotion accompagne la rédaction des *Essais*, amène d'Aubigné à concevoir le plan d'ensemble des *Tragiques* et alimente les polémiques du dernier Ronsard. Alors, le théâtre français ne saurait rivaliser avec celui d'outre-Manche ou d'outre-Pyrénées, et la force et l'originalité ne sont pas à chercher dans les raffinements de la poésie de cour des Valois, mais dans l'inspiration religieuse des hommes des deux camps : le Chassignet du *Mépris de la vie et Consolation contre la mort*, du Bartas et Sponde et les œuvres, plus tardives, d'un La Ceppède, né au milieu du XVIe siècle.

Pour simplifier, on peut parler d'un second baroque français aux alentours de 1630, moins tragique et plus ouvert aux libres inventions de l'imaginaire et aux fantaisies poétiques, après ce qu'il est convenu d'appeler la réforme malherbienne. « Une profonde mutation politique et sociale a marqué la génération de 1630. La résurgence des conflits intérieurs, la reprise des luttes contre les protestants, le climat de conspiration qui règne en permanence autour du gouvernement de Richelieu, l'entrée de la France dans la guerre de Trente Ans réveillent les passions belliqueuses. Le vent de l'aventure souffle à nouveau sur les esprits. Corrélativement, un intense besoin de paraître [...] s'empare de la jeunesse. On ne rêve que conquêtes, enlèvements, folles équipées. On rivalise de *générosité* et de galanterie »[41]. En même temps, la France subit fortement l'influence italienne (Marino séjourne à Paris) et celle de l'Espagne, dans le domaine dramatique (nombreuses adaptations aux environs de 1640). Même si les poètes baroques de cette seconde période, comme Théophile de Viau, Saint-Amant, Tristan et Malleville (ces derniers très marqués par les modernes italiens) forment un ensemble cohérent, la primauté revient au théâtre et au roman. A partir de 1627, se développe une esthétique de la tragi-comédie, qui résiste jusqu'à la mort de Richelieu ; forme baroque qui correspond, si l'on veut, au drame élisabéthain et à la comedia et à laquelle sacrifièrent du Ryer, Auvray, Rayssiguier, André Mareschal, Pichou, Rotrou et même Corneille ; tous ceux qui y voyaient un refuge pour la liberté contre les critiques montantes des « doctes ». Le roman, par contre, apparaît à la fois comme le lieu d'expérimentations audacieuses, rendues possibles par la souplesse du roman picaresque (dans le *Francion* et le *Roman comique*), et aussi comme l'ultime manifestation des idéaux (héroïque, pastoral et galant) d'une tradition mourante, mais dont la société aristocratique ne parvient pas à se détacher : après l'*Astrée* d'Honoré d'Urfé, La Calprenède et Mlle de Scudéry prolongent le succès de la formule jusqu'au milieu du siècle.

La tentation est forte de représenter ensuite le développement de la littérature française comme une marche victorieuse vers les réalisations du classicisme de la période 1660-

41. M. Lever, *Le Roman français au XVII*e siècle, Paris, 1981, p. 101.

1680. La réalité est plus complexe : avec *Horace* et *Cinna*, la tragédie triompha de la tragi-comédie pour, à son tour, tomber brusquement à l'époque de la Fronde, qui s'enthousiasma — longtemps — pour le romanesque du théâtre à machines. C'est à ce dernier que Corneille destinait *Andromède* et également *La Toison d'or* ; on oublie trop souvent que l'on doit à Molière *Les Fâcheux*, donnés chez Fouquet en 1661, *La Princesse d'Elide*, le plus somptueux des « plaisirs de l'Ile enchantée », offerts à Versailles en 1664, *Les Amants magnifiques* et *Psyché*, tous spectacles baroques, tant par leurs thèmes que par leur mise en scène. L'esthétique classique n'a pas chassé d'un coup le goût baroque, comme le jour succède à la nuit. Les discussions des « doctes » avaient commencé dès les années trente, mais la discipline des règles dramatiques ne pourra vraiment s'imposer qu'après la publication de *La Pratique du théâtre* de l'abbé d'Aubignac (1657), réaction contre les excès du romanesque, qui précède les premières œuvres importantes de Molière et de Racine. Jamais Versailles ne renoncera à la pompe baroque des fêtes et des ballets qui produiront les premiers opéras, de même que, dans le domaine de la décoration, de la peinture et de l'ordonnance des jardins, les réalisations louis-quatorziennes reposeront souvent sur une ostentation baroque de la puissance et de la magnificence. Mieux vaudrait parler d'une *coexistence* de la vision baroque et d'une discipline classique : les *Pensées* de Pascal, dans l'ensemble du développement, qui concerne la « misère de l'homme sans Dieu », seraient incompréhensibles si l'on oubliait ce qu'elles doivent au tragique caractéristique du baroque ; de même, le *Sermon sur la mort* de Bossuet (1662) reprend, durant toute sa première partie, comme une longue liste des lieux communs de la période baroque, avant de passer, pour le second point, à l'affirmation lumineuse qui détruit les incertitudes et les angoisses antérieures : « Mais écoute le divin Apôtre : *Nous savons*, nous savons, dit-il, nous ne sommes pas induits à le croire par des conjonctures douteuses, mais nous le savons très assurément et avec une entière certitude... » Il n'y a pas rupture, mais continuité d'un questionnement qui trouve enfin sa réponse, de même que Descartes, dont le « dessein ne tendait qu'à [s']assurer et à rejeter la terre mouvante et le sable, pour trouver le roc et l'argile », pouvait enfin, avec le cogito, remarquer « que cette vérité : je pense donc je suis, était si ferme et si assurée que toutes les plus extravagantes suppositions des sceptiques n'étaient pas capables de l'ébranler... » (*Discours de la méthode*, III et IV). L'erreur de perspective vient sans doute de l'excessive valorisation de la génération de 1660 au sein de la littérature française : dès lors, tout ce qui précède est soit ignoré, soit déprécié systématiquement ; les survivances (et les persistances *a fortiori*) ne sont pas admises par ce schéma trop traditionnel.

La situation italienne, enfin, contraste par sa simplicité avec les complexités de l'histoire littéraire française. Jusqu'à il y a peu, il était de bon ton de lamenter l'effacement de la culture italienne à la fin du XVIe siècle et au début du XVIIe siècle, en accusant le fanatisme des occupants espagnols et la férocité de l'Inquisition. Présentation tendancieuse. Jean Delumeau a tenté de recomposer ce « dossier controversé » avec objectivité : il est difficile de présenter l'époque du Tasse et du cavalier Marin, en littérature, de Telesio, Giordano Bruno, Campanella, Galilée et Toricelli, dans le domaine de la philosophie et des sciences, comme celle de la décadence : « jamais peut-être le rayonnement italien ne fut aussi évident que dans la première partie de l'âge baroque » ; du moins, l'historien reconnaît-il, « après 1630 il y eut un automne »[42]. S'il y a déclin, c'est après l'épuisement de l'école mariniste et avec l'arrivée de la sage et raisonnable « Arcadie ». Avant, on n'a pas assez pris en compte le renouveau, équivalent à une seconde « Renaissance romaine » [43], dû aux grandes familles qui se succédèrent, jusqu'au milieu du XVIIe siècle, sur le trône de Pierre : les Borghese, Barberini et Pamphili. Avec Urbain VIII, notamment (Maffeo Barberini, pape de 1623 à 1644),

42. *L'Italie de Botticelli à Bonaparte*, Paris, 1974, p. 185 et 186.
43. Voir M. Fumaroli, *L'Age de l'éloquence*, Genève, 1980, p. 202.

le développement des cercles cultivés (Accademia dei Lincei, Académie des Humoristes), l'extension du théâtre aux cérémonies, aux fêtes et au décor urbain, permettent de soutenir la comparaison avec l'époque de Jules II et de Léon X ; le souverain pontife fit travailler le Bernin, qui n'était pas seulement architecte et sculpteur, mais aussi peintre et metteur en scène ; il fit libérer Campanella et, ami de Galilée, il adoucit les conditions de sa détention[44].

La seule œuvre du Tasse suffirait presque à illustrer les principales orientations de la littérature italienne baroque : épopée, où se mêlent le chevaleresque et le galant *(Jérusalem délivrée)*, pastorale *(L'Aminta)*, vaste poème sur la création du monde *(Il Mondo creato)*, tragédie *(Torrismondo)*, élaboration d'un art poétique « moderne » *(Les Discours)*. Il restait à Marino à exploiter les ressources du langage poétique, dans une recherche systématique de l'expression ingénieuse et raffinée : *l'argutezza*. Malgré les séductions de cette culture romaine brillante et profane, en Italie comme en France (grâce à François de Sales et Pierre de Bérulle) se déploient tous les éléments d'une reprise en main du clergé (trop souvent inculte) et des masses (dont la christianisation est jugée fréquemment superficielle), à la lumière des enseignements du Concile de Trente. Les relations de François de Sales avec l'Oratoire sont le signe de l'identité du cheminement religieux : ce que Philippe Néri a réalisé à Rome avec ses oratoriens et Charles Borromée à Milan, Bérulle va tenter de le concrétiser à Paris avec l'Oratoire de Jésus, approuvé en 1613.

Après le passage en revue des différentes littératures européennes, durant la période cernée par les travaux des historiens, une indiscutable cohérence apparaît qui autorise à parler de littérature baroque en général, puisque les trois critères, nés d'un rapide classement des œuvres de l'ensemble germanique, se sont retrouvés naturellement, quand il s'est agi de rendre compte des productions des autres pays. Cohérence chronologique également : le signe du changement est

44. Consulter Pietro Redondi, *Galilée hérétique*, Paris, 1985.

bien la rupture avec les idéaux de la Renaissance et l'envahissement par les incertitudes nées de la crise générale ; de même, à la fin de la période baroque, on observe une autre rupture, au milieu du XVIIe siècle, dans les différentes histoires littéraires, soit par épuisement, comme en Italie et en Espagne, soit par renouvellement ou changement de goût et début d'une maturation nouvelle, comme en Angleterre et surtout en France. Ces mêmes indices, qui ont permis aux historiens de cerner la réalité baroque, expliquent et précisent à nouveau l'ampleur du changement qui touche la civilisation européenne, au milieu du XVIIe siècle : brusquement, on assiste à une chute du nombre des victimes de la chasse aux sorcières et de l'Inquisition ; les épidémies se font plus rares ; un nouvel équilibre européen naît avec la prépondérance française et le rationalisme cartésien l'emporte définitivement. « A partir de 1650 environ, l'acculturation intensive conduite par les deux Réformes, chacune sur son terrain respectif, avait déjà obtenu de sensibles effets. Enfin, une culture qui, à l'époque de l'humanisme, s'était sentie fragile et ambiguë, prenait maintenant structure et assise grâce aux collèges, qui en assuraient le filtrage idéologique et la diffusion. Elle n'avait plus à redouter l'assaut de forces incontrôlées. Satan n'était pas nié, mais il était progressivement maîtrisé. Rien d'étonnant, par conséquent, si la crainte du Jugement dernier et des Turcs, procès de sorcellerie, guerres de Religion, antijudaïsme, s'exténuèrent en même temps, dans la seconde moitié du XVIIe siècle »[45]. A nouveau, les indices historiques confirment et autorisent à affirmer que la vision tragique du baroque s'éloigne définitivement.

45. Jean Delumeau, *La Peur...*, *op. cit.*, p. 414 et 415.

DEUXIÈME PARTIE

L'imaginaire de la littérature baroque

La notion d'imaginaire est dangereuse : d'abord, à cause de l'ampleur de ses implications, mais aussi parce que différentes théories s'affrontent pour en rendre compte, aux confins de la psychologie, de la psychanalyse, de la philosophie ou, plus simplement, de l'histoire de l'art. Il ne saurait donc être question de rentrer dans de telles discussions abstraites et hors propos, mais plutôt de rester fidèle aux objectifs précédemment définis, c'est-à-dire, partant de l'ensemble des littératures baroques européennes, de tenter de rejoindre les grandes images qui structurent l'inconscient collectif d'une génération. Le terme *image* est à prendre au sens large : non pas uniquement les métaphores caractéristiques, mais les schèmes, les allégories, les mythes et les thèmes, par lesquels une époque cherche à exprimer ses hantises les plus profondes. Dans ses modes de représentation extrêmes, l'imaginaire peut se manifester par des personnages témoins, en qui s'incarnent les désirs, parfois inavoués, ou par des lieux communs soudains réactualisés, vieilles figures de la pensée qui traduisent la problématique philosophique contemporaine. Une fois encore, il ne s'agit pas de se contenter de relever et de classer des structures invariantes, baptisées baroques pour la commodité, mais de justifier leur omniprésence en fonction d'une logique plus profonde, qui renvoie à cette crise de la pensée que l'on a commencé à analyser. En définitive, les choix opérés par l'imaginaire du temps ne sont pas innocents ; ils sont les signes d'un enjeu métaphysique informulé et peut-être informulable : la perte du sens et l'occultation de l'absolu. Car, étudier l'imaginaire d'une civilisation, c'est aller en quelque sorte au fond de sa conscience, pour y chercher l'expression de son expérience vécue, non pas retranscrite simplement en ses lignes de force essentielles, mais représentée en un langage créateur, poétique au sens étymologique.

CHAPITRE PREMIER

Des antithèses non résolues

Sans doute la présence d'antithèses, vécues dans le déchirement et dont les deux termes s'opposent de manière spectaculaire, doit-elle chercher son origine dans la crise de la pensée à l'époque baroque, puisque, dans la confusion, l'ancien et le nouveau s'affrontent et les concepts contraires, que la logique exclut, coexistent. Cette esthétique du contraste (les nostalgiques des références picturales songeront au clair-obscur du Caravage...), et cette volonté de représenter des affrontements, sans trancher de manière explicite, constitue une des premières caractéristiques de la littérature baroque, conséquence, si l'on veut, de l'angoisse et de l'incertitude communes. C'est ainsi que sont apparus dans l'imaginaire contemporain deux pôles antithétiques différents, chacun comportant à la fois affirmation et négation et entraînant à sa suite tout un jeu d'images, qui ne prennent leur sens que par référence à ce dualisme initial irréductible.

I. LE FILS RÉVOLTÉ ET LE PÈRE JUSTICIER

> « Je suis admiré de ceux-mêmes qui me haïssent le plus. »
>
> Marlowe, *Le Juif de Malte*, Prologue.

Voici une première opposition de deux figures qui renvoie d'emblée au monde mythique des héros. Avant d'en voir la signification et le fonctionnement, il faut rappeler combien la culture contemporaine était porteuse de ce genre de référence. L'histoire des collèges[1] et, plus particulièrement, l'étude des canons des auteurs retenus par les Jésuites dans leur enseignement *(Ratio studiorum)* mettent en valeur un modèle éducatif cohérent, qui s'est imposé en Europe de la fin du XVIe siècle jusque vers 1670-1680 ; en même temps, ce système véhiculait un savoir essentiellement littéraire, axé sur l'étude de l'Antiquité, latine plutôt que grecque, et associant aux exercices religieux et à la lecture des Pères la remémoration de tous les récits fabuleux du paganisme, grâce à une grille d'interprétation symbolique codifiée. Au moment où (sauf en Espagne) disparaissent les spectacles sacrés traditionnels, légués par le Moyen Age, s'impose donc, dans tous les secteurs, un nouveau langage, héritage de l'humanisme, qui diffuse les grandes images de la mythologie classique en jouant de leur ambiguïté polysémique.

Etant donné sa fréquence, une première série de représentations frappe le lecteur : celle qui privilégie les figures de la révolte. Même si, on le verra, les œuvres baroques tentent d'offrir le spectacle (édifiant) de son échec final, comme par une ultime concession à la censure (celle de l'individu et celle de l'Etat), le héros est avant tout prétexte à laisser se déployer une remise en cause sans limite de l'ordre traditionnel, sur tous les plans : religieux, politique, social ou simplement familial. La fonction du révolté apparaît ainsi clairement : elle est d'incarner toutes les audaces rendues possibles par l'écroulement de l'ancien système de valeurs. Le personnage, d'ailleurs, laisse transparaître une étrange fascination : son charme trouble se retrouve dans les différentes littératures baroques, essentiellement au théâtre, mais également dans le roman picaresque : de tous ses avatars, celui que l'on rencontre le plus fréquemment se ramène au rôle de *fils rebelle*. Est-il nécessaire de rappeler que ce délinquant mineur, jamais criminel, mais avant tout marginal et exact opposé de l'idéal aristocratique de l'honneur, ce picaro qui parcourt l'Espagne

1. Voir *Du collège au lycée*, présenté par M.-M. Compère, Paris, 1985.

du Siècle d'Or reste d'abord un éternel adolescent, orphelin symbolique, valet prompt à trahir son maître, imitateur des « gens de bien » *(Lazarillo)* et perpétuel tricheur avec les valeurs sociales officielles ? Si l'on passe maintenant au corpus considérable constitué par les œuvres dramatiques, tant en Espagne qu'en Angleterre, on ne peut qu'être frappé de l'importance numérique et dramaturgique du personnage du fils révolté. Citer Marlowe, dont les tragédies sont centrées sur le thème du refus héroïque, serait recourir à un exemple trop facile ; aussi on s'appuiera sur les références au malcontent dans le théâtre élisabéthain (cf. Marston, Tourneur, Ford et Webster) et sur l'ensemble des pièces shakespeariennes. Don John *(Beaucoup de bruit pour rien)* montre que même la comédie n'en est pas exempte. Ce caractère donne pleinement sa mesure dans la tragédie du *Roi Lear* avec Edmond, dont la rébellion est amplifiée par celle des deux filles du roi, Régane et Goneril ; il constitue le sujet réel du plus grand drame historique de Shakespeare : *Henri IV*. Apparemment, il s'agit de la période de formation du jeune prince Henri ; en fait, la référence historique cache l'essentiel : l'incompréhension mutuelle d'un père et de son fils, ce dernier partagé entre deux possibilités : la révolte intégrale ou l'abandon et la plongée dans la médiocrité jouisseuse. Ces deux directions sont représentées l'une par Falstaff, l'autre par le bouillant Hotspur. Or, la même frénésie se rencontre dans les créations d'un Tirso de Molina : Enrico, dans *Le Damné pour manque de foi*, défie les puissances célestes et terrestres et lance une dernière formule, par bravade, à celui qu'il vient de terrasser en duel : « Et si tu veux savoir ce que je puis faire, demande à Dieu de te ressusciter et je te tuerai de nouveau » (II, 6)[2]. Ces accents peuvent surprendre sous la plume d'un moine de la Merci, mais il n'est pas le seul à avoir succombé à la fascination du Fils révolté : toute l'œuvre de Calderón pourrait être réduite à l'exploitation systématique du thème de la rébellion du Fils contre le Père. Devant

2. Trad. A. Royer, Paris, 1863.

l'abondance des exemples, on se contentera de citer le défi sacrilège d'Eusebio, qui tente d'arracher celle qu'il aime à un couvent et dont les expressions, en référence à un modèle mythique, sont comme une esquisse de la signification profonde de la figure du révolté : « Nouvel Icare, je veux monter vers le soleil ; et si le sort ne m'est point contraire, j'aurai bientôt atteint le firmament »[3]. Bien des héros caldéroniens pourraient reprendre la confession de Ludovico Enio à leur compte : « Je restai orphelin sous la dépendance de mes passions et de mes désirs. J'en parcourus le champ sans frein ni bride. Les deux pôles de ma vie étaient les femmes et le jeu »[4]. Par là, on voit qu'une des sources du défi et de la révolte réside dans une libération totale du désir : l'ordre remis en cause ne se limite pas aux valeurs collectives et religieuses ; il concerne également le surmoi, c'est-à-dire cette instance de la personnalité qui représente l'intériorisation des influences parentales et sociales.

A / *Trois avatars de Prométhée : le conquérant, Faust et don Juan*

Dans ces conditions, la récupération, par la conscience collective, du mythe grec de Prométhée ne saurait surprendre : le groupe donne ainsi à lire ses fantasmes. Cependant, il ne faudrait pas croire que la littérature baroque en général abonde en références prométhéennes : le héros est souvent cité, mais rarement l'objet d'une œuvre centrée sur le drame unique de ce personnage[5] ; Calderón a composé vers 1669 une *Estatua de Prometeo*, drame mythologique. G. Mathieu-Castellani observe, dans le domaine français, que les poètes baroques ont paru céder à une « tendance à réduire le contenu légendaire » : le héros est moins voleur de feu que supplicié : « Il prend place dans le cortège des héros maudits dont la

3. *La Dévotion à la Croix*, II, 2, trad. Damas-Hinard, Paris, 1862.
4. *Le Purgatoire de saint Patrice*, première journée, trad. Leo Rouanet, Paris, 1898.
5. Voir R. Trousson, *Le Thème de Prométhée dans la littérature européenne*, t. I, Genève, 1976.

faute est quelconque »[6]. En effet, ce sont les virtualités contenues dans le mythe qui ont été exploitées, beaucoup plus que le rappel des aventures du Titan et de son châtiment : une tendance à la révolte, non simplement celle des sens, mais celle de l'esprit qui veut s'égaler à l'intelligence divine ; une chance, offerte à l'homme soumis, de conquérir le monde et d'affirmer sa propre puissance ; la rupture avec un code ancien et le refus du pouvoir du Père (Zeus), même au prix d'une culpabilité chaque jour renouvelée en souffrances sans fin (le vautour et le foie renaissant). Ce sont trois directions qui apparaissent ainsi ou, mieux, trois possibilités d'affirmation du désir de l'homme contre les interdits de la pensée religieuse chrétienne ; pour reprendre les termes théologiques traditionnels, en Prométhée se manifestent les aspirations orgueilleuses de la créature, sous la forme de trois « libido » : de pouvoir *(imperandi)*, de savoir *(sciendi)*, de jouissance *(sentiendi)*. Alors on s'aperçoit que l'époque baroque a donné vie à trois figures dérivées du mythe prométhéen, ayant en commun le refus de l'humaine condition, le défi et l'esprit de conquête : il s'agit du conquérant, de Faust et de don Juan. Le tableau de la situation historique et idéologique contemporaine, dressé précédemment, rend compte du surgissement de ces trois silhouettes titanesques à ce moment précis : lorsque l'ordre ancien est remis en cause globalement, mais que rien ne vient encore le remplacer dans les consciences, alors le désir de liberté sans bornes peut s'exprimer avec audace. D'ailleurs, l'histoire littéraire, qui retrace l'évolution de ces trois nouveaux mythes en Europe, met en évidence leur quasi-disparition à la fin du XVIIe siècle, lorsqu'un équilibre est atteint derechef dans le domaine politique (absolutisme, puis despotisme éclairé) et intellectuel (triomphe du rationalisme et des lumières). C'est le romantisme, nouvelle fracture dans la civilisation occidentale, qui leur redonnera vie.

Par rapport à ces personnages révoltés jusqu'à la frénésie,

6. *Mythes de l'Eros baroque*, Paris, 1981, p. 155.

mais sans but précis que l'on a décrits en préambule, le conquérant, Faust et don Juan marquent à la fois une spécialisation dans un domaine et une généralisation suffisante pour que l'on parle à leur sujet de *création mythique*. Création, en effet, car c'est seulement dans un monde imprégné de culture chrétienne que de telles figures peuvent apparaître : on voit mal un don Juan dans l'Antiquité, qui ne connaissait pas l'interdit sur la sexualité, véhiculé par la tradition des Pères de l'Eglise ; de même, que l'esprit de conquête ou la soif de connaissance fussent l'objet d'une réprobation quelconque, ne saurait se concevoir de la part d'une civilisation qui avait fait d'Alexandre un dieu et des philosophes un modèle de la dignité de l'homme. Au contraire, les demi-dieux de la mythologie accédaient à l'immortalité : il s'agissait d'un achèvement et non d'un sacrilège. Parler de mythe, d'autre part, en ces circonstances, ne doit pas surprendre, alors que l'on entend par là, communément, une création anonyme qui remonte aux origines d'un peuple : les trois figures littéraires que l'on évoque ici naissent bien dans des œuvres connues, dues à un auteur nullement anonyme, mais elles ont aussi des traits mythiques : le caractère prométhéen du défi contre la Divinité en un combat inégal pour l'homme ; la présence du surnaturel qui intervient au moment du châtiment de l'audacieux ; la reprise du thème tragique grec de l'hybris (= la démesure), selon lequel les dieux rendent fous ceux qu'ils veulent perdre, en les faisant aspirer à un état et à une puissance qui dépasse les bornes de leur condition. Enfin, dans chaque cas, on ne peut qu'être frappé par le succès qu'a connu, à travers toute l'Europe et dans tous les publics, la nouvelle image mythique, franchissant aisément les frontières, comme pour mieux montrer qu'elle correspondait à un obscur désir, universellement partagé.

En tant que tel, le mythe du conquérant n'est pas vraiment nouveau, puisqu'il hérite, pour une part, de la représentation traditionnelle de quelques grandes figures antiques. Cependant, la vision médiévale, plus ou moins confusément dominée par l'image de Charlemagne dans les chansons de geste et les romans, ne pouvait concevoir de conquérant autre que le chef militaire de la Chrétienté en lutte contre les Infidèles. De plus, on l'a vu, la pensée traditionnelle théologico-politique interdit même la possibilité de la conquête du pouvoir, qui revient de droit divin au roi, oint du Seigneur, et à sa descendance. C'est encore de cette façon que Shakespeare propose de lire l'histoire de l'Angleterre pendant la guerre des Deux-Roses : épouvantable guerre civile, envoyée par Dieu, pour châtier un peuple, coupable d'avoir consenti à détrôner Richard II. D'Italie, une fois de plus, va venir l'exemple décisif, susceptible de redonner vigueur au conquérant légendaire : le pouvoir est à prendre ! Telle est du moins la leçon de l'histoire des XIVe et XVe siècles dans ce pays sans unité, constitué de principautés théoriquement héréditaires et qui passent, dans un certain nombre de cas, entre les mains des tenants de la puissance militaire (comme les Sforza à Milan) ou économique (comme les Médicis à Florence). Pratique qui sera théorisée par Machiavel dans *Le Prince* : « je veux citer deux exemples de nos jours : ceux de François Sforza et de César Borgia » (chap. VII). Alors, l'auteur constate que, dans la sphère politique, seule compte la force et que tout le reste ne consiste qu'en masques idéologiques pour légitimer une situation de fait.

Machiavel, littéralement, a déblayé la route du pouvoir pour le conquérant : sa tentative est devenue possible au moment où l'humanisme italien, qui redécouvrait l'individualisme[7] et chantait les mérites d'une éducation libérale, s'imposait à travers toute l'Europe. C'est pourquoi, on ne s'étonnera pas de voir ce nouveau mythe envahir le théâtre baroque, dans les œuvres qui mettent au premier plan la figure du héros : Macbeth, Coriolan et, d'une certaine manière, le Séjan de Ben Jonson ; en Espagne, même dans les créations de Tirso, l'infant don Juan, oncle du roi de *La Sagesse d'une femme*, présente une sorte d'esquisse qui trouvera son plein épanouissement avec les drames caldéroniens : au premier rang Semi-

7. Voir Burckhardt, *La Civilisation de la Renaissance en Italie*.

ramis, mais aussi des personnages comme Sigismond *(La vie est un songe)* ou Absalon *(Les Cheveux d'Absalon)*. Le théâtre français, plus tardif, dégage moins nettement la silhouette du conquérant : le Bélisaire de Rotrou est moins guerrier victorieux que poursuivi par la haine d'une femme ; certains héros de Corneille renvoient au modèle initial, malgré le poids grandissant d'une éthique héroïque, éloignée de la liberté machiavélienne : Auguste *(Cinna)*, Cléopâtre *(Rodogune)*, pour ne pas parler d'Attila et de Sertorius. Pour la clarté de l'exposé, on se limitera aux deux premières incarnations du mythe, Richard III de Shakespeare et Tamerlan de Marlowe, qui sont aussi les plus grandioses et les mieux dessinées.

Le conquérant est peut-être l'ultime et plus haute revendication de l'humanisme renaissant, maintenant frustré de ses espérances en l'homme. Tamerlan comme Richard se caractérisent par un refus des limites de la condition humaine, le désir de proclamer une liberté sans bornes et la possibilité de tout pouvoir, à condition de tout vouloir ; d'où des formules de défi au transcendant, qui reprennent l'image de la révolte des Titans : « Jupiter s'est quelquefois déguisé sous l'habit de berger, et, en suivant ses traces, nous pouvons, comme lui, escalader le ciel et devenir immortels comme des dieux » (I, 2). L'état le plus insupportable est l'inactivité, signe de résignation qui provoque aussi la colère de Gloster contre la paix provisoirement revenue : « moi donc, en ces jours débiles de paix et d'airs de flûte, je n'ai point d'autre plaisir, pour tromper le temps, que d'épier mon ombre au soleil... » (I, 1). Car la tentative ultime du conquérant ne consiste pas dans la poursuite naïve de cette dernière victoire qui lui assurera la maîtrise universelle du monde, mais, bien plutôt, dans la conquête du temps, de ce que la tragédie nomme destin, et dont la saisie fait de l'homme un dieu créateur pour qui rien ne sépare le désir de sa réalisation : « Je tiens les destins enchaînés dans des chaînes de fer et de ma main je tourne la roue de la Fortune et le soleil tombera de sa sphère avant que Tamerlan soit tué ou vaincu » (I, 2). Ce que Tamerlan parvient à réaliser, Richard essaie vainement d'y atteindre, en un combat permanent, qui requiert du héros une rapidité d'exécution que rien ne doit entraver : il est toujours débordant de projets et d'amorces de complots. Dans cette perspective, Shakespeare a construit de manière symbolique l'acte IV de *Richard III*, pour « expliquer » la chute de l'acte V : en effet, l'essentiel de cet avant-dernier acte est constitué par des irruptions de personnages devant Richard, qui l'immobilisent au moment où celui-ci doit partir au plus vite combattre la rébellion de Richmond : le héros a perdu la maîtrise du Temps et de l'Histoire.

Si le caractère « machiavélique », calculateur et comédien de Richard le sépare d'un Tamerlan, qui proclame hautement sa volonté de puissance à la face du monde : « avec l'esprit de son formidable orgueil, il ose si impudemment se soustraire à la loi et faire son métier de l'ambition... » (II, 6), les deux personnages se rejoignent dans le constat joyeusement assumé de leur indignité, selon les normes de la pensée traditionnelle, à prétendre au pouvoir suprême. Richard doit faire assassiner son frère, les enfants royaux, puis son épouse, lady Anne, pour gagner un trône auquel il n'a pas droit ; Tamerlan, de même, rappelle qu'il n'est qu'un simple berger, car là est la plus grande audace : le pouvoir appartient à qui sait, veut et peut le prendre : « je montrerai au monde, pour tout titre de naissance, que la vertu seule est toute gloire et qu'elle façonne l'homme à la vraie noblesse » (IV, 4). Les deux scènes qui montrent Tamerlan juché sur un char, tiré par des rois fourbus, fouettés et couverts de harnais comme des bêtes, ne visent pas à mettre en lumière orgueil ou cruauté chez le conquérant, mais la nature profonde de son défi au monde traditionnel qui honore, dans la personne du monarque, le représentant de Dieu sur la Terre.

En définitive, le conquérant non seulement lance un défi prométhéen au transcendant, mais, sur le plan philosophique, par sa tentative, se situe délibérément par-delà le bien et le mal. Si le héros parvient à des fins sacrilèges, c'est donc que Dieu est absent de l'Histoire ou indifférent ; Marlowe a très nettement insisté sur cette question, posée dès le début de *Tamerlan* : Zénocrate, prisonnière, se lamente : « Les dieux défenseurs de l'innocent ne feront jamais prospérer vos desseins, vous qui opprimez ainsi de pauvres voyageurs sans amis » (I, 2). Or, Tamerlan réussit : « Il n'y a donc plus de Mahomet, plus de Dieu, plus de démon, plus de fortune, plus d'espoir de mettre fin à notre infâme et monstrueux esclavage ! » (IV, 4). La vision traditionnelle de l'Histoire dégageait un sens à tout événement comme s'inscrivant dans un dessein providentiel : « Ne parlons plus de hasard ni de fortune ou parlons-en seulement comme d'un nom dont nous couvrons notre ignorance »[8]. L'aventure du conquérant proclame, au contraire, que l'homme est libre et qu'il est le seul artisan de l'Histoire. Tout le monde connaît la célèbre exclamation de Richard III, sur le champ de bataille : « Mon royaume pour un cheval ! » En bon lecteur de Machiavel, il sait que seuls comptent les rapports de force : « la conscience n'est qu'un mot à l'usage des lâches et qui fut inventé pour tenir les forts en respect ; que nos bras vigoureux soient notre conscience, nos épées notre loi ». Donc, réclamer un cheval pour sauver son royaume, c'est dire que rien n'est fixé d'avance, que la situation militaire la plus désespérée peut être retournée par une action volontaire et déterminée : « Manant, j'ai misé ma vie sur un coup de dés et j'en veux courir la chance » (V, 4). L'image qu'implique le coup de dés vient à point pour souligner l'indicible : la gratuité d'un monde dépourvu de sens, puisque le hasard d'un corps à corps peut tuer Richmond et redonner la couronne à Richard.

Devant une telle audace de la pensée, on comprend mieux pourquoi le mythe du conquérant a pu s'épanouir un bref instant dans l'Angleterre de la fin du XVIe siècle, impérialisme naissant et renforcé par sa résistance victorieuse au tout-puissant Philippe II, tandis que les esprits s'affligeaient du spectacle d'une monarchie qui, depuis le début du siècle, faisait et défaisait les dogmes religieux, oscillant entre la

8. Bossuet, *Discours sur l'histoire universelle*, III, 8.

fidélité à Rome contre Luther (Henri VIII avant le schisme), l'adhésion au protestantisme (Edouard VI) et l'alliance politico-religieuse avec la très catholique Espagne (Marie Tudor). Hésitations qui permettent à toutes les incertitudes de se formuler dans l'exaltation lyrique du théâtre ou dans des cercles plus restreints comme celui de Walter Raleigh — que Marlowe fréquenta. L'enjeu impliqué par le mythe de Faust semblerait, à première vue, moins important ; néanmoins, l'image du savant docteur s'imposa brusquement à la fin du XVIe siècle et connut un succès immédiat qui montre bien qu'il éveillait une sympathie ou du moins une fascination générale.

Il n'est pas nécessaire de rappeler qui était Faust, personnage réel, mi-savant, mi-charlatan, mort avant 1544 et qui fréquenta les milieux luthériens[9]. En revanche, on ne peut qu'être frappé par la date de sa première apparition « littéraire » : 1587. A Francfort, sans nom d'auteur, chez l'éditeur luthérien Spiess, paraît un livre populaire *(Volksbuch)* qui retrace naïvement « l'histoire du docteur Johannès Faust, magicien et nécromancien célèbre ». Les principaux éléments du mythe sont déjà présents, malgré l'accumulation d'histoires secondaires, plus ou moins fantastiques et sans grand intérêt. Le succès est pourtant considérable, puisque le livre connaît 22 éditions en une douzaine d'années et de nombreuses traductions ; sa fortune fut la plus brillante en Angleterre. Dès 1588, paraît une *Ballade de la vie et de la mort du docteur Faustus, le grand sorcier,* suivie, peu de temps après, par une traduction-adaptation du *Volksbuch,* source du *Docteur Faustus* de Marlowe, dont la date est incertaine, de même qu'il n'est pas impossible que le *Friar Bacon and Friar Bungay* de Greene ait précédé l'œuvre de Marlowe.

L'évolution littéraire du mythe est plus étrange en Espagne : il est presque certain que la source allemande demeura inconnue, dans un pays qui n'aurait pu s'accommoder d'un livre agressivement luthérien, ridiculisant le pape et la cour

9. Consulter, pour les sources, Ch. Dédéyan, *Le Thème de Faust dans la littérature européenne,* vol. 1, Paris, 1954.

pontificale, au cours du récit des voyages de Faust. Néanmoins, à partir d'autres sources, comme l'histoire du moine Théophile (VIe s.), celle de Fray Gil de Santarem, qui inspire à Mira de Amescua son *Esclavo del Demonio* (1612) ou une sorte de fait divers, le cas du sorcier Roman Ramirez, condamné en 1595, qui donne à Alarcón la matière de *Qui a mal commencé finira mal* (1617), les principaux éléments du mythe faustien se retrouvent dans la littérature du Siècle d'Or. Un miracle de saint Basile fournit à Lope de Vega l'argument de *La Gran Columna fogosa* (1629), où Patricio, qui a vendu son âme au Diable pour gagner l'amour d'Antonia, est sauvé, après repentir, par le saint. La réalisation la plus élaborée, celle de Calderón, dans *Le Magicien prodigieux* (1635), est issue du récit du martyre de Cyprien et de Justine d'Antioche, à Nicomédie au IIIe siècle.

Des causes historiques peuvent aider à comprendre cet engouement. Faust est allemand et né dans un milieu luthérien, c'est-à-dire là où apparaissait le plus clairement la frustration des aspirations intellectuelles de l'humanisme, soucieux de voir se développer et s'affirmer librement l'homme. En effet, on ne peut guère voir en la Réforme un prolongement de l'humanisme dans le sens d'une émancipation de l'esprit : sur la question de la liberté, elle marque un retour en arrière, que l'on perçoit aisément en regardant la prise de position des partisans de Luther et de Calvin relativement à la grâce et aux œuvres. En ce sens, Faust est d'abord une révolte de la créature contre son Créateur, plus qu'une volonté de savoir. Quant à ce second point, la tentation est forte de rapprocher le savant docteur des audacieux prospecteurs du cosmos qui, on l'a vu, en un siècle ont métamorphosé l'image traditionnelle et consacrée du monde. L'image du pacte illustre les préjugés contemporains à l'égard du savant-alchimiste-sorcier et la condamnation ecclésiastique de la *libido sciendi*, mais il ne faut pas perdre de vue que le Descartes qui écrit en 1637 que, « au lieu de cette philosophie spéculative qu'on enseigne dans les écoles, on en peut trouver une pratique », qui permettrait de « nous rendre comme maîtres et possesseurs de la nature » (*Discours de la Méthode*, VI), ne fait qu'exprimer les désirs de Faust, tel que l'ont décrit Marlowe et Calderón.

Faust peut être considéré, lui aussi, « fils de Prométhée », comme le conquérant, dans la mesure où l'on prend en considération la signification profonde du pacte. Contracter une alliance avec le démon, cela veut dire non seulement appeler l'ennemi du genre humain, mais trahir Dieu et renverser l'ordre naturel des choses : prier celui que l'on doit chasser, honorer qui a été rejeté ! Le choix de Satan est un défi à Dieu. Du point de vue mythique, s'adresser à l'ange déchu, c'est aussi renouer avec l'image prométhéenne : comme les Titans, Lucifer avec ses alliés a tenté d'escalader le ciel et de renverser le Créateur. Le démon apparaît ainsi comme un double mythique de Faust-Prométhée.

Comme celle du conquérant, la démarche de Faust est double. D'abord, refuser la sujétion de la créature et les limites de la condition humaine :

> Pourtant, tu n'es que Faust, encore et rien qu'un homme.
> [...]
> Un bon magicien est un Dieu tout-puissant ;
> Donc, Faust, par ton cerveau puissant, deviens un Dieu !
>
> (Scène II.)

rivaliser avec Dieu, ensuite. Car, ce que recherche Faust, c'est la plénitude et la satisfaction de toutes les virtualités qu'il ressent en lui ; en premier, évidemment, la soif de savoir. Marlowe en profite pour passer en revue, dans la deuxième scène de son drame, tous les domaines de la connaissance et pour montrer, du même coup, limites et insuffisances : constat qui rejoint celui fait par l'historien des idées (cf. *supra*) ; Cyprien s'exclame pareillement sous l'emprise du désespoir :

> Ici, au contraire, plus on étudie,
> Plus on est ignorant !
>
> (I, v. 145-146.)

Mais Faust, on l'oublie trop, n'est pas seulement désir de connaître ; il fait preuve d'une égale volonté de puissance et de jouissance :

> Oh ! c'est un univers de joie et de profit,
> D'honneur et de pouvoir, bien plus, d'omnipotence,
> Que promet la Magie au chercheur studieux.

Significativement, le héros caldéronien poursuit « deux bonheurs » : la recherche de ce Dieu mystérieux, qui échappe à la quête rationnelle du philosophe, et Justine, qui a enflammé ses sens. Nostalgie d'un équilibre idéal, cher à la Renaissance, entre le corps et l'esprit et, par-delà les objets de ce désir, nostalgie de l'être et refus d'une condition vécue dans la précarité et l'expérience de l'inachèvement. Dans une Europe qui traverse une crise générale de la pensée, le mythe de Faust manifeste le désir désespéré de dépasser contradictions et limitations par tous les moyens.

Noble ambition qui, par comparaison, rend dérisoire l'attitude donjuanesque, mais, précisément, ne s'agit-il que d'un séducteur effréné, qui se laisserait réduire à un « catalogue » de conquêtes féminines ? Contrairement à ce que l'on dit, un peu vite, don Juan ne naît pas brusquement avec le *Burlador* de Tirso, pour passer en Italie et revenir inspirer quelques auteurs mineurs comme Dorimond et Villiers, avant d'intéresser Molière[10]. Certes, ni Marlowe, ni Shakespeare, ni les élisabéthains en général n'ont vraiment esquissé le personnage, et deux « roués » (avant la lettre) comme Bertram *(Tout est bien qui finit bien)* ou Diomède *(Troïlus et Cressida)* ne visent qu'à satisfaire égoïstement leur sensualité. En revanche, on peut parler d'un don Juan caldéronien : le héros révolté considère souvent les femmes comme le moyen d'afficher sa provocation et son mépris des institutions. Le thème apparaît avec le capitaine violeur de l'*Alcade de Zalamea*, mais il est vraiment développé dans *Le Purgatoire de saint Patrick*, grâce à deux personnages (qui ne sont qu'un du point de vue

10. Consulter G. Gendarme de Bévotte, *La Légende de don Juan*, t. I, Paris, 1911.

des fonctions dramatiques) : Filipo, séducteur de l'une ou de l'autre des filles du roi, selon la conjoncture politique, et qui, rescapé d'un naufrage et réfugié chez des paysans, se lance dans une cour assidue à la paysanne Llocia, sous le nez de son mari ; quant au héros de ce drame, Ludovico Enio, il s'avoue séducteur sans scrupule dont le « chef-d'œuvre » est l'enlèvement de sa cousine dans un couvent, comme pour mieux braver Dieu. A son tour, il séduit la fille du roi, qui s'enfuit avec lui : il la tue pour s'en débarrasser : « Tout l'amour dont je suis capable ne va pas au-delà d'une inclination voluptueuse, d'un appétit sensuel ; et, cet appétit satisfait, la femme la plus réservée et la plus belle me devient à charge aussitôt. » Comme don Juan, Ludovico, un soir, se heurte au mort envoyé par le ciel : un squelette qui s'adresse à lui : « Ne reconnais-tu pas ton propre portrait ? ... Je suis Ludovico Enio. » Alors, à la différence du Burlador, le héros se convertit, non sans ambiguïté, parce qu'il a contraint Dieu à se manifester : « J'irai comme un fou, publiant mes crimes à haute voix. Moi qui fus un prodige d'orgueil, me voici devenu un prodige d'humilité ! »

En France, dans les comédies de Corneille, on relève plus que des fragments d'un don Juan. Certes, le mort est exclu, par définition, de l'univers comique, mais on se doit de remarquer combien fréquemment revient le personnage du séducteur sans scrupules. Alcidon dans *La Veuve*, beau parleur avec Doris, enlève Clarice et se sert comme d'un moyen de Célidan ; Florame dans *La Suivante*, fait une fin avec Daphnis pour fumer ses terres : il reste réellement un inconstant qui méprise le mariage ; Alidor, dans *La Place Royale*, domine Angélique et la mène où il veut par « artifice » et « fard » du langage (III, 6) ; son ultime décision (V, 8) sera de toujours feindre la passion et d'abandonner le jeu au gré de sa volonté ; Clindor, dans *L'Illusion comique*, enlève Isabelle à son père, tout en demeurant fort tenté par la suivante ; le séducteur cornélien dans cette pièce, comme dans *Le Menteur*, se caractérise, en premier, par ses dons de beau parleur et de comédien. Nul hasard alors, si Clindor et

Dorante se heurtent, dans leurs tentatives, à un Géronte, Père et gardien de la Loi : pour reprendre les catégories proposées par Jean Rousset, à « l'homme de vent » s'oppose déjà « l'homme de pierre ».

Ces quelques indications sommaires éclairent d'un nouveau jour les considérations sur la fortune de don Juan au XVIIe siècle, en invitant à ne pas s'enfermer dans l'itinéraire traditionnel qui va de Tirso à Molière. Dans les comédies, le personnage donjuanesque, déjà séducteur, fait preuve d'une insolente liberté ; dans les tragédies, il est pleinement l'homme du défi universel. On serait tenté d'expliquer ces caractères par référence à la situation historique ; le don Juan, à la différence du conquérant et de Faust, est (en général), bien né, d'où la possibilité de relier son comportement à la place de l'aristocratie contemporaine, privée de tout pouvoir réel et domestiquée par une monarchie qui cherche à s'affirmer à ses dépens ; de là, pour pallier son absence de fonction dans la société, le recours à l'ostentation (verbale) et un besoin de surenchère sans fin, qui mène au défi suprême : Dieu, après les Pères et le Roi ; dans cette perspective, les femmes ne sont que le moyen de l'affirmation orgueilleuse de ce Moi solitaire contre le reste des hommes.

Car Don Juan est, lui aussi, un héros prométhéen, non pas seulement parce qu'il refuse de se soumettre à l'au-delà, à l'autorité, à la mort, mais d'abord parce qu'il est énergie et vie : « L'amour me guide à mon inclination : il n'est point d'homme qui puisse y résister » ; affirmation et liberté : « car moi je donnerai la mort, sans autre forme de procès, à qui sur mon chemin voudrait s'interposer ». Très habilement, Tirso, dès la première apparition de son héros, en fait « un homme sans nom », aux proportions titanesques : « le roi lui-même accourut, pour trouver Isabelle entre les bras d'un homme à la force incroyable. Mais qui le ciel ainsi défie, sans doute est monstre ou bien géant »[11].

11. Trad. P. Guenoun, I, v. 292 et s.

Le don Juan de Molière, plus intellectuel, reste néanmoins le porte-parole de la Nature et de ses forces, qu'il faut suivre et non briser ou réprimer : « Pour moi, la beauté me ravit partout où je la trouve, et je cède facilement à cette douce violence dont elle nous entraîne... et rends à chacune les hommages et les tributs où la nature nous oblige » (I, 2). Don Juan, depuis Tirso, est associé à l'homme de Pierre en un combat final. Cet affrontement spectaculaire, qui renoue avec le conflit prométhéen contre le monde des dieux, a tendance à cacher une autre lutte d'ordre métaphysique que livre le héros, depuis le début de ses aventures, contre le Temps[12]. Par là, il rejoint aussi Richard III et Faust, lorsque le délai accordé par le contrat vient à expiration :

> Ah ! Faust !
> Tu n'as plus maintenant qu'une pauvre heure à vivre.
> Puis il te faut périr, à tout jamais damné !
> Arrêtez-vous, sphères du ciel, toujours mouvantes !
>
> (Scène XVII.)

Le temps humain s'oppose au projet héroïque, parce qu'il est métamorphose, source de caducité et promesse d'un terme mortel. A sa manière, don Juan tente le combat, en pariant pour l'instant contre l'éternité. De là, cette structure répétitive des œuvres qui mettent en scène le héros ; le *Burlador*, par exemple, raconte *deux fois* la même séduction d'une jeune paysanne par le moyen d'une promesse de mariage. La répétition de l'identique devient possibilité infinie de revivre la séduction toujours recommencée, pour qui échappe ainsi à l'usure du temps et de l'habitude. Or, le séducteur est un homme sincère : il s'enflamme et oublie alors tout le reste ; à peine sauvé des eaux, il confie, sans masque, à Sganarelle, son intérêt pour Mathurine : « La paysanne que je viens de quitter répare ce malheur et je lui ai trouvé des charmes qui effacent de mon esprit tout le chagrin que me donnait le mauvais succès de notre entreprise. » Mais que

12. Voir les analyses de M. Sauvage, *Le Cas don Juan*, Paris, 1953.

survienne Charlotte : « Ah ! ah ! d'où sort cette autre paysanne, Sganarelle ? As-tu rien vu de plus joli ? et ne trouves-tu pas, dis-moi, que celle-ci vaut bien l'autre ? » (II, 2). On parle d'inconstance, alors que don Juan est toujours sincère... dans l'instant ; on évoque son absence de mémoire à l'égard des engagements pris, alors qu'il ne s'agit que d'un refus de vivre ailleurs que dans le présent, dont l'intensité raffinée et bouleversante doit compenser la finitude de la condition humaine. Tirso fait donc dire à son héros, comme en refrain : « Quand vient la mort ? Si lointaine est votre échéance ? D'ici là l'étape est bien longue », car la mort devient un obstacle dérisoire pour qui sait faire de l'instant, toujours renouvelé dans sa nouveauté, une éternité. Et le don Juan de Molière de reprendre ironiquement son valet qui parle de repentir final : « encore vingt ou trente ans de cette vie-ci, et puis nous songerons à nous » (IV, 7).

Aussi, il ne serait peut-être pas inutile de rapprocher le défi donjuanesque au temps de la démarche de Montaigne. Accordant d'abord la première place à la méditation de la mort, l'auteur des *Essais* s'aperçoit que c'est une autre forme d'aliénation ; puis s'impose le constat de la faiblesse de la pensée et des institutions humaines, tandis que tout s'altère et se métamorphose sous l'action du temps. Il convient donc de s'y adapter : « La vie est un mouvement matériel et corporel, action imparfaite de sa propre essence et déréglée ; je m'emploie à la servir selon elle » (III, 9, *op. cit.*, p. 988). La résolution finale de Montaigne affirme la nécessité d'ignorer la durée, pour augmenter la jouissance de l'instant, dont la profondeur et l'intensité permettent de se retrouver et d'échapper au temps : « Je la [ma vie] jouis au double des autres, car la mesure en la jouissance dépend du plus ou moins d'application que nous y prêtons. Principalement à cette heure... je veux arrêter la promptitude de sa fuite par la promptitude de ma saisie. » Et ce sont les fameuses formules qu'un don Juan ne renierait pas, même s'il sait que derrière la porte qui protège son festin va surgir le Commandeur : « Quand je danse, je danse ; quand je dors, je dors [...]. Composer nos mœurs est notre office, non pas composer des livres... Notre grand et glorieux chef-d'œuvre, c'est vivre à propos » (III, 13, *passim*).

On a vu ainsi successivement chacune des trois figures prométhéennes représenter, en quelque sorte, les trois types de questionnement caractéristiques de la crise intellectuelle baroque, que l'on avait réduits à trois noms : Machiavel, Galilée et Montaigne. Il ne s'agit plus maintenant que d'images mythiques, mais l'énorme succès remporté à travers les littératures de toute l'Europe ne doit s'expliquer, en définitive, que parce que, dans le personnage du conquérant, comme dans Faust et don Juan, l'imaginaire collectif contemporain exprimait les aspirations profondes de l'époque.

Cette authenticité se trouve vraisemblablement à l'origine de la fascination exercée par le héros sur ses créateurs, qui doivent le faire périr. Tout le condamne, en effet : la censure institutionnelle, le moi social de l'écrivain et la nature même du défi prométhéen, voué à l'échec par sa démesure : on ne contourne pas le Temps ni la Mort. Mais, ainsi que l'observe le démon caldéronien :

> Je préfère m'obstiner dans mon ambition,
> Je préfère être précipité dans l'abîme pour mon courage
> Que de me soumettre par couardise.
>
> (V. 1318 et s.)

La grandeur du défi réside dans la libre acceptation d'une défaite inévitable pour un combat auquel on ne saurait renoncer. La prise de conscience lucide de cette situation commence à jeter quelque doute sur la valeur exemplaire du châtiment final du héros proclamé coupable. Tout comme Prométhée au foie renaissant, ses émules ne sauraient faiblir : en eux s'incarne une logique de la volonté de puissance qui ne peut s'arrêter puisqu'elle est élan sans fin vers un dépassement perpétuel de l'acquis, surenchère de défi que rien ne peut briser. A la limite, le héros prométhéen n'est que pur mouvement : Tamerlan, même couronné, continue à combattre ; don Juan, mis en présence d' « un spectre en femme voilée », croit « connaître cette voix » et s'obstine.

La question se pose de briser cette dynamique et c'est alors qu'apparaît la mauvaise conscience des contemporains. Le héros, avec constance, refuse tout compromis, tout repentir. Le Commandeur doit reconnaître que le Burlador le suit sans faiblir (III, 904). « Non, non, il ne sera pas dit, quoi qu'il arrive que je sois capable de me repentir », déclare le don Juan de Molière, après plusieurs manifestations du surnaturel. Faust ne s'effondre vraiment que durant sa dernière heure de vie ; l'instant d'auparavant, il a cherché, dans les bras d'Hélène de Troie, à goûter les plaisirs les plus intenses et à oublier sa fin prochaine en cet instant exquis. Semblablement, le roi Richard, au combat, retrouve, avant le duel final, une dimension surhumaine, pour mieux marquer l'absence de tout renoncement : « Le Roi fait plus de prodiges qu'un homme, son audace tient tête à tous les dangers : son cheval est tué, c'est à pied qu'il combat, cherchant Richmond dans le gosier de la Mort » (V, 4). Pour abattre le héros, il ne reste plus qu'une solution : le *deus ex machina*, au sens strict. Mais alors, que penser d'une victoire acquise par des moyens surnaturels, car les naturels ont échoué ? Il y a là une ambiguïté qui trahit la répugnance inconsciente à assurer le triomphe de l'Ordre traditionnel, qui doit, en quelque sorte, tricher pour l'emporter. Dans *La Tragédie de l'Athée* de Tourneur (1611), d'Amville meurt par un accident extraordinaire : la hache qui cause sa perte est entre les mains de Dieu. Ce Dieu que Faust entrevoit « là-haut, le bras tendu, le front de colère chargé » (sc. XVII), ce Dieu qui a fait échouer la magie du démon pour mieux convaincre Cyprien *(Le Magicien prodigieux)*, qui a envoyé un cauchemar pour faire se repentir Richard III et qui l'abat par un duel (« jugement de Dieu », disait le Moyen Age), qui, enfin, anime la statue du Commandeur, miracle redoutable, si l'on en croit Catalinon et Sganarelle.

Marlowe, logique jusqu'au bout, n'avait pas voulu faire tomber son conquérant, véritablement invincible. Le succès de *Tamerlan* l'amena à écrire une suite — bien décevante, car l'auteur y reste prisonnier de son choix initial : le héros accumule les conquêtes et rien ne se produit de nouveau. La question se pose : comment tuer Tamerlan, si le surnaturel continue à rester toujours aussi étrangement muet ? D'où la maladresse de la pièce, qui s'achève sur le spectacle d'un héros pris de malaise et mourant d'un mal incurable sur scène... Le défi prométhéen n'a de sens que si le Divin est présent, au moins autant dans les consciences que sur la scène. C'est pourquoi ces trois images mythiques de l'époque baroque frappent par leur tension tragique et leur caractère désespéré pour des esprits éminemment religieux : l'affadissement de ces créations littéraires au XIXe siècle, puis leur quasi-disparition au XXe siècle, s'explique, en grande partie, par l'affaiblissement du sens de la transcendance et la progressive disparition du lien entre le Créateur et sa créature après le XVIIe siècle.

B / *Le Père humilié et triomphant*

Les contemporains de Marlowe et de Tirso, même s'ils éprouvaient confusément un certain bouleversement des cadres religieux traditionnels, n'en continuaient pas moins à vivre sous l'œil de la divinité. Lucien Febvre, dans un ouvrage déjà cité, a établi l'impossibilité, pour l'époque de Rabelais, de penser l'absence de Dieu ; la démonstration reste largement valable encore au XVIIe siècle[13] : les esprits à l'égard desquels nous pouvons parler d'athéisme, avec une quasi-certitude, sont peu nombreux : La Mothe Le Vayer, Naudé et le curé Jean Meslier, par exemple. Le plus souvent, les accusations des pouvoirs en place contre les « athées et athéistes » ne visent que des libertins, attirés par un déisme tolérant (Saint-Evremond) et un épicurisme philosophique (Gassendi et ses disciples). Aussi naît une première antithèse non résolue dans l'imaginaire collectif : l'affirmation prométhéenne

13. Avec les nuances importantes qu'apporte la thèse de Fr. Berriot, concernant la fin du XVIe siècle (*Athéismes et athéistes au XVIe siècle en France*, Lille III, CERF, 1985).

du héros demeure inséparable du triomphe nécessaire du Père. Mais de même que l'on a vu que la fascination pour le personnage révolté rendait ambiguës les conditions de sa chute, de même on va observer une obscure tendance à miner les bases du pouvoir paternel, tout en réaffirmant la puissance des valeurs qui en dépendent.

On ne peut qu'être frappé par l'étroite corrélation qui existe entre la hiérarchie des pouvoirs, selon l'idéologie « officielle » de la pensée théologico-politique, et le jeu des équivalents symboliques, constitutifs de ce que la psychanalyse nomme le Surmoi. En effet, le monde étant conçu comme une pyramide représentative des différents degrés de l'Autorité, de Dieu jusqu'au Père de famille, l'inconscient collectif dispose ainsi d'un ensemble de figures qui, toutes, incarnent l'Ordre traditionnel. Historiquement, tout concourt à renforcer la prégnance de ces images : le Concile de Trente, dans son rôle d'encadrement des beaux-arts, avait encouragé la représentation de Dieu et des créatures angéliques qui l'entourent, sous la forme d'une cour monarchique ; simultanément, se précisait le culte monarchique dans les Etats à tendance centralisatrice. La déification solaire du Prince devint de plus en plus courante dans les ballets et les fêtes de cour, bien avant le fameux *Ballet de la nuit* de Lully, où Louis XIV, à quinze ans, apparut en Roi-Soleil. En même temps, les représentations fastueuses, qui mettent en scène la monarchie, insistent sur le lien entre la personne royale et le triomphe de la raison sur les passions sans frein : la chaîne des équivalences se poursuit ainsi en marquant le nécessaire triomphe de l'ordre traditionnel, politique et religieux (diurne), sur les pulsions anarchiques de l'inconscient (nocturne). Le premier grand ballet de cour français, dit *Ballet comique de la Reine*, joué au Petit-Bourbon en 1581, a déjà recours au thème, puisqu'il utilise, en guise d'argument, la défaite de Circé et qu'il symbolise le triomphe de l'ordre royal sur la folie, la violence et l'aveuglement[14]. Les poètes vont se servir communément de

14. H. Prunières, *Le Ballet de Cour en France*, 1914, rééd. 1982, Paris, p. 92.

ce réseau, source inépuisable de métaphores, le soleil passant du registre royal à celui de l'honneur social et de l'autorité au sein de la famille : « l'honneur d'un père avec lequel le soleil ne put rivaliser en splendeur et en beauté... »* [15].

On comprend alors pourquoi un certain nombre de figures vont assumer, dans la littérature baroque, la fonction de représentation de l'Autorité : particulièrement, le Père dont le pouvoir, c'est une évidence, supporte plus aisément une apparence de remise en cause que celui du Roi ou... de Dieu, même s'il s'agit, en définitive, d'un seul et même principe. L'image la plus forte reste, parmi toutes les autres, celle du Commandeur du *Burlador* : en lui, fusionnent le père offensé de dona Anna, le représentant du Roi et l'envoyé de Dieu, par-delà la mort. Mais ce sont tous les héros prométhéens, que l'on a définis antérieurement, qui défient le Père : Richard s'empare du pouvoir de son frère *aîné*, représentant de Dieu ; Tamerlan détrône les rois et les transforme en bêtes de somme, tandis que Faust inverse l'alliance filiale de Dieu et de ses créatures. D'ailleurs, devant l'ampleur du sacrilège, la pensée traditionnelle a soin de sécréter une réponse, qui permet d'intégrer le révolté au schéma convenu : c'est grâce à la permission divine que le héros peut agir et son intervention s'inscrit dans une perspective providentielle. Même le tranquille Tamerlan, dans ses dernières paroles, se reconnaît le « Fléau de Dieu » *(the scourge of God)* ; Richard, dans sa course au pouvoir, a abattu de nombreuses victimes, en fait désignées par Dieu pour expier leurs propres crimes et ceux de la guerre des Deux-Roses ; l'usurpateur tombe quand sa mission est accomplie. Or, l'idée est reprise pour le personnage de don Juan qui, on l'oublie, séduit des femmes coupables d'avoir déjà cédé au désir : qu'il s'agisse de la duchesse Isabelle, qui attendait le duc Octave, son amant, ou de la paysanne, qui renie son fiancé, pour épouser un gentilhomme prestigieux. Catalinon le rappelle : « Et toi, monsieur, tu es sauterelle d'Egypte pour les femmes ! » (II,

15. Calderón, *La Dévotion à la Croix*, journée I.

430) et Calderón prend soin, dans *Le Magicien prodigieux*, de faire préciser par le démon qu'il n'agit en tout qu'avec la permission de Dieu, qui préserve Justine pour obtenir la conversion de Cyprien.

C'est au théâtre que le défi au Père a pris la forme la plus frappante, mais les autres genres littéraires l'ont également représenté et, particulièrement, le roman picaresque. Son personnage principal se trouve contraint à vivre en délinquant, en marge des lois ou aux dépens de son maître, lorsqu'il sert. Ce dernier assume la figure paternelle dans la longue errance de l'orphelin : ainsi l'aveugle, méchant et redoutablement perspicace, qui a Lazarillo comme serviteur et apprenti : ce jeune garçon doit sans cesse lutter pour survivre. Plus grand, le picaro entrera en conflit avec l'instance supérieure de l'Autorité, la société ou le Roi, en se vautrant dans l'anti-honneur : « Le prince ne pouvait que commander à des hommes de verser leur sang à son service ; j'ai pu, moi, les décider à me verser tout l'argent qu'ils possédaient pour satisfaire à mes plaisirs »[16]. Si la relation maître-valet est constitutive du roman picaresque, l'opposition constante et sournoise du second à l'égard du premier fait bien du picaro une incarnation du Fils révolté, qui tantôt ignore les avertissements de la Providence (Lazarillo, Buscón), tantôt prend conscience du sens de ses aventures et se convertit en revenant vers Dieu (Guzman de Alfarache).

La signification psychanalytique de la figure du Père apparaît clairement derrière sa fonction d'incarnation de l'ordre traditionnel : le Père, gardien des valeurs, est celui qui interdit. Dans aucun autre ensemble littéraire, cette signification ne se révèle avec autant d'évidence que dans les œuvres dramatiques de Calderón, que l'on peut lire, sans exagération, comme l'incessante reprise d'un fantasme de révolte et d'humiliation de l'autorité paternelle ; l'orchestration est la plus grandiose dans les tragédies. On citera *La Dévotion à la Croix*, *Les Cheveux d'Absalon* et les *Trois Châtiments en un*

16. Th. Nashe, *Le Voyageur malchanceux*, trad. Ch. Chassé, p. 55.

seul, où l'affrontement avec le Père se double, à chaque fois, de l'interdiction de l'inceste avec la sœur. Même l'*auto sacramental*, domaine où s'est illustré également le « poète de l'Inquisition », se réduit à l'inlassable remémoration de l'histoire de la Faute originelle, archétype de la révolte contre le Père. D'une manière générale, l'homme de Pierre dit la loi et rappelle le passé ; l'homme de vent cède à ses passions du moment, refuse ses devoirs sociaux et ignore la parole donnée, ciment de la société féodale : de là, le geste du Burlador, qui promet le mariage et donne sa main pour gage à sa victime ; significativement, le Commandeur le précipitera aux Enfers en lui saisissant la main, en sorte de le punir par où il a péché (donc le châtiment de don Juan est motivé beaucoup plus par le crime social que par les multiples séductions). L'opposition des deux personnages représente la lutte du principe de réalité et du principe de plaisir ; elle occupe une place centrale dans l'imaginaire baroque, comme en témoigne aussi l'ensemble de la production shakespearienne, où l'on perçoit continûment l'écho de l'affrontement du monde de la jeunesse contre l'ordre des Pères. Il a été assez fait allusion à *Richard III* pour les drames historiques, néanmoins l'exemple d'*Henri IV* reste plus parlant encore ; dans les comédies, le thème peut être qualifié de constante, mise en valeur particulièrement dans *Comme il vous plaira*, *Le Conte d'hiver* et *Le Songe d'une nuit d'été*. L'intrigue de cette dernière œuvre, par exemple, repose sur la révolte d'une jeune fille contre l'autorité abusive d'un père, qui veut la marier contre son gré et qui en réfère à l'autorité supérieure — le duc Thésée — pour faire appliquer la loi. Quant aux tragédies shakespeariennes, elles sont toutes l'histoire de l'autorité bafouée : depuis le meurtre du roi Duncan *(Macbeth)*, jusqu'à l'enlèvement de Desdémone à son père par Othello.

La révolte contre la personne du Père se manifeste sur le plan juridique (contestation de l'autorité) ou idéologique (refus d'un monde hiérarchisé et immobile), mais la littérature baroque l'a souvent enracinée plus profondément, selon un schéma qui rejoint celui du complexe œdipien décrit par

Freud. La littérature espagnole est ainsi à l'origine d'un nouveau mythe, qui prend son essor à l'époque baroque et connaîtra un deuxième développement avec le romantisme : le mythe de don Carlos. Il retrace les amours du fils du roi Philippe II avec la reine Elisabeth de Valois : rivalité amoureuse et haine du Père se rencontrent dans les œuvres de Diego Jimenez de Encisco, Juan Pérez de Montalbán, plus marginalement dans *El Águila del agua* de Velez de Guevara et, finalement, dans le *Don Carlos* de Saint-Réal (1672).

La structure œdipienne se perçoit évidemment dans de nombreux drames de Calderón et dans le plus célèbre d'entre eux : *La vie est un songe*. Le prince héritier, Sigismond, a été élevé dans l'ignorance de sa naissance ; dès qu'il connaît son identité, quelques paroles, prononcées durant son sommeil, trahissent la nature de ses pulsions et le fantasme du meurtre du Père[17].

Pareillement, le théâtre de Shakespeare offre deux exemples aussi manifestes, dont l'un, *Hamlet*, a fourni au biographe et ami de Freud, Ernest Jones, la matière d'une étude *(Hamlet et Œdipe)*, qui met en valeur l'amour du jeune prince pour sa mère et la cause de sa paralysie devant la nécessité de tuer un oncle qui a réalisé ce que désirait l'inconscient. Paralysie également de Lady Macbeth, hantée par le souvenir de son père, déçue par son mari et qui déclare, devant le roi qu'elle a décidé d'éliminer : « S'il n'avait pas ressemblé dans son sommeil à mon père, j'aurais fait la chose » (II, 2). Le meurtre accompli, elle sombre dans des pratiques obsessionnelles, qui lui font revivre cet assassinat pendant des crises de somnambulisme : elle finit par se suicider. Plus généralement, c'est toute la comédie de l'époque baroque qui fonctionne selon une structure œdipienne, mise en avant par Ch. Mauron[18] : il en trouve le modèle originel dans Plaute, parce que l'autorité souveraine du Père existait dans l'univers antique comme au début du XVIIe siècle : il n'était pas question,

17. Deuxième journée, v. 2072 et s.
18. Voir *Psychocritique du genre comique*, Paris, 1964.

dans les deux cas, de se marier selon son cœur. Ce n'est donc pas un hasard si la première œuvre comique de Shakespeare, *La Comédie des erreurs*, est empruntée à Plaute, auteur qui inspirera fortement Molière aussi : avec lui, on retrouve la même manière sournoise de renverser la toute-puissance du Père, sans heurter les convenances. Dans les comédies baroques, l'essentiel de l'entreprise est parfois confié à un serviteur, qui va réaliser les aspirations du Fils ; le plus fréquemment, tout dépend d'un travestissement ou d'une erreur dans l'identité des personnages. Le Père humilié et trompé (souvent par un déguisement) sera rétabli dans ses prérogatives, grâce à une reconnaissance de dernière minute (le *deus ex machina* de la comédie, en quelque sorte), qui sauve les apparences et permet de concilier le principe de plaisir avec le principe de réalité. Ceux que l'amour avait rapprochés dans la clandestinité se voient confirmés officiellement, quand la découverte de leur véritable identité permet aux jeunes gens de s'apercevoir qu'ils n'avaient fait que devancer le choix de leurs parents : l'union est finalement conforme à l'endogamie aristocratique et la morale est sauve. Procédé inlassablement repris par Shakespeare, de *La Mégère apprivoisée* au *Conte d'hiver*, et dont les équivalents pourraient être, en Espagne, *Le Timide au Palais* de Tirso de Molina et, en France, *Les Fourberies de Scapin* ou *L'Avare*.

En définitive, on ne peut qu'être surpris par la liberté de la littérature baroque et par l'audace de ses remises en question, même s'il ne s'agit que de fantasmes nés de l'imaginaire collectif et représentés avec mauvaise conscience. Le Père justicier est à la fois humilié et triomphant : sa victoire finale devient l'occasion d'un étalage masochiste du châtiment du révolté, comme s'il s'agissait de se persuader soi-même de l'exemplarité et du bien-fondé du supplice. L'audace est compensée par le sentiment aigu de la culpabilité, qui tend à envahir l'œuvre elle-même, par exemple dans *Les Juives* de Garnier, où les actes IV et V sont consacrés à la préparation et au récit de l'exécution de Sarrée, des princes du peuple, des enfants de Sédécie et de ses propres tourments. Il ne faut donc pas s'étonner si la divinité qui intervient à la fin du *Docteur Faustus* ou du *Burlador* est celle de l'Ancien Testament : il s'agit d'un Dieu de colère et non de pardon, qui fait dire, par son envoyé, au séducteur : « et si tu dois ainsi payer, telle est la justice de Dieu : œil pour œil, dent pour dent ». Le théâtre se prête évidemment bien à la représentation du châtiment en une image forte qui doit terroriser ; Calderón atteint, sans doute, un sommet, dans ce domaine, grâce au soin consacré à préciser le détail de la mise en scène : « on voit don Lope dans l'attitude d'un criminel à qui l'on a donné le garrot, tenant un papier à la main, et ayant de chaque côté une rangée de flambeaux allumés »[19]. Mais le roman picaresque est envahi, lui aussi, par cette trouble complaisance pour les descriptions détaillées de supplices, qui sont censées ramener le coupable dans le droit chemin : Jack Wilton achève son séjour en Italie par le récit des tortures infligées au bandit Cutwolfe et conclut en quelques lignes : « Cette farouche tragédie de Cutwolfe et Esdras me laissa mortellement abattu et déprimé. Elle m'incita si bien, dès lors, à mener une vie de droiture qu'avant même de sortir de Bologne, j'épousai ma courtisane et distribuai beaucoup d'aumônes » (*Le Voyageur malchanceux*, *op. cit.*, p. 309). Pour une part, on peut voir là une reprise du thème du châtiment de l'hybris, mais cela ne suffit pas à rendre compte de l'autocondamnation et de l'appel à la vengeance et à la destruction divines, par une conscience qui juge l'homme criminel et dégénéré :

> Venez, célestes feux, courez, feux éternels,
> Volez : ceux de Sodome oncques ne furent tels
> [...]
> Déluges, retournez : vous pourrez, par votre onde,
> Noyer, non pas laver, les ordures du monde.
>
> (*Tragiques*, VI, *passim*.)

19. Scène finale de *Trois Châtiments en un seul* ; on pourra lire aussi la dernière scène du *Schisme d'Angleterre* et le détail du triomphe de Marie Tudor.

L'exemple de d'Aubigné invite à réfléchir sur l'influence de l'anthropologie religieuse contemporaine : les courants réformés, de même que le catholicisme tridentin (voir Loyola et ses *Exercices spirituels*) ont mis l'accent sur la surveillance de soi et le nécessaire développement de l'examen de conscience ; or, la pensée chrétienne propose une vision particulière de l'homme, comme double nature partagée entre l'âme et le corps, ce dernier étant source perpétuelle de péchés et de tentations mauvaises. « L'humanisme augustinien, le stoïcisme retrouvé, les deux Réformes religieuses et leur expression littéraire — la préciosité — contribuèrent ensemble à une disgrâce du corps. Un langage de plus en plus abstrait traduit alors cet écart volontaire à l'égard d'expressions pulsionnelles qu'il faut étroitement surveiller »[20]. On voit aisément comment peut naître, à partir de la généralisation à tous et à chacun d'une telle attitude, le sentiment de l'angoisse à l'égard d'une culpabilité permanente, entretenue aussi par la perspective du salut et du jugement dernier. La psychanalyse rappelle à point nommé que l'angoisse provient d'une libido détournée de sa destination et d'un complexe œdipien non résorbé. Au total, le sens religieux de la faute et le refoulement de la révolte contre le Père fusionnent dans l'angoisse de culpabilité devant Dieu :

> Pardonneras-Tu ce péché où j'ai commencé ma vie,
> Qui fut mon péché, bien qu'il eût été commis auparavant ?
> Pardonneras-Tu ce péché que je commets
> et commets toujours bien que toujours je le déplore ?
>
> (John Donne, *Hymne à Dieu le Père*, *op. cit.*, p. 201.)

La rébellion, rendue possible par le doute à l'égard des valeurs, dans ce court intervalle entre Renaissance et milieu du XVIIe siècle, n'a pas été assumée par la conscience collective, dont l'imaginaire hésite entre une révolte écrasée et exaltée et un Père justicier humilié et triomphant. Si l'individu, à la suite de Machiavel, a entrevu bien des audaces possibles,

20. Jean Delumeau, *Le Péché et la Peur*, p. 338.

il n'a pu aller jusqu'au bout de sa liberté, privilégiant des techniques de fuite, comme les déplacements symboliques et les travestissements : alors Descartes s'avance « masqué »[21] et le Napolitain Torquatto Accetto publie son art de la rébellion refoulée *(Dissimulazione onesta)*.

II. MOI OU LE CHAOS

Ce deuxième couple antithétique n'est pas sans lien avec le premier, dans la mesure où l'affirmation du MOI reprend parfois certaines caractéristiques du défi individualiste prométhéen. Néanmoins, dans l'imaginaire baroque, il s'agit avant tout de deux mouvements d'hyperbolisation opposés *et* simultanés : inflation du sujet et développement destructeur du monde hostile. L'antithèse apparaît aussi peu susceptible de résolution que la précédente ; on serait tenté d'y voir une représentation de l'opposition de l'un et du multiple, du centre ordonnateur et du foisonnement anarchique, mais, en réalité, il y a interaction dialectique entre les deux éléments : le Moi est destructeur de l'Ordre dans lequel il semble s'intégrer ; en même temps, le Chaos envahit le Moi et cause son éclatement : ce faisant, il le révèle à lui-même. D'autre part, chaque membre de l'antithèse est, pour ainsi dire, miné par des tendances ou virtualités qui le nient : par exemple, l'exaltation du Moi parvient à s'intégrer dans la tradition chrétienne ; ce constat se heurte immédiatement à celui du Moi devenu seule source de valeurs, au mépris de celles de la collectivité et de la religion. On touche là une des difficultés majeures de l'approche du baroque ; il vaut mieux alors recourir à la description d'images forces, en respectant le dynamisme qui les caractérisait dans l'imaginaire contemporain, et renoncer à tout exposé discursif.

21. « Larvatus prodeo », telle était sa mystérieuse devise.

A / *L'affirmation du Moi et l'ostentation*

L'affirmation du Moi peut s'expliquer par des circonstances historiques favorables. Le développement de la conscience individuelle dans une perspective religieuse, qui vient d'être rappelé (cf. *supra*), en même temps qu'il débouchait sur l'angoisse culpabilisante, stimulait la découverte de l'autonomie du sujet. Les controverses théologiques du XVIe et du XVIIe siècle portaient sur la question de la grâce et du salut : derrière les définitions de ces deux notions, ce qui était en jeu, c'était la liberté de l'homme. Parler des « œuvres » revient à valoriser ou non des actes voulus comme tels par l'individu ; or, toute une partie de l'Europe a subi en profondeur l'influence des Jésuites et de leur théorie du libre arbitre. Ceux-ci ont connu une expansion qui coïncide exactement avec l'époque baroque : ils étaient un millier à la mort d'Ignace de Loyola (1556), 5 000 en 1581, 10 000 en 1608, 16 000 en 1625, 18 000 seulement en 1679, stagnation significative qui marque un tassement de l'influence de ceux qui s'étaient emparé de l'enseignement dans le monde catholique. Dans la querelle qui l'opposa aux jansénistes, la Compagnie de Jésus défendit l'idée d'une grâce donnée à tous, soumise de telle sorte au libre arbitre, qu'il la rend efficace ou non à son choix[22]. *A priori*, l'Europe réformée véhiculait une conception de l'homme fondamentalement hostile à la liberté du sujet : pour Luther, Dieu ne nous juge pas par une sorte de balance de nos péchés et de nos œuvres, mais il nous justifie à cause de notre seule foi *(sola fide)*, tandis que, dans l'optique calviniste, notre nature demeure irrémédiablement encline au péché : Dieu prédestine au salut selon des critères qui nous échappent. Néanmoins, la doctrine de la prédestination, créant une sorte d'angoisse quant à la possibilité de la damnation, le fidèle chercha en compensation des signes rassurants de l'élection divine, qu'il trouva dans les succès professionnels, venus récompenser son activité personnelle. C'est ainsi qu'on

22. Voir Molina et sa *Concordia liberi arbitrii cum gratiae donis*, publiée à Lisbonne en 1588.

assista à une paradoxale réévaluation du dynamisme individuel et du sens de devoir à l'égard du monde, comme si, à la dénonciation ascétique et puritaine des dangers de la richesse, succédait une obligation religieuse de la réussite matérielle[23].

Dès lors, il n'est pas absurde de parler d'une expansion privilégiée du Moi devant Dieu : en témoigne, dès la fin du XVIe siècle, la nouvelle fortune du stoïcisme en Europe, à laquelle contribuèrent, en bonne logique, les Jésuites. La physique du Portique dépeint « un homme qui vit dans un univers où la Providence a organisé toutes choses selon les lois inexorables du Destin », mais, simultanément, le sage fait preuve d'une irréductible liberté que Jupiter même ne saurait lui ôter : on retrouve là une alternative inéluctable et la question de savoir comment maintenir une place à la liberté humaine renvoie exactement à la querelle de la grâce. D'autre part, le thème de la constance avait tout pour séduire une période de crise où il fallait non seulement tenter de résister au tragique de l'existence historique, mais encore s'affirmer en tant que sujet pensant, constitué en son unicité et maître de ses passions : quand la connaissance devient incertaine, le Moi s'édifie comme seul refuge. D'où le regain d'intérêt pour la conception stoïcienne « quasi intellectualiste de la passion. Puisque la passion est essentiellement déraison, folie, nous pouvons dire qu'elle a avant tout pour origine une erreur de jugement, une opinion fausse... »[24] ; dans cette perspective, il revient à la libre volonté de l'individu d'opérer le choix décisif : « car notre volonté a la force... de disposer notre opinion tellement qu'elle ne prête consentement qu'à ce qu'elle doit et ce qui sera examiné ou par le sens ou par le discours ; qu'elle adhère aux choses évidemment vraies, qu'elle se retienne et suspende les douteuses, qu'elle rejette les fausses »[25]. On ne trouverait pas de meilleur exemple de l'implication de cette philosophie antique dans le débat

23. Voir à ce sujet les ouvrages, déjà cités, de Max Weber et R. H. Tawney.

24. J. Brun, *Le Stoïcisme*, Paris, 1958, p. 80 et 105.

25. Du Vair, cité par L. Zanta, *La Renaissance du stoïcisme au XVIe siècle*, Paris, 1914, p. 293.

théologique de la fin du XVIe siècle que la vie et l'œuvre de Juste Lipse (1547-1606), humaniste flamand, né donc dans un pays que se disputent Rome et la Réforme : toute son œuvre, depuis le traité de *La Constance* jusqu'à *La Physiologie des stoïques*, cherche à concilier la philosophie du Portique et le christianisme, selon une démarche qui fut largement imitée en France et en Espagne.

Même la littérature anglaise, quoique plus faiblement, atteste l'ampleur de ce mouvement : il n'est que de citer Horatio, l'ami d'Hamlet, ou tous les héros du théâtre élisabéthain pour qui le suicide stoïcien est l'ultime forme d'affirmation de la liberté de la personne. Inutile de rappeler ce que la critique traditionnelle appelle la « phase stoïcienne » de Montaigne, première étape, vite dépassée et critiquée par l'auteur lui-même ; mieux vaut évoquer la tentative de Guillaume du Vair (1556-1621) pour « transférer à l'usage et institution de notre religion les plus beaux traits des philosophes païens ». Le courant néo-stoïcien français ne se limite pas à la période des guerres de religion : il se prolonge, en philosophie, jusqu'au *Traité des passions* de Descartes et, dans la littérature dramatique, jusqu'au héros cornélien. Encore convient-il de préciser que ce ne sont pas des caractéristiques du seul personnage tragique, à la manière d'Auguste :

> Je suis maître de moi comme de l'univers ;
> Je le suis ; je veux l'être...

La comédie cornélienne offre souvent le spectacle d'esprits qui tentent d'échapper à l'incertitude ou l'indécision par le repli sur soi ; cette tendance culmine dans *La Place Royale* avec Alidor, qu'un amour partagé rend trop sensible au danger d'aliéner sa volonté et de perdre le pur exercice de sa liberté :

> Et souverain sur moi, rien que moi n'en dispose (IV, 5)

d'où la renonciation finale à Angélique, qui permet au héros de se retrouver :

> Je vis dorénavant puisque je vis à moi.

Or, c'est aux mêmes sources stoïciennes que la très catholique Espagne a puisé pour affirmer la souveraineté du Moi : Quevedo, par exemple, a été en relation avec Juste Lipse. Plus profondément, le stoïcisme convenait à la mentalité espagnole du Siècle d'Or : le mépris ascétique pour les attachements du monde rejoignait le *desengaño* (« désabusement ») ; la maîtrise de soi, la faculté de dominer la fortune — bonne ou mauvaise — prenait la forme du *sosiego*. Le jésuite Baltasar Gracián, enfin, dresse un portrait du héros sachant conserver la domination de ses passions, pour mieux s'imposer aux autres : « Il n'y a point de plus grande seigneurie que celle de soi-même et de ses passions. C'est là qu'est le triomphe du franc-arbitre... »[26]. A la manière de Corneille, au théâtre, c'est Calderón qui met en scène continûment dans ses œuvres un type de personnage qui refuse de composer avec ses tentations ou la confusion du monde, pour se reprendre en répétant orgueilleusement : « je suis celui (celle) que je suis ». Le meilleur exemple est fourni par un drame au titre significatif, *Le Prince Constant*.

Historiquement, un dernier facteur entre en jeu pour favoriser cette hyperbolisation du Moi : la crise ultime que traverse la morale aristocratique. La justification du rôle et de l'importance de la noblesse remonte à la conception trifonctionnelle de la société traditionnelle du Moyen Age. Les *bellatores*, dont le roi est le chef[27], ont une fonction dans le cadre féodal tant que le pouvoir royal reste lointain et limité. La situation change à la fin du Moyen Age avec l'apparition, à travers toute l'Europe, de monarchies puissantes et centralisatrices, qui tendent à se constituer une clientèle de serviteurs et d'agents et à reléguer les « grands » dans des rôles secondaires de représentation. Telle est la politique des premiers Tudors, de François Ier ou de Charles Quint et Philippe II. La réaction de la noblesse, inévitablement absorbée

26. *L'Homme de cour*, trad. Amelot de La Houssaye, maxime VIII.
27. Voir G. Duby, *Les Trois Ordres ou l'Imaginaire du féodalisme*, Paris, 1978.

par la vie brillante des cours de la Renaissance, va consister à justifier son importance par un raffinement nouveau de son rôle de représentation sociale, en sécrétant un modèle en rupture avec le guerrier médiéval : l'homme de cour. Le mouvement est général, depuis ce gentleman, qui entoure Elisabeth (Leicester, Essex ou Sidney), préparé par Sir Thomas Elyot et son *Book of the Governor*, jusqu'au *Courtisan* de Castiglione et au *Galateo* de Giovanni della Casa, en passant par les ouvrages de leurs émules français : *Le Parfait Gentilhomme* de du Souhait (1600), *Le Guide des Courtisans* de Nervèze (1606) ou *L'Honnête Homme ou l'Art de plaire à la Cour* de Faret (1630). L'aristocrate proclame son mérite et sa différence, non plus en raison de ses exploits, mais à cause de la valeur de sa personne comme produit d'une culture. Glissement qui traduit l'absence de plus en plus évidente de fonction sociale au profit d'un paraître parasitaire. Don Juan en offre un parfait exemple, lui qui ne vit que pour lui, et son père, une fois de plus, se révèle l'homme du passé en lui adressant des remontrances au nom d'ancêtres autrefois glorieux : « Aussi nous n'avons part à la gloire de nos ancêtres qu'autant que nous nous efforçons de leur ressembler » (IV, 4). Le gentilhomme remplace le chevalier.

Une telle évolution ne pouvait que favoriser l'affirmation du Moi aristocratique, dans un souci grandissant de recueillir l'approbation admirative d'autrui. Le soin de sa « gloire » rejoint la sagesse néo-stoïcienne pour donner naissance à des modèles comparables au « généreux » cartésien (*Traité des passions*, 156).

L'exemple français est, dans ce cas, particulièrement précieux : l'asservissement de la noblesse y a été, semble-t-il, plus tardif et plus difficile : il faut, en effet, attendre l'échec de la Fronde pour voir disparaître les tentatives de ces Grands dont les ambitions personnelles avaient si souvent animé les conflits des guerres de Religion ou les révoltes contre Louis XIII et Richelieu — avant d'affronter Mazarin. Comme en contrepoint, le pouvoir royal, depuis Richelieu, a favorisé un art et une littérature que nous nommons classiques, c'est-à-dire accordant une place prépondérante au goût et à la raison, contre l'individualisme et l'expressionnisme baroques. Pour schématiser, on voit la noblesse et les princes du sang protéger des poètes baroques, comme Mathurin Régnier, Saint-Amant, Théophile et surtout Tristan ; Chassignet, Sponde, La Ceppède sont des provinciaux qui s'opposent au parisianisme des premiers membres de l'Académie française et de ceux qui bénéficient de la bienveillante attention du redoutable cardinal : Chapelain, Conrart, Godeau...

Que la littérature baroque soit le lieu d'expression du Moi aristocratique, volontiers rebelle et ostentatoire, apparaît clairement, quand on observe la part importante qu'y occupe le *discours héroïque*. Par là se manifeste le besoin de compenser, par l'abondance de la parole, un manque de réalité historique et de tenter d'étaler aux yeux de tous sa valeur : c'est ce que Jean Rousset appelle justement le *thème du paon*, qui revient souvent dans les écrits contemporains, pour symboliser cette ostentation du Moi. Le héros baroque donne ainsi libre cours à son individualisme, comme Tamerlan dans ses élans lyriques ou comme Coriolan, frémissant d'orgueil humilié. Les héros cornéliens, mus par un semblable souci de leur « gloire », étalent pareillement le récit de leurs exploits ; le vieux don Diègue parle de ses succès militaires à don Gormas avec une absence totale de modestie :

> [...] comme il faut dompter des nations,
> Attaquer une place, ordonner une armée,
> Et sur de grands exploits bâtir sa renommée (I, 3)

qu'imitera son fils pour raconter son combat contre les Maures (IV, 3). Quelques mois seulement séparent *L'Illusion comique* du *Cid* et l'on a souvent dit que Matamore offrait la caricature du discours héroïque, présent dans la tragédie cornélienne en général.

Depuis le Moyen Age, l'éthique aristocratique s'est individualisée : le noble ne se pense plus comme membre d'un groupe solidaire ou « état » ; à la gloire des exploits a succédé l'honneur, qui renvoie à chaque personne, de plus en plus consciente de la valeur d'un Moi, qui se veut d'autant plus héroïque qu'il a moins l'occasion de l'être. Le noble se retrouve pris entre les deux termes d'une contradiction insoluble : le service du roi, qui requiert une entière obéissance, et, d'autre part, un souci anarchisant d'auto-affirmation, qui ne respecte rien. Ce qu'exprime bien le personnage de don Juan, qui brave la famille et son père, se moque par défi de l'honneur des maisons dont il séduit la fille, ignore le pouvoir du roi, puisque père ou oncle interviennent en sa faveur, mais ne recule jamais quand son honneur personnel est en jeu, qu'il s'agisse de secourir un homme lâchement attaqué par plusieurs dans une forêt (Molière) ou de répliquer au Commandeur qui l'accuse de traîtrise (Tirso) : « Je suis homme d'honneur et je tiens mes serments, car je suis chevalier. »

Dans ces conditions, on peut se demander ce qui subsiste de l'honneur véritable, lorsqu'il ne fait plus que nourrir par l'ostentation l'orgueil insatiable du Moi. Déjà Calderón, retraçant le martyre si exemplaire du *Prince Constant*, faisait dire à l'un de ses bourreaux : « Cette obéissance, est-ce de l'humilité ou de l'orgueil ? » Le Burlador, après une première rencontre avec la statue du Commandeur, décide de s'obstiner pour mieux éblouir les autres et affirmer son courage : « Demain, je veux aller jusqu'à cette chapelle où je suis invité, pour que de ma valeur Séville s'émerveille ! » Il faut alors conclure, avec M. Defourneaux : « une telle attitude peut elle-même dégénérer en une forme plus raffinée de l'orgueil, lorsque la beauté du geste devient en elle-même sa fin, et efface la valeur propre de l'action » (*op. cit.*, p. 33).

L'imaginaire baroque n'en est pas resté là. L'exaltation du Moi (par le moyen de la littérature dramatique surtout) a poussé jusqu'à ses plus extrêmes conséquences l'affirmation libre de la volonté individuelle, bien au-delà des tendances anarchisantes de la conscience noble, au point d'interroger : et si rien n'existait que ce Moi conquérant ? et si le sujet était la seule source des valeurs, en un monde dépourvu de transcendance ? On voit là s'amorcer, sur le plan philosophique, une sorte de tentation nietzschéenne avant la lettre :

> Celui qui est à lui-même loi
> n'offense aucune loi, n'a pas besoin de loi
> il est roi de fait.
>
> (Marlowe, *Bussy d'Amboise*, II, 1.)

Tel est le choix de deux héros shakespeariens, au moins : Macbeth, meurtrier de son roi, malgré ses remords, qui décide, une fois enfoncé dans le crime, d'aller de l'avant par-delà le bien et le mal, en subordonnant toutes ses actions à ses seuls intérêts : « Devant mes intérêts, tout doit céder, j'ai marché si loin dans le sang que, si je ne traverse pas le gué, j'aurai autant de peine à retourner qu'à avancer » (III, 4). Le second est Edmond, le bâtard, bien décidé à se conquérir une place que la société lui refuse : « Que je doive mon patrimoine à mon esprit, sinon à ma naissance ! Tout moyen m'est bon qui peut servir à mon but » (*Le Roi Lear*, I, 2). Ce personnage permet d'apercevoir la portée de ce rêve extrême du baroque : si d'un coup le monde transcendant disparaît, toute valeur réside dans l'immanent et, puisque l'individu seul subsiste, dans une nouvelle appréciation, positive cette fois, des instincts : « Nature, tu es ma déesse ; c'est à ta loi que sont voués mes services » *(ibid.)*. Semblables élans d'une volonté de puissance, affranchie de toute contrainte éthique et centrée sur le Moi, se rencontrent fréquemment dans la littérature élisabéthaine, tel ce Flamineo mourant, peint par Webster en grand criminel orgueilleusement solitaire : « O Moi ! Voici donc ta fin !... Je ne me soucie pas de ceux qui m'ont précédé, ni de ceux qui me suivront. Non, c'est par moi seul que je veux commencer et finir » (*Le Démon blanc*, V, 6). Les héros cornéliens prennent aussi des accents analogues pour assumer les actions les plus noires, comme Cléopâtre *(Rodogune)* ou Médée répondant à la question de Nérine :

> Dans un si grand revers que vous reste-t-il ? — Moi.
> Moi, dis-je, et c'est assez.

Mais ce sont les créations de Calderón qui illustrent le plus cette tendance à tout soumettre aux poussées instinctives du Moi ; on connaît la scène du réveil du Prince Sigismond *(La vie est un songe)*, cherchant à assouvir ses désirs sur la personne de Rosaura et sa haine du Père sur Clothalde (journée II), au point de jeter par la fenêtre un serviteur qui tentait de lui rappeler ses devoirs ; il faut dire encore que ce penchant n'épargne pas non plus les protagonistes de la simple comédie, en proie à une jalousie amoureuse qui s'impose au mépris de toute autre considération : « Eh ! qu'importe l'amitié, la loyauté, l'honneur !... quand la jalousie commande, il n'y a plus rien au cœur d'un homme... » (*Maison à deux portes*, III, 4).

D'une manière très différente du héros prométhéen, qui s'oppose avant tout au transcendant et le reconnaît par l'acte même de son refus, le rêve d'un Moi impérial et souverain engendre de nouvelles valeurs positives : élitisme, éloge de la volonté de puissance et culte du héros. Tout cela se rencontre dans la réflexion de Gracián et, particulièrement, dans ses traités antérieurs au *Criticón* ; *Le Héros*, *L'Homme de Cour* et *L'Homme universel* ne font que rassembler, sous le voile de l'allégorie ou dans les formules brèves des maximes, des tendances éparses et plus imprécises de la littérature baroque européenne. C'est ici que l'on perçoit à quelles contradictions internes aboutissent les éléments de chaque antithèse de l'imaginaire contemporain : l'affirmation du Moi s'appuyait, à l'origine, sur le néo-stoïcisme chrétien et certaines observations de la théologie ; parvenue à l'extrême de son déploiement, elle s'achève dans une critique de la morale chrétienne, jugée incapable de susciter les qualités nécessaires au héros. Comme bien souvent, le mouvement est commencé par Machiavel, qui préfère la morale païenne, parce qu'elle place le souverain bien dans le plein et harmonieux développement des puissances humaines et désavoue ainsi tout ascétisme, tout idéal contemplatif ou monastique[28]. Argumentation reprise,

28. *Discours sur la première décade de Tite-Live*, II, 2, éd. Pléiade, p. 519.

avec empressement, par Marlowe, dont le Juif refuse les vertus chrétiennes qui entraînent la faiblesse : « D'abord, il faut que tu sois vide de toute affection, compassion, amour, vaine espérance et lâche frayeur ; que rien ne t'émeuve, que tu n'aies de pitié pour personne... » (*Le Juif de Malte*, acte II). Mais le jésuite (si peu chrétien) Gracián en vient aussi, par logique et fidélité à sa morale du héros, à de semblables conclusions. « La douceur toute seule ne sied qu'aux enfants et aux idiots. C'est un grand mal que de donner dans cette insensibilité, à force d'être trop bon » (*L'Homme de Cour*, 243 et 266).

Devant les conséquences ultimes de l'affirmation héroïque, on comprend pourquoi les jansénistes se sont acharnés contre ce rêve de gloire sacrilège, de même que les moralistes classiques, contemporains de l'édification en France d'un pouvoir fort et centralisé, naturellement ennemi des individualismes anarchisants et égocentriques. Au Grand Condé, frondeur et traître à son roi en s'alliant aux Espagnols, succède la génération des maréchaux de Louis XIV, qui « ne voulait pour généraux ni de jeunes gens ni de princes ; c'était avec quelque peine qu'il s'était servi même du prince de Condé » (Voltaire). Comme l'observe P. Bénichou : « Il suffit... de regarder quelles sont les vertus qui ont sombré avec le moi "haïssable" de Pascal. Ce sont toutes celles qui composaient depuis toujours l'idéal de l'homme noble [...]. La table des matières des déguisements de l'amour-propre, selon La Rochefoucauld, se confond avec la liste des vertus chevaleresques »[29].

B / *Images du Chaos*

La génération de 1660 a lucidement choisi de mettre en valeur l'aveuglement de l'amour-propre et le rôle du hasard, de la coutume, des organes et des « humeurs » pour mieux démolir le demi-dieu noble. Or, la littérature baroque, au

29. *Morales du Grand Siècle*, Paris, 1967, p. 176-177.

contraire, *en même temps* qu'elle exaltait l'individu et ses prestiges héroïques, affirmait son néant et la grandeur des forces de la destruction. Ce mouvement antithétique se trouve présent dans un sonnet de Tristan qui rassemble l'éloge du paon et sa dérision :

Aux rayons du soleil, le Paon audacieux,
Cet avril animé, ce firmament volage,
Etale avec orgueil dans son riche plumage
Et les fleurs du printemps et les astres des cieux.
[...]
Homme à qui tes désirs font sans cesse la guerre,
Qui voudrais posséder tout le rond de la terre
Vois le peu qu'il en faut pour faire un monument.
Tu n'es rien qu'une idole agréable et fragile...

Une telle affirmation contradictoire de la grandeur et de la misère de l'homme, qui n'a pas encore trouvé, grâce à Pascal, une possibilité d'union, se rencontre fréquemment dans les écrits de la fin du XVIe et du début du XVIIe siècle, qui rappellent les amères méditations bibliques de Job, présentes dans les esprits de cette période si religieuse. Hamlet voit, dans le double constat des ambitions humaines et de leur néant, la cause de sa mélancolie, incapable de concilier les aspirations de l'idéal et la réalité décevante : « Quel chef-d'œuvre que l'homme ! Qu'il est noble dans sa raison ! Qu'il est infini dans ses facultés !... par la pensée, semblable à un Dieu ! c'est la merveille du monde ! L'animal idéal ! Et pourtant qu'est à mes yeux cette quintessence de poussière ? L'homme n'a pas de charme pour moi... » (II, 2). En abordant ainsi le deuxième terme de l'antithèse affirmation-négation du Moi, on mesure tout ce qui sépare l'époque baroque de l'optimisme de la Renaissance ; d'Aubigné, pourtant formé par une éducation humaniste que n'aurait pas reniée Rabelais, en vient à écrire à propos de l'homme, comme pour mieux témoigner de l'extension du pessimisme calvinisme :

C'est un dangereux animal
Changeant le bien en son contraire.

(*L'Hiver, Réveil.*)

Ce sombre propos est à la source d'une démolition sauvage, qui ne relève pas d'une quelconque stylisation burlesque, car il ne s'agit pas d'un jeu, mais d'une vision cauchemardesque, non sans aspects morbides et comme causée par une nausée, devant l'accumulation des laideurs, vices, maladies et autres évocations complaisantes de tout ce qui peut rabaisser l'humain au niveau de l'animal. Le réalisme halluciné d'un Quevedo fait alors merveille. Parle-t-il de la femme et de l'amour ? « Considère-la au moment de ses règles : elle te dégoûtera. Quand elle ne les a plus, souviens-toi qu'elle les a eues... »[30]. Faut-il décrire un repas d'ivrognes qui dégénère ? « Enfin tous deux luttèrent empoignés, et comme le quêteur avait planté les dents dans la joue de l'autre, après deux soubresauts, le porcher pâlissant vomit dans la barbe du quêteur tout ce qu'il avait mangé »[31]. Mais ce type de regard se retrouve aussi dans la littérature élisabéthaine : il est à la source du pessimisme de *Timon d'Athènes* et de la destruction systématique de toutes les valeurs de l'amour et du courage guerrier de *Troïlus et Cressida* ; il rend compte de la métamorphose d'Othello, qui fait d'un homme éminent une bête brute, ivre de vengeance et aveuglée par sa passion jusqu'au meurtre final. John Donne constate :

> Notre âme, dont la patrie est le Ciel et Dieu, le père,
> est envoyée dans ce monde, sentine de corruption[32].

Dans une œuvre que certains attribuent à Tourneur, on assiste à la visite (en rêve) du Fort de la Folie : *Laugh and Lie down* s'apparente aux *Songes* quévédiens et « s'attarde avec complaisance sur les thèmes sordides des vices les plus révoltants : luxure, prostitution, ivresse, gloutonnerie bestiale proche de la coprophagie, usure, hypocrisie » (H. Fluchère).

30. *Les Dessous et les Dehors du monde*, trad. J. Camp et Z. Milner.
31. *Le Buscón*, chap. XI, trad. F. Reille.
32. *Au chevalier Henri Goodyere*.

La littérature française n'est pas épargnée non plus : Chassignet parle.

> De ce corps charogneux plein d'ordure et de crasse,
> Où pêle-mêle bruit la noise et le discort[33]

et d'Aubigné, au début de ses *Tragiques*, évoque de terribles souvenirs personnels, après le massacre de Montmoreau : corps agonisants dans un dernier râle, infanticide et cannibalisme, pauvres créatures devenues plus impitoyables que des chiens enragés : « Quand Nature sans loi, folle, se dénature » (*Misères*, v. 485). Ronsard ne dit pas autre chose dans le *Discours des misères de ce temps*, sa *Continuation* et les autres pièces politiques.

A proprement parler, le pôle opposé à l'affirmation du Moi est double dans l'imaginaire baroque : il y a d'abord les images qui se rattachent à la fascination de la mort et à la destruction du sujet ; puis surgissent les représentations des forces destructrices, nombreuses, mais toutes à l'origine de ce chaos qui symbolise un monde devenu hostile, parce que réellement incompréhensible pour la conscience contemporaine.

— *La fascination de la mort*

Que la mort obsède les esprits à travers toute l'Europe, les mentalités en témoignent ; il ne s'agit pas de complaisance morbide ou d'un choix esthétique, mais de l'écho d'une réalité quotidienne atroce. Réfléchissant sur la violence de l'époque, P. Chaunu remarque que : « La violence, les supplices qui naissent de l'imagination libérée se placent presque toujours au milieu d'une fête... L'affrontement religieux ne crée pas, il libère des instincts que, normalement, le religieux contient »[34]. Malherbe, en un poème célèbre, constate que la mort n'épargne même pas les rois et l'Europe se délecte au spectacle de la tragédie du martyre, comme le *Papinianus*

33. *Le Mépris de la vie...*, XXXV.
34. *Eglise, Culture et Société*, Paris, 1981, p. 453-455.

de Gryphius. Ce serait, cependant, une explication un peu courte que de ne voir dans l'imaginaire de la mort et de la destruction du Moi qu'un simple reflet de la réalité historique.

En fait, l'expérience de la mort apparaît partout comme le point de départ d'une réflexion pour la pensée, défiée par l'évidence de la destruction du sujet. Il faut rappeler ici le cas de Montaigne, pas seulement lors de sa « tentation » stoïcienne, mais aussi, durant cette transition, qui l'amène à une acceptation totale et sans arrière-pensée de la Nature (et de sa nature) ; le rôle essentiel est joué par un accident grave de cheval qui lui permit de « s'apprivoiser à la mort » (II, 6) et de noter que point n'est nécessaire de se raidir en stoïcien dans une situation « à la vérité non seulement exempte de déplaisir, ains mêlée à cette douceur que sentent ceux qui se laissent glisser au sommeil... ». Si l'on en croit d'Aubigné, les *Tragiques* sont nés d'une vision qu'eut leur auteur, au cours d'un long évanouissement dû à une blessure (V, 1195 et s.). Toute la littérature ascétique espagnole s'élabore à partir d'une réflexion sur la mort, envisagée dans sa matérialité ; la démarche de Chassignet n'est pas différente et Bossuet même tente de provoquer le choc salvateur dans les esprits de la jeune Cour, qui entoure le Louis XIV des années 1660, en leur mettant sous les yeux le spectacle de la mort : « O mort, nous te rendons grâces des lumières que tu répands sur notre ignorance » *(Sermon sur la mort)*. On ne saurait mieux dire qu'il s'agit d'un départ pour une prise de conscience qui est celle, angoissée, de toute une époque, à la manière du prince Hamlet, lorsqu'il retourne du pied quelques crânes jetés par le fossoyeur : « Et maintenant cette tête est à Milady Vermine ; elle n'a plus de lèvres, et la bêche... lui brise la mâchoire. Révolution bien édifiante pour ceux qui sauraient l'observer ! » (V, 1).

L'imaginaire baroque parcourt successivement trois représentations de la mort. Il y a d'abord le cadavre comme pourriture : c'est le début d'une métamorphose qui ne s'achève que dans le néant. Beaucoup considèrent que les descriptions (trop) « réalistes » de la littérature contemporaine marquent de la complaisance : en fait, elles correspondent au besoin de souligner l'insoutenable scandale de la destruction du Moi. C'est l'horreur qu'éprouve Ronsard en ses derniers vers :

> Je n'ai plus que les os, un squelette je semble,
> Décharné, dénervé, démusclé, dépoulpé...

Sans exagération, on peut dire que les écrits de ce temps sont peuplés de charognes, qui constituent autant de défis à l'orgueil de l'affirmation de l'homme. Et d'Aubigné, qui n'hésite pas à faire voir à son lecteur abondance de corps grouillant de vermine, appelle les vers « Petits soldats de Dieu »! (*Tragiques*, VI, 861). Mais le même homme demeure l'admirable poète de la résurrection des corps, au moment du Jugement dernier : tout réside, en effet, dans ce balancement de la conscience baroque ; l'image de la pourriture n'est pas évoquée pour satisfaire à une esthétique morbide ou « décadente », car elle se veut question. En un deuxième temps, la fascination de la mort évolue : il ne s'agit plus de crainte, mais d'un espoir d'apaisement ; mourir, c'est échapper aux changements perpétuels qui caractérisent l'existence, mettre un terme définitif aux mutations par une métamorphose, certes, mais la dernière : « et dire que par ce sommeil nous mettons fin aux maux du cœur et aux mille tortures naturelles qui sont le legs de la chair : c'est là un dénouement qu'on doit souhaiter avec ferveur » (*Hamlet*, III, 1). Alors le squelette n'est plus objet d'horreur, mais expression d'une ultime vérité, sous le masque du visage et de la chair ; la mort offre un asile au nostalgique de la permanence, semblable au poète Chassignet :

> Cet être est au contraire à toute heure agité
> De regrets, de soucis et de pleurs lamentables...
> La vie, et non la mort, de nos maux est la cause.

(*Op. cit.*, sonnet L.)

Une vague envie étreint Macbeth devant le cadavre du roi Duncan : « après la fièvre convulsive de cette vie, il dort bien » (III, 2). Le martyr, dont on sait l'importance dans la littérature baroque, y aspire aussi bien que le « mondain » détrompé que peint Gracián : « tout ce qui existe se moque de l'homme misérable ; le monde le trompe, la vie lui ment, la fortune se rit de lui, la santé lui fait défaut, le temps passe, le mal le fait se hâter, le bien s'éloigne, les années fuient, les satisfactions n'arrivent pas, le temps s'envole, la vie s'achève, la mort le prend, la sépulture l'avale, la terre le couvre, la pourriture le défait, l'oubli l'annihile et celui qui hier fut homme, aujourd'hui est poussière et demain rien »* (*Criticón*, I, 7). Ce célèbre passage aide aussi à comprendre la valeur de la troisième représentation de la mort : celle d'un néant non plus repos, mais absurdité entrevue l'espace d'un instant, dans un monde devenu vide et gratuit.

Une telle vision peut surprendre, à propos d'une époque dont on n'a cessé de rappeler l'intense foi religieuse, mais peut-être ce vertige d'un moment n'a-t-il fait que précéder pour certains esprits — en le renforçant —, l'abandon confiant à Dieu. *Mesure pour Mesure* de Shakespeare présente une scène étrange : un faux moine vient consoler un condamné à mort et lui offre le discours traditionnel de la vie comme illusion et suite de maux que guérit la mort ; à ce tableau, le malheureux Claudio, laissé seul avec son angoisse, ne répond que par une vision purement matérialiste d'un corps qui se dissout dans le mouvement du cosmos : « Oui, mais mourir et aller nous ne savons où ! Etre gisant dans de froides cloisons et pourrir ; ce corps sensible, plein de chaleur et de mouvement, devenant une argile malléable, tandis que l'esprit, privé de lumière, est plongé dans des flots brûlants, ou retenu dans les frissonnantes régions des impénétrables glaces, ou emprisonné dans les vents invisibles et lancé avec une implacable violence autour de l'univers en suspens... » (III, 1). L'aventure de Macbeth se réduit, au moment où il apprend la mort de lady Macbeth, à la fameuse formule : « Demain, puis demain, puis demain glisse à petits pas de jour en jour jusqu'à la dernière syllabe du registre des temps ; et tous nos hiers n'ont fait qu'éclairer pour des fous le chemin de la mort poudreuse... La vie n'est qu'un fantôme errant... c'est une histoire dite par un idiot, pleine de fracas et de furie et qui ne signifie rien... » (V, 5). Au rebours, plus la contemplation hallucinée du néant et de l'absurde de la mort sera grandiose et désespérante, plus sera intense l'adhésion aux valeurs traditionnelles de la religion. Il revient sans doute à l'Espagne d'avoir su le mieux représenter le refus de la mort et l'acceptation du transcendant comme seule manière d'échapper à une condition qui n'aurait autrement plus de sens. En fait, la littérature dramatique avait déjà mis en scène, grâce à Calderón, l'insoutenable rencontre avec la mort de soi-même (*Le Purgatoire de saint Patrick*) ou de l'être aimé (*Le Magicien prodigieux*) ; cette dernière œuvre est particulièrement précieuse, car elle contient la formulation la plus nette du dilemme : le galant Cyprien découvre un cadavre dans ses bras, au moment où il croit tenir celle qu'il poursuit avec ardeur ; alors il part comme un fou proclamer la gloire de Dieu puisque, désormais, plus rien d'autre d'essentiel n'existe et que tout prend sens à partir de là :

> car je connais enfin,
> que, sans ce grand Dieu que je cherche,
> que j'adore et que je révère
> toutes les gloires humaines ne sont
> que poussière, fumée, cendre et vent.

En définitive, les images de la mort ne sont jamais présentes dans la littérature baroque pour elles-mêmes, mais comme signe. La réflexion suggérée ainsi ne cherche pas à parvenir à un discours cohérent : le lecteur est agressé ; il est lui-même pris à partie : il s'agit de sa propre mort et de sa propre destruction. D'où un goût pour la violence qui caractérise cette littérature qu'il faut bien qualifier d'*expressionniste*.

L'imagination baroque ne se contente pas du spectacle du cadavre ; elle a recours à d'innombrables épisodes sanglants : batailles historiques, duels, assassinats et scènes de torture sont courants et envahissent la littérature en général et le théâtre en particulier. Les drames historiques et les tragédies de la vengeance s'y prêtent particulièrement. Même la tragédie n'échappe pas à cet étalage qui ne ménage pas le spectateur : yeux arrachés dans *Le Roi Lear*, bras et langues coupés dans *Titus Andronicus*, chœur des rois d'Angleterre assassinés dans *Charles Stuart* de Gryphius, coupables garrottés sur scène et cadavre d'Absalon pendu par les cheveux et percé de javelots, dans le théâtre de Calderón. Evidemment, on songe aux « bienséances » qui s'imposèrent sur la scène française, à partir du milieu du XVIIe siècle : l'opposition ne relève pas seulement de deux esthétiques différentes, mais souligne à merveille le changement de conjoncture historique, le classicisme mettant en avant les valeurs de stabilité et de justice, assumées par le pouvoir dans un cadre institutionnel. La littérature baroque, contemporaine des grands conflits civils et internationaux, fait porter l'accent sur les déchirements anarchiques ; d'Aubigné, habile à choisir les symboles, a montré, dans *Les Tragiques*, que la frénésie du duel était devenue le signe d'une folie meurtrière, qui gagnait l'intérieur même des consciences divisées :

> Nos savants apprentis du faux Machiavel,
> Ont parmi nous semé la peste du duel
> [...]
> Un chacun étourdi a porté au fourreau
> De quoi être de soi et d'autrui le bourreau
>
> (I, 1047 et s.)

et envahissait les éléments, au point de provoquer la colère du Dieu Océan, submergé par des flots de sang et de cadavres que lui expédient les fleuves (fin de *Fers*, v. 1447 et s.).

On ne sera pas surpris si la fascination baroque de la mort et de la destruction du Moi se traduit par une pénétration dans l'écriture de la violence verbale, qui reflète la fureur dévastatrice des passions, qu'il s'agisse des conflits historiques : « cette main, serrée autour de ta noire chevelure, doit, soulevant ta tête chaude et fraîchement coupée... » (3, *Henri VI*, V, 1) ou de drames domestiques : « Pour moi, si j'aimais une femme et que j'en fusse jaloux, alors même que ce serait une servante, une esclave, je lui déchirerais la poitrine, j'en tirerais son cœur, puis je le couperais, puis je le mangerais !... Et ensuite, je boirais son sang goute à goutte avec volupté, avec délices » (*Le Médecin de son honneur*, fin de la deuxième journée).

Cette dernière citation prend tout son sens, quand il est précisé que le personnage caldéronien qui parle ainsi est un grand seigneur, vaillant guerrier et bien en cour... ; son exaltation met en évidence la brutalité des mœurs d'alors, mais cherche aussi (et peut-être surtout) à donner un équivalent poétique de ces forces destructrices qui assaillent l'individu, aussi bien de l'extérieur qu'à l'intérieur de lui-même. Selon une logique qui trouve sa source dans le jeu d'échos réciproques du macrocosme et du microcosme et dans cette analogie si chère à la pensée traditionnelle (cf. M. Foucault, *Les Mots et les Choses*, chap. II), certaines images de la destruction se présentent non seulement pour elles-mêmes, mais pour ce qu'elles signifient dans l'ordre du psychique, assailli par l'antinature. A l'hyperbolisation anarchisante du Moi, que l'on a vu se développer précédemment, répond *simultanément* une hyperbolisation du monde, qui finit par pénétrer et envahir le Moi, comme pour mieux l'anéantir.

— *La nuit et les forces diaboliques*

La littérature baroque accorde une place importante au thème de la nuit[35], abondamment repris dans toute l'Europe avec l'ensemble de ses connotations symboliques. Pour simplifier, on dira qu'avec la nuit surgissent toutes les forces que la civilisation réprime pour assurer son établissement et sa continuité. L'allusion à la nuit sert comme métaphore de l'inconscient, notion psychanalytique moderne, non encore conçue systématiquement, mais représentée par des équivalents poétiques. On citera un exemple probant : celui d'Hamlet,

35. On se permet de renvoyer, sur ce point, à notre communication au Colloque de l'Université de Tours, *Fins de siècle*, 4-6 juin 1985, Publ. Université de Tours.

dans son monologue de la fin de la scène 2 de l'acte III, qui mériterait d'être rapporté en entier ; la nuit tombe, il est invité à se rendre chez sa mère : « Voici l'heure propice aux sorcelleries nocturnes, où les tombes bâillent et où l'enfer lui-même souffle la contagion sur le monde. Maintenant, je pourrais boire du sang tout chaud, et faire une de ces actions amères que le jour tremblerait de regarder. Doucement ! chez ma mère, maintenant ! Ô mon cœur, garde ta nature ; que jamais l'âme de Néron n'entre dans cette ferme poitrine ! » Plus simplement, le poète Tristan tremble à l'idée « De passer une forêt / Durant une nuit si noire » et clame sa prière :

> Je t'attends avec ardeur
> Clarté qui rassures l'âme.
>
> *(Les Terreurs nocturnes.)*

En cela, il rejoint le Saint-Amant des *Visions* : les ténèbres sont grouillantes de menaces non identifiées qui accablent tous les croyants, comme John Donne ou Jean de la Croix. Avec la nuit, tout le vieux fonds païen, que n'a pas encore anéanti la reprise en main tridentine et puritaine[36], ressurgit : monde des morts et folklore des divinités de la nature, que l'on aperçoit dans *Le Songe d'une nuit d'été* et dans *Hamlet*, et qu'évoque Thomas Nashe dans ses *Terreurs de la nuit* (1593). Plus généralement, dans la très abondante production dramatique de l'époque, la nuit est liée à l'erreur : jusque dans le monde des comédies, elle rend possible confusion et quiproquo ; même Corneille s'en sert abondamment dans *La Place Royale* (acte IV) et dans *Le Menteur*. Les ténèbres expriment, dans l'imaginaire baroque, l'angoisse éprouvée à la suite de la crise de la connaissance ; la détresse d'un personnage de *Macbeth* pourrait être celle de toute une génération, pour qui « elle est longue la nuit qui ne trouve jamais le jour » (fin de l'acte IV).

36. Voir Jean Delumeau, *Le Catholicisme entre Luther et Voltaire*, *op. cit.*, p. 237 à 300.

La nuit apparaît finalement comme une malédiction, qui accable l'homme, plongé dans les tribulations de l'Histoire : selon d'Aubigné, le monde purifié resplendira à nouveau pour l'éternité, au Jugement dernier, dans une lumière sans ombre (fin de *Jugement*). Dans la perspective chrétienne, les ténèbres appartiennent aux forces du mal, c'est-à-dire à des puissances de négation, acharnées à détruire la Nature, œuvre du Créateur. Bien avant le Méphisto de Goethe, le démon est l'esprit qui nie :

> quoique ignorant de l'opinion qui vous agrée
> et fût-elle la vraie,
> je soutiendrai l'opinion contraire.
>
> (*Magicien prodigieux,* I, 157 et s.)

L'imaginaire baroque accorde une place importante aux forces sataniques : pour qui ne perd pas de vue la crise de la civilisation européenne, ce n'est pas surprenant, ainsi que le note René Huyghe : « Dès que la forte unité, élaborée par une civilisation et qui protège l'homme contre le doute et l'angoisse se rompt, s'éparpille, le Prince du multiple, de l'instable et de l'incohérent ressurgit »[37]. Fantômes et démons forment un gigantesque cortège au diable lui-même, présent dans de nombreux écrits ; de Loyola à Milton ses caractéristiques sont identiques : « l'ennemi du genre humain attaque le plus souvent par l'apparence du bien » ; ses armes restent traditionnelles : « notre ennemi a coutume de proposer les attraits séducteurs de la chair et des sens », mais, plus subtilement, « l'esprit mauvais insinue inconvénients, scrupules, tristesses, raisons fausses et autres troubles de ce genre » ; il demeure le maître protéiforme de la métamorphose et de l'illusion : « c'est la coutume de l'esprit mauvais de se transformer en ange de lumière », qui sait s'adapter à la psychologie de chacun, pour mieux tromper[38]. L'homme

37. *Sens et Destin de l'art*, Paris, 1967, t. 2, p. 62.
38. Ignace de Loyola, *Exercices spirituels*, trad. J.-Cl. Guy, *passim*.

baroque se voit comme une citadelle assiégée par Lucifer qui ne veut que sa perte :

> Las ! verrai-je toujours le père d'imposture,
> Roi de l'obscurité, qui la terre circuit
> Courant de tout côté, et rôde jour et nuit
> Pour perdre et dévorer l'humaine créature.
>
> (Chassignet, *op. cit.*, CLXXX.)

Sous son action, le monde est perverti ; le démon incarne l'anti-nature qui met tout à l'envers : donnant le pouvoir aux instincts sur la raison, il créée des monstres et inverse l'Ordre traditionnel. Le *topos* du monde à l'envers exprime cette hantise dans la littérature baroque : des travaux récents lui ont été consacrés et ont montré sa présence « dans les champs les plus divers »[39]. Ce lieu commun se rencontre aussi bien dans l'*Ode* étrange de Théophile, qui décrit tout un paysage fonctionnant au rebours de l'ordre naturel :

> Le feu brûle dedans la glace,
> Le soleil est devenu noir,
> Je vois la lune qui va choir,
> Cet arbre est sorti de sa place

que dans l'ample vision qui clôt *Les Tragiques* : le Jugement dernier entraîne une métamorphose apocalyptique du monde et tout reprend sa juste place ; c'est donc le temps historique que nous vivons qui est à l'envers, car le Topos illustre souvent une pensée moralisante qui dénonce la dégénérescence des valeurs traditionnelles ou leur simple transgression.

— *La tempête*

Une image permet d'insister sur la culpabilité de l'homme, agent *et* victime du désordre : c'est *la tempête*, qui peut être suscitée par une action humaine criminelle, comme c'est le

39. Synthèse finale, par Jean Rousset, du Colloque de Tours sur *L'image du monde renversé... de la fin du XVI*e *siècle au milieu du XVII*e, publié chez Vrin (1979).

cas dans *Othello*, *Le Roi Lear* ou au début du *Purgatoire de saint Patrick* de Calderón, mais, dans la mesure où l'individu subit le déchaînement des éléments, il faut y voir aussi une représentation des forces destructrices. L'imaginaire baroque a souvent utilisé une comparaison : l'assimilation de l'existence à une barque ballottée par les flots. C'est un des plus frappants symboles de la perte de confiance en son destin, que les périodes de civilisation optimiste présentent, au contraire, comme une construction à réaliser. La source scripturaire de l'image n'enlève rien à l'universalité de son utilisation dans des contextes profanes : toute l'époque pourrait faire sienne l'observation de Ross, dans *Macbeth* : « ce sont des temps cruels que ceux où nous sommes traîtres sans le savoir, où nous écoutons les rumeurs de la crainte sans savoir ce que nous craignons, flottant sur une mer farouche et violente qui nous agite en tout sens » (IV, 2), Le Tasse, dans les strophes liminaires de son épopée *La Jérusalem délivrée*, remercie son protecteur, Alphonse de Ferrare, qui l'a « soustrait aux fureurs de la fortune, et conduit au port, [moi] pélerin errant, battu par les ondes et comme englouti au sein des écueils » (I, 4). Chassignet rappelle que « notre vie est semblable à la mer vagabonde » (*op. cit.*, LIII) et Tristan, contemplant les flots, fait du pilote, impuissant devant la fureur de la mer, une représentation de la condition humaine :

> le pilote désespéré
> Du temps qui l'est venu surprendre,
> N'a pas le front plus assuré
> Qu'un criminel qu'on mène pendre.
>
> (Ode, *La Mer*.)

— *L'autodestruction*

La tempête qui assaille le frêle esquif de la vie constitue aussi l'indice d'une peur à l'égard des forces brutes de la Nature *i.e.* d'un environnement perçu généralement comme hostile. La signification de cette série d'images ne se limite pas là, car la perturbation des éléments n'écrase pas seulement physiquement l'individu, mais, pénétrant en lui, elle devient folie, susceptible d'entraîner la rébellion contre soi-même, c'est-à-dire le suicide, conformément à cette vision traditionnelle, où tout fonctionne et se répercute par écho, symétrie ou analogie entre le microcosme et le macrocosme.

La folie exerce une étrange fascination dans la littérature baroque. L'ensemble du corpus dramatique élisabéthain, par exemple, s'élève environ à 650 pièces ; or, à peu près une centaine sont consacrées à ce désordre de la personnalité ou y ont recours à un moment quelconque de l'intrigue. « Chez Cervantès ou Shakespeare, la folie occupe toujours une place extrême, en ce sens qu'elle est sans recours... Elle n'ouvre que sur le déchirement et, de là, sur la mort. Mais, très tôt, la folie quitte ces régions ultimes où Cervantès et Shakespeare l'avaient située ; et dans la littérature du début du XVIIe siècle, elle occupe, de préférence, une place médiane ; elle forme ainsi plutôt le nœud que le dénouement, plutôt la péripétie que l'imminence dernière. Déplacée dans l'économie des structures romanesques et dramatiques, elle autorise la manifestation de la vérité et le retour apaisé de la raison. C'est qu'elle n'est plus considérée dans sa réalité tragique, dans le déchirement absolu qui l'ouvre sur l'autre monde ; mais seulement dans l'ironie de ses illusions »[40]. On ne saurait mieux exprimer l'enjeu de la folie baroque et son progressif appauvrissement au fur et à mesure que s'élabore une civilisation rationaliste, qui a choisi, contre les passions, le libre exercice de la nature rationnelle de l'homme. Le théâtre français des années 1630-1640 a aimé mettre en scène des « furieux », mais leurs transports restent limités, en ce sens qu'il ne s'agit que d'un délire dans la perception du monde environnant : c'est le cas pour Eraste dans la *Mélite* de Corneille et aussi pour les rois Cosroès et Alfonse *(La Bague de l'oubli)*, que dépeint Rotrou. La représentation reste en deçà du choix total et logique pour l'altérité qui caractérise don Quichotte et le roi Lear. « L'ingénieux chevalier » est celui qui oppose à la

40. M. Foucault, *Histoire de la folie à l'âge classique*, Paris, 1972, p. 50.

réalité des valeurs idéales, qui finissent par remettre en question la grossière incompréhension de ceux qui l'entourent sans voir les mobiles réels de ce prétendu fou. En un sens, le roi Lear, également, tente de faire coïncider les mots et les choses, l'affection qui lui est due et la réalité des comportements ; la folie du vieux roi aboutit à la découverte de la condition humaine et à un arrachage des masques, en même temps que, symboliquement, il se dévêt : « l'homme non paré n'est rien de plus qu'un pauvre animal nu et fourchu comme toi. Allons, dépouillons-nous ici ! Soyons vrai ! » (III, 4). Ce sont là deux exemples extrêmes de remise en cause qui impliquent l'ordre du monde et ne doivent cependant pas faire oublier que la représentation du désordre de la personnalité est multiforme dans la littérature baroque. Qu'il s'agisse de l' « aliénation » de l'individu, possédé par le Diable dans les écrits religieux des mystiques espagnols, de l'intériorisation des forces nocturnes du Chaos (Lear), de la confusion de l'illusion des sens et de la réalité (Macbeth et les sanglantes apparitions qui le hantent) ou de cette étrange schizophrénie par laquelle Lady Macbeth répète gestes et paroles de la nuit du crime (V, 1) et Lear entreprend le procès de ses filles absentes (III, 6), la folie marque l'envahissement du Moi par le Chaos et l'effondrement de l'individu devant une réalité extérieure insoutenable : confusion verbale et régression infantile se mêlent pour métamorphoser et rendre exprimable la vraie situation d'Ophélie *(Hamlet)*, Penthea (*Le Cœur brisé*, IV, 2) ou Cornélia (*Le Démon blanc*, V, 4). Fragilité tragique de l'homme, qui n'a plus rien à voir avec l'aimable folie selon Erasme : la démence baroque est meurtrière et menace « l'enceinte fortifiée de la raison » (Hamlet).

Dans cette perspective, le suicide montre l'aboutissement du processus d'intériorisation des forces de la destruction. Symétriquement inversée, par rapport à l'exaltation du Moi qui s'affirme orgueilleusement, apparaît donc une sorte d'opposition dialectique entre le Moi et le monde, dont l'issue se révèle négative, puisque le Chaos triomphe. L'énoncé de cette deuxième antithèse ne serait cependant pas complet sans la mention de deux figures chargées de représenter non plus la négativité, mais l'impossibilité de connaître ce monde où l'homme est abandonné : le labyrinthe et la Fortune.

— *Le labyrinthe du monde*

L'image du labyrinthe, tout d'abord, s'impose pour marquer et la confusion de l'esprit et la perte du sens, dans ce qui ne semble plus qu'une errance sans fin :

> Quel est ce labyrinthe
> confus, où la raison ne peut
> trouver le fil ?

ainsi s'interroge un personnage de *La vie est un songe* (v. 975-977) ; ce type de questionnement angoissé abonde dans l'œuvre de Calderón et l'on observe, une fois de plus, qu'il ne se rencontre pas seulement dans les drames, mais aussi dans des comédies, à l'ambition plus limitée, mais dont le fonctionnement repose largement sur le quiproquo : « Je vis dans un labyrinthe d'incertitudes où mon esprit sans cesse s'égare... » (*De mal en pis*, II, 4). Cette image ne saurait passer, évidemment, pour une création littéraire du baroque ; ce qui constitue son originalité, c'est l'utilisation qui en est faite. Dans le *Roland furieux*, œuvre du début du XVIe siècle, de nombreux paladins sont prisonniers d'un château magique où ils poursuivent l'objet le plus cher de leur désir : « c'est ainsi que tous errent en désordre dans cette demeure, vrai labyrinthe dont ils ne peuvent sortir » (chant XII, trad. Nino Frank). Le symbole est clair, le labyrinthe est intérieur, et la victime du magicien parcourt son dédale personnel ; à l'époque baroque, la confusion du monde — et non plus sa seule chimère — accable l'homme. Faust, le personnage qui désigne le désir de savoir, commence son aventure par l'assimilation du monde à un labyrinthe dans l'œuvre (*Le Magicien prodigieux*, troisième vers) d'un auteur qui a aussi transposé l'aventure de Thésée pour en faire une allégorie (très catholique) de la vie humaine, dans l'*auto sacramental El Laberinto del mundo* (1677). L'image du labyrinthe n'a pas été utilisée que par la littérature dramatique et en Espagne seulement. Le philosophe et pédagogue tchèque Comenius publia en 1623 un roman allégorique, *Le Labyrinthe du monde et le Paradis du cœur*, qui décrit les errances d'un jeune homme, escorté de deux compagnons : Je-sais-tout et Faux-Semblant ; l'argument est bien proche du voyage initiatique du *Criticón* de Gracián, pour qui « Le Monde est un vrai labyrinthe »[41]. Finalement, il est un terme qui revient sans cesse dans la littérature baroque, celui de *confusion*, pour formuler l'état d'esprit de l'homme devant ce monde sans issue et perpétuellement déroutant : « Eternel pèlerin parmi les choses de la vie, [...] j'étais en proie à la confusion et gonflé de vanité au point que, dans la grande foule du monde, je courais éperdu [...] et, au lieu de chercher à sortir de ce labyrinthe, je tâchais de prolonger mon illusion »[42]. Une sorte de contrepoint s'amorce donc dans le discours contemporain : une partie affirme la grandeur stoïcienne du Moi, l'autre évoque la défaite et l'abandon de toute volonté d'agir et de comprendre.

— *Les caprices de la Fortune*

Une dernière image achève l'impossible description de ce monde en proie au chaos : celle de l'énigmatique Fortune, qui traduit, par une allégorie, ce qui paraît proprement inconceptualisable : le sens profond de la suite historique des événements, lequel finit par sembler de plus en plus problématique à la conscience baroque. L'abondance des allusions à cette déité dans la littérature de l'époque ne doit pas faire penser qu'il ne s'agit que d'une personnification innocente, passée communément dans le langage : la Fortune revient toujours avec les mêmes attributs[43] : elle est femme, se

41. Toutes les traductions du *Criticón* sont issues de l'éd. de La Haye (1709).
42. Quevedo, *Les Dessous et les Dehors du monde*, *op. cit.*
43. On en aura une idée grâce aux emblèmes d'Alciat ou aux gravures de Jean Cousin.

déplace sur une roue, que ses pieds font mouvoir, et son aveuglement est désigné par ses yeux bandés. L'image, d'ailleurs, n'a rien d'original et n'appartient pas en soi à la période baroque, mais a sa source au Moyen Age, tandis que les premiers éléments se trouvent au début du VIe siècle dans le *De Consolatione Philosophiae* de Boèce. Référence importante, car avec lui vont subsister désormais deux discours contradictoires sur la Fortune : l'un, d'origine païenne, évoquant la divinité, capricieuse maîtresse des destins humains ; l'autre, issu de la théologie chrétienne du salut, affirmant l'omnipotence de la Providence ou de la prescience divine : l'équivoque, on le devine aisément, deviendra insupportable au XVIe siècle avec la querelle de la grâce et du libre arbitre.

Les différentes prises de position que l'on rencontre dans la littérature baroque peuvent se regrouper autour de trois axes principaux ; leur radicale opposition montre clairement l'incertitude des esprits. A une extrémité, les orthodoxies religieuses réaffirment, dans une optique traditionnelle, que la Fortune n'est qu'une illusion, née de l'aveuglement des hommes, qui ne perçoivent pas, dans la trame des événements, la réalisation des desseins de la Providence. « Ne nous étonnons pas que Calvin soit parti en guerre contre la croyance en la Fortune. Il avait une trop haute idée de la providence pour faire une place au hasard »[44]. Le croyant ne peut admettre le hasard ou même une laïcisation de l'histoire, par réduction à un simple déterminisme ; c'est ce qui fait dire à Bossuet : « Ne parlons plus de hasard ni de fortune ; ou parlons-en seulement comme d'un nom dont nous couvrons notre ignorance... »[45]. A l'autre extrémité, Fortune signifie gratuité, changements sans raison, dans un monde dépourvu de sens. Depuis Hamlet, nombre d'auteurs répètent, sous une forme ou une autre : « la Fortune est une catin » (II, 2), qui change de favoris au gré de ses caprices. L'allégorie se réduit alors à une représentation de l'incompréhen-

44. J. Delumeau, *Le Péché et la Peur*..., *op. cit.*, p. 173.
45. *Discours sur l'histoire universelle*, III, VIII.

sible ; un défi supplémentaire à l'esprit humain, confronté au chaos du désordre des choses. Montaigne y alimente son scepticisme : « la fortune, laquelle ne se veut pas ranger et assujettir à notre discours et prudence... » (*Essais*, I, 47, *op. cit.*, p. 286). En fait, l'absurde, que l'on a déjà entrevu, réapparaît ici sous une nouvelle forme : la suite des événements n'obéit à aucune logique ni à aucun principe, comme la vie, racontée « par un idiot, pleine de fracas et de furie, et qui ne signifie rien... », selon la formule de Macbeth. Pareillement, l'atroce aventure de Gloster lui inspire cette remarque désespérée : « Ce que les mouches sont pour des enfants espiègles, nous le sommes pour les dieux : ils nous tuent pour leur plaisir » (*Le Roi Lear*, IV, 1). Même dans l'univers caldéronien, si conforme à l'orthodoxie religieuse, perce un accablement devant la misère impuissante de l'homme : « ... moi je n'ai point d'espérance, et la fortune, malgré son inconstance habituelle, ne me présente que le plus triste avenir » (*Le Prince Constant*, II, 1). L'image de la roue de la Fortune nourrit une sorte de fatalisme implicite : puisque tout homme qui s'élève prépare par là même sa chute, à quoi bon agir ? « Chose misérable que d'être César ! Il n'est pas la Fortune ; il n'est que son valet, le ministre de ses caprices » (*Antoine et Cléopâtre*, V, 2).

Les deux attitudes ont en commun de nier ou de rendre impossible la liberté humaine, tout en refusant à la connaissance la compréhension de l'Histoire. Bossuet l'a bien vu, lui qui n'est pas resté prisonnier des affirmations radicales que l'on vient de citer ; il a réintroduit et légitimé une certaine forme de causalité, tout en éloignant Dieu, qui doit se cantonner, en quelque sorte, dans la conception du cadre d'ensemble : « Car ce même Dieu qui a fait l'enchaînement de l'univers, et qui, tout-puissant par lui-même, a voulu, pour établir l'ordre, que les parties d'un si grand tout dépendissent les unes des autres ; ce même Dieu a voulu aussi que le cours des choses humaines eût sa suite et ses proportions. » Le Dauphin se voit proposer une méthode de lecture de l'Histoire qui résume bien les compromis bâtards élaborés par les écrivains de l'époque baroque confrontés avec la Question de la Fortune : « Vous devez... accoutumer votre esprit à rechercher les effets dans leurs causes les plus éloignées [...] encore qu'à ne regarder que les rencontres particulières, la fortune semble seule décider de l'établissement et de la ruine des empires ; à tout prendre, il en arrive à peu près comme dans le jeu, où le plus habile l'emporte à la longue [...] et a fait servir même la fortune à ses desseins »[46].

Ces dernières formules suggèrent un rapprochement — surprenant — avec le *compromis* tenté par Machiavel. Lui, aussi, ne parvient pas à faire l'économie de l'allégorie de la Fortune, qui, certes, n'est pas la Providence et n'existe que pour dire la neutralité du monde : la volonté échappe donc à la fatalité. Dans le domaine de la politique, « il faut avoir, pour s'y maintenir, autant de bonheur que d'habileté » (III), c'est-à-dire qu'il y a, *a priori*, un facteur qui dépend de l'homme et un autre qui n'en dépend pas. D'où le compromis suivant : « Cependant, comme nous avons un libre arbitre, il faut, ce me semble, que le hasard gouverne la moitié, ou un peu plus de la moitié de nos actions, et que nous dirigions le reste. » Les limites de l'action humaine reçoivent ainsi une définition stimulante, puisque la Fortune implique prévision et adaptation aux circonstances : « Les princes qui règlent leur conduite sur le temps sont rarement malheureux et la Fortune change pour ceux qui ne savent pas se conformer aux temps » (XXV).

Or, on s'aperçoit que le partage entre liberté humaine et ce qui n'en relève pas va se retrouver souvent dans la littérature baroque, en même temps que sera reprise l'inévitable allusion à la Fortune et sa roue. Gracián consacre le chapitre XI du *Héros* au thème machiavélien : *Savoir se retirer avant que la fortune se retire*. Tous les compromis élaborés par l'époque baroque, même ceux les plus violemment éloignés de Machiavel, par souci de préserver la Providence, fonctionnent selon le même schéma ; l'Eglise catholique essaie de maintenir l'équi-

46. *Op. cit.*, III, 2.

libre entre libre arbitre et Providence et réduit la Fortune au rôle de révélateur : il appartient à l'homme de savoir l'utiliser à bon escient en tirant parti des épreuves imprévues que Dieu lui envoie. Ce que dit la conclusion plaisante de *L'Heure de tous* de Quevedo, qui fait parler Jupiter : « Que chacun reçoive ce que lui attribuera la Fortune : ses faveurs ou ses dédains ne sont pas mauvais en soi, car, si l'on sait supporter les uns ou mépriser les autres, tous sont également utiles »[47]. Dans le domaine dramatique, Calderón a tenté une conciliation dans le même esprit : la Fortune est responsable des péripéties et la Providence du dénouement. Le héros agit selon les élans de sa révolte et affirme sa volonté ; il tente les hasards et la fortune de la guerre, mais l'issue du drame change le sens de son aventure et l'inclut dans un dessein plus haut et plus vaste ; *La vie est un songe* en présente une illustration particulièrement claire, puisque la révolte du Fils, après une entière victoire sur le terrain, se métamorphose en soumission au Père et que le roi Basyle, malgré sa science trop humaine, doit reconnaître :

> contre ce qui doit être, on ne peut se défendre,
> moins on veut l'éviter et plus on s'en protège.
>
> (III, v. 2454-2455.)

De telles « solutions » ont pour elle de rendre l'action possible en ménageant les différents éléments, mais l'accord qui en résulte paraît précaire. La permanence de l'image de la Fortune dans la conscience collective demeure indéniable, même si elle sert souvent d'alibi pour dissimuler l'inachèvement de la pensée. Cette allégorie, comme la figure du labyrinthe ou de la tempête, met en évidence la perception d'un monde devenu chaotique pour toute une culture nostalgique de la transparence et du sens immuable.

On a donc pu voir les figures les plus contradictoires se succéder : la révolte désirée et exaltée, puis écrasée avec

47. Trad. J. Bourg, P. Dupont et P. Geneste.

complaisance ; le Moi, qui s'affirme désespérément et anarchiquement, tandis qu'en face un monde hypertrophié et destructeur submerge tout et le Moi lui-même. L'imaginaire exprime ainsi l'indéniable échec de la raison à rendre compte des choses et de leur dynamisme : la pensée ne fonctionne plus en termes d'exclusion, mais de simultanéité. Car, le flot des images renvoie, en réalité, à une faillite intellectuelle ; ce qui conduit, en un deuxième temps, à tenter de cerner la nouvelle situation philosophique qui en découle, en rupture avec les représentations antérieures, lesquelles se voulaient, depuis le Moyen Age, une « somme », résumant, de manière cohérente, une connaissance de la totalité.

CHAPITRE II

L'enfermement dans un monde dévalué : la vie est un songe

> « et les songes ne sont rien d'autre que des songes ».
>
> Calderón.

Parler de *situation philosophique* ne doit pas conduire à un contresens : il s'agit encore de dégager, à partir de la littérature baroque, quelques traits caractéristiques d'une vision du monde, qui ne s'exprime à aucun moment sous forme rationnelle et systématique, mais par le moyen d'images ou de situations clefs, qui renvoient (seulement) à une problématique d'ordre philosophique. Certains schèmes reviennent, en effet, avec régularité, exprimant, à la fois, l'unité d'une culture et la façon dont elle se définit elle-même. G. Getto, dans une remarquable étude sur la poésie baroque en Italie[1], notait que « la civilisation baroque... aboutit essentiellement dans ses directions multiples, à une interprétation neuve de la vie. Et, dans ses raisons profondes, elle répond à une disposition spirituelle en laquelle une attitude proprement religieuse et philosophique est impliquée. A la base de cette culture — en laquelle se défait la synthèse opérée par la

1. Parue dans *Cahiers du Sud*, t. 42, p. 24 et s. (1955).

Renaissance, et qui laisse insatisfaites à la fois l'optimiste vision de l'homme et de la nature et l'harmonieuse conception des rapports entre le monde et l'esprit — il y a une religion et une philosophie de crise ». Des éléments de la pensée philosophique se trouvent soudain privilégiés par une mutation révélatrice de la sensibilité collective. Aussi plutôt que d'un retour à Héraclite ou à Platon, on parlera de la réactivation des images poétiques qui fournissent à ces auteurs une représentation frappante de leurs opinions : l'eau qui coule et la caverne.

I. LE « CHANGE » HÉRACLITÉEN

« sur le sable mouvant de ce monde ».
Macbeth, I, 7.

L'aptitude à accentuer tout ce qui met en valeur le changement est une caractéristique de la fin du XVIe et du début du XVIIe siècle. A l'origine, il y a sans doute la nostalgie causée par une évolution irrémédiable, qui rend caduc le vieil ordre des choses, que la tradition prétendait figer. Bacon, au chapitre XXIV de ses *Essais*, note, avec une sourde angoisse à l'égard d'un avenir nouveau et inconnu : « Tout ceci serait exact si le Temps ne bougeait pas ; mais il évolue au contraire au point que le maintien obstiné de la coutume n'est pas moins fâcheux que la nouveauté »[2]. Bien vite, ces réactions individuelles paraissent incluses dans un mouvement plus vaste, qu'il faut bien considérer comme une mutation métaphysique, en rupture avec l'ontologie d'Aristote et de Thomas d'Aquin et avec le monde clos et hiérarchisé qui y trouvait sa justification. La pensée du mouvement et la théorie de l'action des contraires, contenues dans les fragments d'Héraclite, n'étaient certes pas inconnues à l'époque baroque, mais d'un

2. Trad. M. Castelain.

accès difficile. D'où la relative rareté des références qui ne peuvent laisser de doute, comme dans ce sonnet de Chassignet :

> [...] L'eau change tous les jours,
> Tous les jours elle passe, et la nommons toujours
> Même fleuve, et même eau, d'une même manière.
>
> (*op. cit.*, V.)

Or, de nombreuses formules du philosophe d'Ephèse se retrouvent dans *Les Métamorphoses* d'Ovide ; cet ouvrage était étudié régulièrement dans les *grammar-schools* des Tudors et des Stuarts, de même qu'il faisait partie du curriculum des collèges jésuites. Il fut traduit dans les langues des différents pays d'Europe dans la deuxième moitié du XVIe siècle : Ovide était, après Virgile, le poète le mieux connu et le plus prisé de la Renaissance. *Les Métamorphoses*, et, plus particulièrement, le discours de Pythagore (liv. XV, v. 60-480), donnaient une justification théorique à la découverte du changement universel dans lequel se débattait la conscience européenne.

« Tout se transforme, rien ne meurt. Le souffle de la vie est vagabond... dans l'univers entier, il n'est rien qui dure. Tout s'écoule et les êtres ne revêtent qu'une forme fugitive. Le temps lui-même passe d'un mouvement ininterrompu, tout comme un fleuve... ce qui fut un instant auparavant est déjà loin, ce qui n'avait jamais été est, et tout instant de la durée est une création nouvelle. La stabilité n'est pas davantage le lot de ce que nous appelons les éléments »[3].

On ne sera pas surpris de retrouver, à la source de la réflexion sur une nouvelle philosophie du dynamisme, de l'instabilité et de la lutte des contraires, les mêmes Machiavel et Montaigne. Avec le premier, s'élabore une vision conflictuelle des rapports entre les hommes (qui animera encore le pessimisme de Hobbes, dans sa description de l'état de nature : *homo homini lupus*) : « les hommes, il faut le dire, sont généralement ingrats, changeants, dissimulés, timides et âpres au gain » (*Le Prince*, chap. XVII) ; elle prend place, ensuite, dans le cadre d'une interprétation cyclique de l'Histoire : « la

3. Trad. J. Chamonard.

virtú donne la tranquillité aux Etats ; la tranquillité enfante ensuite la mollesse et la mollesse consume les pays et les maisons. Enfin, après avoir traversé une période de désordres, les cités voient la *virtú* renaître dans leurs murs. Celui qui gouverne l'univers permet cet odre de choses, afin que rien ne soit ou ne puisse être stable sous le soleil »[4]. Et le constat du mouvement universel entretient le scepticisme de Montaigne, car la raison immuable ne peut prétendre connaître le réel mouvant. « Et nous et notre jugement et toutes choses mortelles vont coulant et roulant sans cesse. Ainsi il ne se peut établir rien de certain de l'un à l'autre, et le jugeant et le jugé étant en continuelle mutation et branle » (*Essais*, II, 12). Remarque fondamentale, puisqu'elle s'impose encore vers 1588 : « le monde n'est qu'une branloire pérenne. La constance même n'est autre chose qu'un branle plus languissant [...] *je ne peins pas l'être, je peins le passage* » (*Essais,* III, 2). Cette dernière formule a été soulignée à dessein, car elle marque le renoncement à la recherche des caractères de l'être en soi : on retrouve ainsi un autre aspect de la crise intellectuelle de l'Europe, dont Spenser se fait l'écho lucide et désolé dans sa conclusion (inachevée) des *Deux chants de Mutabilité* :

> Lorsque je réfléchis à ce récent discours
> de Mutabilité, et bien que je le pèse,
> la pensée me vient que, bien qu'elle soit fort indigne
> de gouverner le ciel, pourtant partout ailleurs
> elle exerce vraiment le pouvoir le plus grand.

Comme il faut bien un principe moteur, même dans une philosophie qui dresse le constat de l'impossibilité de l'essentialisme, il semble que cette fonction soit assurée par la lutte des contraires au sein des étants : on revient indirectement à la métaphysique héraclitéenne (« ce qui est contraire est utile et c'est de ce qui est en lutte que naît la plus belle harmonie ; tout se fait par discorde » — fragment VIII) et ce, d'autant plus aisément, que la compréhension du devenir, chez Machiavel, et sa vision de l'homme en action se nourrissent déjà

4. *L'Ane d'or,* chant V, trad. Barincou.

d'une sorte de dialectique, produite par les conflits d'intérêt des individus et des états. La présentation la plus complète de cette lecture du monde se trouve dans l'œuvre de Gracián, qui, sur ce point, comme à propos d'un certain nombre d'autres, tout aussi fondamentaux se révèle non pas l'esprit le plus audacieusement novateur, mais le plus apte à capter les grandes tendances de la réflexion contemporaine : « le monde n'est formé que de contraires et ne se maintient que par des oppositions ; il n'y a pas une chose qui n'ait la sienne et qui ne se combatte sans cesse, tantôt victorieuse, tantôt vaincue, en sorte qu'on n'y voit qu'agents et patients [...]. Y a-t-il un homme qui n'ait point de rival ?... tout n'est que guerre et que combat ; de sorte qu'on a eu raison de dire que la vie de l'homme n'est qu'une milice sur la terre. Mais... l'Auteur admirable de toutes les choses créées trouve dans leurs contrariétés le fondement de leur conservation et de leur perpétuité ; tous les changements qui arrivent dans la nature ne servent qu'à sa durée : car pendant que tout y prend fin, elle demeure toujours elle-même » (*Criticón*, I, 3).

A partir de ce cadre philosophique brièvement dessiné, on assiste, dans la littérature baroque, au développement d'une thématique du « change », pour reprendre l'expression française du temps, qui insiste sur les figures du passage, de la métamorphose, de l'écoulement ou de la dissolution. Il serait fastidieux d'entreprendre un catalogue de citations sur cet aspect ; aussi paraît-il plus important de montrer que les différentes littératures nationales sont concernées, en choisissant des passages qui considèrent qu'il s'agit là d'une loi de la nature. En Angleterre, John Donne reprend même la fameuse formule héraclitéenne :

> Et quoique le fleuve garde le même nom,
> les eaux d'hier et celles d'aujourd'hui ne sont pas les mêmes[5]

pour lui, le mouvement emporte tout, du macrocosme au microcosme : « les cieux ont en propre le mouvement... », observe l'Elégie VII (« Variety »), comme celle intitulée

5. *Du voyage de l'âme*, v. 395-396.

« Change » : « le changement est la pépinière de la musique, de la joie, de la vie et de l'éternité ». La tradition ascétique espagnole rend innombrables les méditations sur le passage et la métamorphose de toutes choses, aussi le sonnet de Quevedo : « Il veut que la beauté consiste dans le mouvement », demeure plus significatif en raison de son inspiration purement profane (galante) et de l'esthétique générale qui s'en dégage : tour à tour, le poète refuse la symétrie et le savant équilibre chiffré de l'architecture classique (« trophée des nombres »), pour célébrer la

> Beauté, qui est feu dans le mouvement...

Pareillement, la poésie baroque italienne fait preuve d'un grand intérêt pour tout ce qui forme un tableau changeant dans le spectacle de la nature : contours indécis, qui donnent à voir la métamorphose et la fragilité mouvante des formes :

> Mettant toutes choses en mouvement,
> le pinceau de la nature ébauche en teintes changeantes
> des lointains de pays indistincts,
> [...]
> Prodigieuse magie ! de formes innombrables,
> un souffle informe, Protée des éléments,
> dresse des palais fabuleux,
> et incurve en amphithéâtres ses propres vertiges...[6].

Dans la littérature française, l'intégration du phénomène du « change » dans le cours de la nature se place au centre de la poétique de Théophile. Tout au long de son œuvre, la métamorphose représente non seulement un monde animé de vie, mais devient la métaphore des propres changements de l'homme : « ... des métamorphoses se produisent, parfois, qui correspondent aux cycles vitaux de la nature et semblent donc donner au monde une certitude rassurante pour l'homme. Mais, le plus souvent, chez Théophile, la métamorphose

6. Giacomo Lubrano, trad. J. Rousset.

apparaît comme la projection sensible d'une situation psychologique et l'effet d'un état d'âme profondément bouleversé par la passion. En les reliant strictement l'un à l'autre, elle met donc en question l'homme et l'univers, qu'elle place tous les deux sous le signe redoutable du temps »[7].

L'image de l'écoulement et la métaphysique qu'elle implique (écartèlement de l'homme entre l'être manquant et l'existence qui le constitue) permettent de dégager une certaine cohérence dans le fonctionnement de ces figures symboliques qui structurent l'imaginaire baroque et que l'on a évoquées précédemment. En effet, l'idée d'un devenir, générateur incessant de mutations, s'accommode fort bien de la représentation d'une Fortune capricieuse et aveugle, source des métamorphoses de l'histoire individuelle et collective ; la fascination de la mort, à son tour, s'intègre dans le récit des altérations de la personne humaine, au cours d'une vie qui n'est que lente destruction sur le chemin du néant : « et ce que vous appelez mourir n'est que finir de mourir et ce que vous appelez naître c'est commencer à mourir, et ce qui pour vous s'appelle vivre c'est mourir en vivant, et vos os sont ce que laisse de vous la Mort et ce qui reste en trop à votre sépulture »[8]. Qui je suis ? demande Ariste, le « furieux » mis en scène par Tristan dans *La Folie du sage* : la réponse constitue une remarquable définition de l'homme baroque, que l'on peut réduire à ces deux vers :

> Un jouet de la mort et du temps
> Et sur qui la fortune établit son empire.

Citation qui a aussi le mérite d'indiquer que donner tant d'importance au change et au devenir entraîne logiquement le surgissement dans l'imaginaire des représentations du Temps. D'aucuns rappelleraient ici volontiers les fréquentes rencontres, dans l'iconographie baroque, des portraits symbo-

7. C. Rizza, communication au colloque de Valenciennes, « La métamorphose dans la littérature baroque » (1979).
8. Quevedo, *Le Songe de la mort*, *op. cit.*

liques du Vieillard Temps, équipé d'un sablier et d'une faux ; ce serait oublier d'abord que ces attributs ne lui appartiennent pas en propre, mais qu'il les partage avec les allégories de la Mort ; ensuite, de telles images n'ont rien de spécifiquement baroque : elles hantent le Moyen Age et surtout sa période ultime, qui couvrit l'Europe de danses macabres. Il faut donc revenir sur cette question, pour dire nettement en quoi consiste l'originalité de la conception du temps, à la fin du XVIe et au début du XVIIe siècle. La philosophie médiévale, très dépendante de la théologie, présentait le temps comme une durée de type inférieur, caractéristique des choses qui appartiennent à la matière et origine de ces vicissitudes qui rappellent à l'homme qu'il est mortel ; cette durée s'opposait donc à l'éternité divine : le présent était appel et nostalgie d'un futur ; déchéance, mais aussi espérance d'infini — hors du temps. Avec la Renaissance, la temporalité devient en quelque sorte le théâtre de l'immortalité, la possibilité, pour l'individu, de s'affirmer, de réaliser son destin et de conquérir sa gloire : le présent vient s'intégrer dans la mémoire des hommes. A « l'âge baroque », les deux solutions précédentes se révèlent dérisoires, lorsque la réalité de l'existence s'impose et que l'espérance eschatologique s'éloigne des esprits, tandis que les rêves optimistes des humanistes s'effondrent. Alors, l'homme se retrouve amèrement seul et fragilisé par le temps. Le présent, privé des espoirs de l'avenir et sans consolation dans le passé idéalisé par la culture, subsiste comme un *instant menacé* par le futur des métamorphoses et le passé de la disparition irrévocable :

> Nos jours ne sont sinon qu'une petite espace
> Qui vole comme vent, un messager qui passe
> Pour sa commission, et ne retourne plus.
>
> (Chassignet, *op. cit.*, CCLIV.)

A nouveau, les caractéristiques de l'expression de la temporalité rejoignent les remarques faites antérieurement sur l'angoisse et le tragique baroques, comme produits d'une crise de la civilisation qui découvre, dans tous les domaines, la précarité :

> Hier, aujourd'hui, demain me laissent en partage
> Les langes du berceau, la toile du linceul...
> Crois-moi : c'est le plus clair de tout notre héritage[9].
>
> Les terrestres honneurs s'écoulent et se perdent.
> Seul le Temps, qui change sans cesse, dure[10].

Il n'est que de reprendre le topos traditionnel de la poésie dite épicurienne : l'invitation à l'amour, grâce à la comparaison avec la rose qu'il faut savoir cueillir dans sa splendeur. Ce lieu commun abonde évidemment dans la littérature baroque, mais sa signification a changé : il ne s'agit plus de jouir, mais de contempler le néant de la condition humaine, par la considération de sa faiblesse et de sa brièveté :

> Jouis de ton col, cheveux, lèvres et front,
> Avant que ce qui fut en ton âge doré
> Or, fleur et lis, œillet et lumineux cristal,
> Non seulement ne soit qu'argent ou violette
> Brisée, mais que tu ne sois plus comme eux
> Que terre, que fumée, poussière, ombre, néant.

Ce sonnet de Góngora, daté de 1582, est d'autant plus frappant qu'il marque la rupture avec les métaphores de la galanterie pétrarquisante, comme si les références au végétal et au minéral ne revenaient dans toute leur splendeur que pour mieux basculer dans le néant.

— *Figures de la fragilité*

A partir du moment où l'on admet que semblable vision du monde s'est imposée aux esprits, on ne s'étonnera pas de l'importance des figures de la fragilité dans la littérature baroque. En même temps qu'à la récupération du thème

9. Quevedo, sonnet de *La Brièveté de la vie*, trad. R. Bouvier.
10. John Ford, *Le Cœur brisé*, chanson finale.

Renaissance de la fleur, on assiste à la constitution de tout un registre de références symboliques (au fonctionnement très simple et conventionnel) qui renvoient à la précarité de la vie et à sa destruction ; Jean Rousset en a constitué une liste, qui lui a fourni une possibilité de classement, dans son *Anthologie de la poésie baroque française* : bulle, balle, neige, oiseaux, lucioles, vents, nuages et arcs-en-ciel... En élargissant le champ des exemples à la littérature européenne, il est possible de montrer que ce réseau se structure autour de trois pôles dans l'imaginaire : *l'eau, la bulle* et *le vent*.

> Tout ce qui est, tout ce qui sera s'exprime en eaux,
> chiffres de fuite...

Cette courte citation d'un poème de Giacomo Lubrano (trad. J. Rousset) a le mérite de donner simultanément un exemple et la signification du symbole, très apprécié des poètes baroques italiens et notamment de Marino, qui s'interroge :

> Qui dira tous les jeux, tous les tours
> Qui vont changeant le flot mobile ?

Mais c'est dans l'œuvre de Richard Crashaw que les valeurs de la liquidité sont systématiquement employées, pour signifier un monde en métamorphose perpétuelle, tandis que, sur un autre plan, un feu liquide embrase le cœur de la sainte, les âmes des élus et les étoiles *(Hymne à sainte Thérèse)*. Le feu de l'amour divin s'oppose aux mutations contingentes, qui caractérisent la création et le monde des hommes : vision originale, qui contraste quelque peu avec les associations de la poésie française et italienne : eau = temps = change.

L'image de la bulle permet d'insister à la fois sur la beauté et sur la fragilité et connaît une grande fortune, puisqu'elle envahit non seulement la littérature, mais la peinture, « comme dans cette leçon d'anatomie de Leyde où les squelettes entourent la table de dissection en brandissant des bannières sur lesquelles on peut lire tous les lieux communs du temps : *Homo bulla*, *Memento mori*, *Pulvis et umbra sumus*, *Mors ulti-*

mum, *Vita brevis, Nosce te ipsum*, etc. »[11]. On ne saurait mieux rattacher le motif de la bulle à l'ensemble d'une réflexion sur la précarité, commune à toute l'Europe et étayée d'adages latins. Ce symbole de la fragilité de l'homme (car « le temps crèvera cette ampoule venteuse » — Sponde) s'associe à d'autres représentations de sens analogue, telles que la fleur, l'ombre ou le songe. Mais la bulle peut aussi être employée comme métaphore, pour souligner la faiblesse de ce à quoi l'homme attache de la valeur par aveuglement, à la manière du soldat dont parle Shakespeare :

> Poursuivant cette bulle d'air qu'on nomme la gloire[12].

« Nous sommes par tout vent », observe Montaigne, usant d'une expression qui souligne et le mouvement inhérent à notre nature et « l'inanité, la vanité et dénéantise de l'homme » (*Essais*, II, 12). Cette vision, qui hante l'imaginaire baroque, en engendre une autre, étroitement liée : celle de la fragilité de la flamme, abandonnée dans un vent menaçant qui va l'éteindre. Dans le tableau suivant sont réunies la lumière (vie et raison), le vent (nature et forces destructrices) et la précarité :

> Notre vie est semblable à la lampe enfumée ;
> Aux uns, le vent la fait couler soudainement,
> Aux autres, il l'éteint d'un subit soufflement...
>
> (Chassignet, *op. cit.*, XL.)

Shakespeare a donné une grande importance à l'image, en l'employant systématiquement et ce, dès ses premières œuvres : « pourtant le crépuscule de ma vie a encore un peu de mémoire, ma lampe mourante a encore une vague lueur » (*Comédie des erreurs*, V, 1), jusqu'aux tragédies de la maturité : « et tous nos hiers n'ont fait qu'éclairer pour des fous le chemin de la mort poudreuse. Eteins-toi, éteins-toi, court flambeau ! » (*Macbeth*, V, 5). L'exploitation la plus ample se rencontre dans *Othello*,

11. Philippe Ariès, *Images de l'homme devant la mort*, Paris, 1983, p. 199.
12. *Comme il vous plaira*, II, 7, trad. Jules Supervielle.

grâce à une symétrie qui s'établit entre la lampe, près du lit de Desdémone, et la vie, que le mari jaloux étouffe sans pitié (V. 2).

L'eau, la bulle et le vent ne sont que des métaphores ; il est une figure qui en vient à symboliser tout à la fois la variabilité, l'inconstance et la fragilité humaine livrée au temps : il s'agit de la *femme*. On observe une nouvelle fois que le fonctionnement du discours baroque repose sur une complète rupture avec la tradition galante et, particulièrement, le courant néo-pétrarquisant. Il suffit de se rappeler le célèbre sonnet de Ronsard : « Quand vous serez bien vieille... » ; aucune complaisance à évoquer le vieillissement, la déchéance physique ou l'inconstance féminine, mais une invitation au plaisir présent, en contrepoint d'inutiles regrets à venir. Dans la perspective baroque, la femme devient non seulement l'inconstance même (« Sotte qui te laisse fléchir, femme frivole et changeante ! », *Richard III*, IV, 4), mais la représentation des ravages du temps, qui altère son physique irrémédiablement. Telle est Diane, dans les malédictions que lui adresse d'Aubigné, déçu et trahi :

> Lors son teint périssant et ses beautés perdues
> Seront l'horreur de ceux qui transis l'adoraient
>
> (*Le Printemps*, Stances, IV.)

telle Angélique, dans la réflexion d'Alidor, qui se sent trop épris :

> J'idolâtre Angélique : elle est belle aujourd'hui
> Mais sa beauté peut-elle autant durer que lui (= le mariage) ?
>
> (*La Place Royale*, I, 4.)

La misogynie médiévale et du début des Temps modernes y trouve sans doute son compte. Cependant, l'acharnement des écrivains baroques a énumérer les disgrâces de la vieille femme ne se peut comprendre que par un souci d'opposer la hideuse vieille à la beauté célébrée de tous : le contraste renforce l'ensemble des considérations que l'on vient d'évoquer sur le temps et la métamorphose : l'image de la sorcière, qui hante les écrits contemporains, recouvre certes une réalité religieuse, mais doit être aussi rattachée à l'imaginaire du « change ». On peut en juger par cette description de la Cañizarès par Cervantès : « tout en elle n'était qu'une anatomie d'ossements recouverts d'une peau noire, velue et courroyée ; un ventre de basane qui couvrait les parties déshonnêtes et lui pendait à mi-cuisses ; des tétins qui ressemblaient deux vessies de bœuf, sèches et racornies... »[13].

La déchéance de la chair est avertissement pour tous, dans une perspective non seulement religieuse, mais philosophique : la Renaissance avait associé le culte de la femme à la célébration de la Beauté, selon une démarche qui devait beaucoup à la dialectique de l'amour formulée par Platon. Or, la vision du monde de l'époque baroque ne saurait aucunement se satisfaire de l'idéalisme et de la référence à des Idées immuables et transcendantes, puisque maintenant domine le constat de la toute-puissance du devenir et du changement sans fin. Aussi, dans *Le Grand Théâtre du monde*, la Beauté est frappée par la Mort, tandis qu'elle rêvait à sa pureté et à son éternité, selon un schéma allégorique significatif ; le chœur chante alors :

> Toute la beauté humaine
> n'est rien qu'une fleur fragile
> et la voici qui se fane
> car son soir est arrivé[14].

— L'homme : « un sujet merveilleusement vain, divers et ondoyant »

La logique et la cohérence de l'imaginaire baroque ne sont pas perceptibles uniquement dans la genèse d'un réseau d'images. A partir des modifications de l'horizon philosophique que l'on a discernées, la conception de l'homme et, surtout, ses modes de représentation se trouvent considérablement altérées, puisque dans ce domaine, également, on observe une rupture

13. *Le Colloque des chiens*, trad. M. Molho.
14. Calderón, auto sacramental, trad. M. Pomès.

concernant la tradition et le message de la Renaissance. Depuis Aristote, l'idée d'une nature humaine permanente et définissable s'était imposée ; la Renaissance italienne avait insisté sur la dignité de l'homme, devenu *uomo universale*, capable de construire sa vie comme une œuvre d'art et d'atteindre à une certaine forme d'immortalité, grâce à la gloire.

> Pauvre âme, dans ta chair que sais-tu ?
> Tu es trop bornée, malheureuse, pour rien comprendre,
> pas même toi ; que dis-je ? pas même, si tu t'abaissais
> jusque-là, ton corps.

Ces remarques désespérées de John Donne *(Du voyage de l'âme)* aident à voir quelle fut la rupture au sein du questionnement anthropologique, à l'époque baroque : l'homme devient alors une énigme et il s'échappe à lui-même. C'est un contresens fréquent que de reprocher aux œuvres de ce temps leur manque de « psychologie » ; en réalité, il n'y a plus discours sur l'homme, mais réflexion sur l'impossibilité de cerner une notion dont l'existence se révèle désormais problématique. Si le théâtre baroque fait preuve d'une splendide indifférence au principe de causalité dans l'énoncé des motivations des personnages, s'il n'y a pas évolution graduelle, mais métamorphose brutale, c'est que l'homme n'est plus que l'objet d'une approche dans la discontinuité et dans la succession temporelle.

Une fois de plus, l'œuvre de Montaigne présente le meilleur exemple de l'impossible définition de l'Homme, en tant que réalité permanente ; dans les *Essais*, on ne lit pas un portrait précis et définitif de Michel de Montaigne, mais une tentative, éparpillée dans le temps, de cerner une vérité toujours relative au moment de l'écriture, variable et à chaque instant susceptible de se voir remise en question. Parti du désir de se peindre en sa « forme naïve », l'auteur a inventé son livre, produit de différentes couches successives de remarques, que seule la mort pouvait interrompre : livre unique et sans fin, parce qu'il n'a qu'un objet et que cet objet a éclaté en une série d'états successifs, qui ont chacun la même authenticité ;

Montaigne ne supprime pas vraiment, il rajoute : la première édition date de 1580, alors que les premiers essais ont été composés au début des années 1570 ; on sait, par ailleurs, qu'une édition fidèle ne reprend pas seulement le texte de l'édition de 1588, qui comporte un IIIe livre, mais les additions posthumes d'un exemplaire de la Bibliothèque municipale de Bordeaux, abondamment annoté par Montaigne. Dès lors, on voit que tout se passe comme si la vision héraclitéenne du monde rendait compte aussi de l'homme, dilué dans le temps et proie, à son tour, de la métamorphose : « C'est un contre-rôle de divers et muables accidents, et d'imaginations irrésolues et, quand il y échoit, contraires ; soit que je sois autre moi même, soit que je saisisse les sujets par autres circonstances et considérations. Tant y a que je me contredis bien à l'aventure, mais la vérité [...] je ne la contredis point » (III, 2, *op. cit.*, p. 805).

On voit apparaître une image de « l'homme baroque », d'autant plus originale qu'elle est en rupture avec celle qui la précède, lors de la Renaissance, et celle qui suit avec la philosophie cartésienne, laquelle permet à nouveau de parler en général de l'Homme, n'ayant d'autre permanence que celle de la raison, dont les principes sont atemporels et universels ; car, comme chacun sait, « le bon sens est la chose du monde la mieux partagée... la puissance de bien juger et distinguer le vrai d'avec le faux [...] est naturellement égale en tous les hommes ». Dans cet entre-deux, les différentes littératures européennes renvoient à une même conception de l'homme en devenir. Tout se passe comme si aux métamorphoses sans fin du monde répondaient les mutations incessantes de l'homme : « Eternel pèlerin parmi les choses de la vie, notre désir va des unes aux autres, animé d'un zèle inutile, sans trouver patrie ni repos [...]. Le monde, qui sait ce qui peut flatter notre désir, se montre à lui changeant et divers, puisque nouveauté et variété sont les couleurs qu'il emprunte pour mieux nous attirer »[15].

15. Quevedo, *Les Dessous et les Dehors du monde*, *op. cit.*

D'une autre façon, on peut dire qu'à l'unicité de l'homme traditionnel succède une multiplicité irréductible, qui annihile toute tentative de la connaissance : « Qui voit un lion, les voit tous... mais qui voit un homme n'en voit qu'un, encore ne le connaît-on guère... chaque homme est d'un naturel différent »[16]. De plus, l'individu baroque, lui-même, éclate en des contraires qui s'opposent continûment : ce déchirement rend d'autant plus pathétique l'appel à la philosophie stoïcienne, qui doit rétablir la souveraineté de la raison sur les passions : « l'homme même est opposé à lui-même dans son propre tempérament ; les humeurs commencent le combat, soutenues par les diverses qualités des éléments... l'appétit ose se moquer de la raison ; l'âme, quoique immortelle, n'est pas exempte de cette générale mésintelligence, les passions l'agitent, la crainte s'oppose à la valeur, la tristesse à la joie et la haine à l'amour ». C'est pourquoi apparaissent différentes instances du Moi, dont le conflit incertain explique les brusques changements observés dans le comportement. Il peut s'agir du sens de l'honneur, qui impose ses valeurs au héros assez impérativement pour sembler une voix intérieure, du moins ce procédé est-il fréquent dans le théâtre espagnol : « O mon honneur ! nous avons de quoi causer beaucoup tous deux, seul à seul », remarque, en aparté, don Gutierre *(Le Médecin de son honneur)*. De manière plus tragique, on assiste à un véritable dédoublement de la personnalité, lorsque le désir s'impose, au mépris de toute autre considération ; ce qu'éprouve Amon, personnage caldéronien que torture une passion brûlante pour sa sœur : « Un autre que moi vit-il en moi ? Non. D'où vient donc qu'un autre commande en moi, avec tant d'autorité qu'il m'entraîne où je ne veux pas aller ? » *(Les Cheveux d'Absalon)*.

Les raisons susceptibles d'éclairer un tel pessimisme sont multiples. La crise de la connaissance rend l'homme énigmatique, à l'égal du monde. A cela, il convient d'ajouter l'anthropologie religieuse — catholique *et* réformée — qui

16. Gracián, *Criticón*, I, 11, puis I, 3, citation suivante.

entretient l'idée d'une division interne irréductible entre raison et passion. L'homme y trouve la matière de son drame individuel et son aventure religieuse rejoint ainsi une philosophie plus ample, caractérisée par l'action des contraires et le jeu des oppositions. Depuis Ignace de Loyola, qui compare le diable à un « chef de guerre désirant prendre d'assaut et piller une citadelle assiégée » (*Exercices spirituels*, 327), jusqu'à Thérèse d'Avila, la même image prévaut pour rendre compte de la situation de l'âme du fidèle, isolée dans le corps et livrée aux assauts des passions : celle du « château de l'âme ». Pareillement, la vie du chrétien est définie par Calvin comme un combat entre la chair et l'esprit, ce qu'illustre bien la poésie de Sponde :

> Tout s'enfle contre moi, tout m'assaut, tout me tente,
> Et le Monde, et la chair, et l'Ange révolté...
>
> (*Quelques Poèmes chrétiens.*)

Sur le plan strictement littéraire, cette tension interne se traduit par des phénomènes d'autocensure : les uns l'expriment au moyen d'un transfert symbolique dans l'écriture, qui amène par exemple Spenser à procéder, dans son propre récit, à la destruction de visions jugées trop lascives et proches de ce que l'on nommerait aujourd'hui le fantasme d'un rêve éveillé, comme ce *Bosquet des Délices*, que Messire Guyon va abattre « avec impitoyable ardeur »[17] ; d'autres, comme le Tasse, réécrivent entièrement leur œuvre pour tenter d'apaiser des scrupules de conscience : en vain ; le poète, en proie à une violente crise de culpabilité, s'accuse lui-même d'hérésie devant l'Inquisition, avant de céder au délire de la persécution. Ce thème du conflit interne se rencontre dans l'ensemble de la production shakespearienne, où l'âme des principaux personnages est souvent décrite au moyen du registre de la lutte, l'opposition raison/passion renvoyant à la guerre civile dans l'Etat, selon un parallélisme décrit par Brutus : « la nature humaine est comme un petit royaume troublé par les ferments d'une insurrection » (*Jules César*, II, 1).

17. *La Reine des fées*, *op. cit.*, II, XII, 42 et 83.

Une fois accepté ce principe de division interne, le comportement du personnage baroque s'explique sans peine : s'il est le lieu du « change », c'est qu'en lui triomphe chacune des instances du Moi, tour à tour ; la rupture demeure imprévisible, ainsi que le retournement qui va la suivre. Le thème du changement reçoit un grand développement à l'acte V de *L'Illusion comique*, lorsque Clindor se voit surpris par son épouse : sa première justification consiste à reconnaître qu'il a été submergé par la puissance du désir : « Que ne fait point l'amour quand il possède une âme ? » Une seconde métamorphose a lieu devant la conduite généreuse d'Isabelle, qui provoque l'estime et lui ramène l'époux volage :

> Ne meurs pas, chère épouse, et dans un second change
> Vois l'effet merveilleux où ta vertu me range.

De semblables mutations surprennent le lecteur moderne et l'amènent à critiquer la « psychologie » sommaire ou absente ; au contraire, il n'y a aucune gratuité, mais volonté délibérée de représenter une certaine vision de la personne qui paraissait alors la seule authentique et capable d'exprimer l'inexplicable. L'idée d'un homme divisé et changeant, incompréhensible par lui-même et par les autres, apporte un nouvel éclairage à la fascination baroque pour la *folie* qui, dans cette perspective, illustre la fragilité du Moi, toujours exposé à l'aliénation, au sens étymologique *i.e.* à l'envahissement par une part de lui-même. Il en va ainsi pour tous les « furieux » du théâtre chez qui, brusquement, Je est un autre :

> Mes propres yeux ont vu tous ces monstres en fuite,
> Et Pluton, de frayeur en quitter la conduite.
> Nourrice, prend pitié d'un esprit égaré
> Qu'ont mes vives douleurs d'avec moi séparé !

(*Mélite*, V, 2.)

De même, le donjuanisme, au sens le plus ordinaire, se révèle comme n'étant qu'un aspect de *l'inconstance*, caractéristique majeure de l'individu baroque, par laquelle l'homme en métamorphose s'intègre dans le cours du devenir. Les étapes de ce raisonnement figurent dans la méditation de

John Donne, parti de son expérience amoureuse : « Pauvre dupeur dupé, cette *elle* et ce *toi* qui commencèrent à s'aimer ne sont plus l'une ni l'autre ; vous êtes tous deux fluides, vous avez changé depuis hier ; ... et quoique le fleuve garde le même nom, les eaux d'hier et celles d'aujourd'hui ne sont pas les mêmes. Comme l'onde changent son visage et tes yeux... mais tandis que vous croyez être constants, vous êtes à toute heure en pleine inconstance » *(Du voyage de l'âme)*. Aussi don Juan, dont on a dit qu'il était sincère dans l'instant et dépourvu de mémoire, est-il le seul personnage logique, en fonction d'une psychologie baroque de la dissolution dans le temps et du change : après l'aspect prométhéen du personnage, il y a là une deuxième explication à sa grande fortune littéraire. Pourquoi réclamer de la constance dans un monde qui l'ignore ?

> Du temps qui change tout, les révolutions
> Ne changent-elles pas nos résolutions ?
> Est-ce une humeur égale et ferme que la nôtre ?
>
> (*La Place Royale*, II, 4.)

Alors l'époque baroque, malgré sa misogynie de principe, finit par qualifier la volonté humaine selon les termes d'une symbolique féminine, ordinairement consacrée à flétrir la mobilité : « La lune, toute changeante qu'elle est, l'est encore moins que la volonté humaine, tant cette volonté est fragile. C'est pourquoi il faut mettre une barrière à son inconstance »[18].

Les historiens de la littérature ont souvent souligné le culte voué en ce temps-là à l'inconstance, bien représenté par *Le Temple de l'Inconstance* de du Perron. Conformément à la méthode proposée au début de ce livre, un tel constat ne se suffit pas à lui-même et doit être rattaché, ainsi qu'on a tenté de le faire, à une problématique philosophique. Encore convient-il d'insister sur l'extension de ce thème à tous les genres et dans toutes les littératures de l'Europe baroque ;

18. B. Gracián, *L'Homme de Cour*, *op. cit.*, CXXXIV.

comme le note Honoré d'Urfé, au début de l'*Astrée* : « Rien n'est constant que l'inconstance, durable même en son changement. » Pour éviter un passage en revue, qui ne change rien à la conclusion, on se limitera aux deux domaines qui obtinrent le plus de succès « à l'exportation » parmi les contemporains. En premier, la poésie italienne, appréciée à la fois pour son inspiration épique et ses réalisations dans les genres mineurs. Or, le Tasse prête au sage Godefroi, chargé de modérer les élans des preux et véritable conscience des chrétiens, cette maxime désabusée : « en ce monde léger et variable, la constance est souvent dans la mobilité des résolutions » (V, 3) ! Quant à Marino, le plus prestigieux des Italiens du début du XVIIe siècle, il consacre tout un poème à l'amour volage, où l'on trouve la formulation du donjuanisme :

> Toute beauté qui passe
> se saisit de mon cœur,
> à tout regard charmant
> je m'enflamme et je brûle... (Trad. Jean Rousset.)

La production dramatique espagnole suscita également un grand intérêt hors de son pays d'origine. Même si l'on oublie que don Juan a un nom et une naissance espagnoles, il faut néanmoins remarquer la place considérable que l'inconstance joue dans les œuvres théâtrales de ce pays. En simplifiant, on observera l'existence d'un type de comédies d'intrigue *(enredo)*, reposant sur l'infidélité masculine et la nécessité pour la femme séduite de se travestir et de partir à la reconquête de son amant : ce schéma, sans modification, fournit l'argument de *La Paysanne de Vallecas* et de *Don Gil de vert vêtu* de Tirso ; avec quelques altérations, on le retrouve dans de nombreuses œuvres de Calderón *(Le pire n'est pas toujours certain ; Maison à deux portes ; L'Esprit follet)*. Pareillement, dans les drames et les tragédies, c'est l'inconstance masculine, encore, qui est à l'origine de la catastrophe, aussi bien dans le *Fuenteovejuna* de Lope que dans un drame caldéronien de grande ampleur comme *La vie est un songe* : Rosaura ignore le secret de sa naissance (parce que son père a fui) et le prince Astolfe la dédaigne pour Estrella...

— *Métamorphoses de l'œuvre*

Il n'était pas exagéré de parler, au début de ce chapitre, de rupture avec l'ontologie aristotélicienne et la tradition thomiste : la pensée du mouvement et du devenir a permis de rendre compte de quelques figures de l'imaginaire, mais aussi de l'ordre (ou du désordre) du monde et du comportement individuel. Sans doute tient-on là un des grands principes de la pensée baroque, et l'importance accordée à la dialectique des contraires s'avère telle que l'idée d'œuvre littéraire en est contaminée : on assiste, en effet, à un éclatement des formes et, en même temps, à l'apparition de ce qu'on pourrait appeler, au sens strict, une esthétique de l'ambiguïté, comme si le monde de la métamorphose envahissait l'écriture.

Très souvent, il faut reconnaître que l'œuvre baroque n'est pas univoque, pour une part parce que les critères traditionnels, pour juger et comprendre, sont en crise, au point que ni l'auteur ni le destinataire ne veulent ni ne peuvent revendiquer de certitude ; également, parce que le livre se métamorphose par l'écriture, dont la dimension temporelle implique alors un devenir du sens, conformément à la philosophie précédemment énoncée. Il n'en est pas de meilleur exemple que l'*Apologie de Raymond Sebond* (*Essais*, II, 12) : Montaigne, on l'a vu, envisageait primitivement de rédiger une défense de la *Théologie naturelle* de ce philosophe. Pour répondre aux détracteurs d'une argumentation jugée faible ou insuffisante, l'auteur des *Essais* réplique par une critique systématique de la raison. Du même coup, l'œuvre défendue s'effondre aussi et l'essai se transforme en une critique minutieuse de la connaissance d'un point de vue sceptique. Montaigne condamne implicitement le livre de Sebond pour inutilité, puisque l'homme ne peut avoir de connaissance certaine concernant Dieu, en dehors de la révélation : l'apologie initiale est oubliée, sinon dépassée. Il va de soi que la technique d'écriture de Montaigne (cf. *supra*) le prédisposait à une telle expérience : il a toujours préféré ajouter plutôt que supprimer. Néanmoins, d'autres domaines privilégiés de l'expression littéraire baroque offrent l'exemple d'une parfaite polysémie, comme si l'auteur avait été dans l'impossibilité de choisir, afin que l'équivoque subsistât jusqu'au bout.

Les deux grandes formes baroques sont le drame, au théâtre, et le récit picaresque. Or, la littérature dramatique apparaît fréquemment comme un champ d'expérimentation pour des hypothèses audacieuses et novatrices, de telle sorte qu'on ne sait pas, finalement, si l'issue apparente de l'œuvre vient vraiment contredire son affirmation implicite. Qui peut dire, à la lecture de *Coriolan*, ce que furent les intentions de Shakespeare ? ne s'est-il pas lui-même laissé prendre par son héros et n'a-t-il pas été tenté de lui donner raison contre la vulgarité, la démagogie ou l'absurdité des lois, alors qu'en même temps il lui fallait abattre un personnage autoritaire, orgueilleux et dangereux pour la société ? La pièce est donc ambiguë, tout comme la tragédie de *Macbeth*, qui dégage une incertitude de plus vaste portée. Qui est Macbeth ? A aucun moment, ce meurtrier de son roi n'est méprisable ; le tyran sanguinaire fascine, parce qu'il va jusqu'au bout de sa liberté et qu'il fait face courageusement à ses ennemis ; est-il libre ? Depuis la première scène, il apparaît comme la victime de « l'équivoque du démon », qui séduit par des paroles trompeuses, mais personne n'a contraint le général victorieux à assassiner son roi ; néanmoins, tout était prévu depuis l'origine, de même que la fuite salvatrice du fils de Banquo. Le drame hésite entre liberté et destin, misère de l'assassin et grandeur de l'homme qui a osé parier pour l'existence solitaire, en marge du monde clos et rassurant de la pensée traditionnelle : « Quelques-uns disent qu'il est fou ; d'autres, qui le haïssent moins, appellent cela une vaillante furie... » (V, 2).

La littérature picaresque implique une semblable esthétique de l'ambiguïté. Le recours au procédé de l'autobiographie entraîne l'émergence d'une double voix : à celui dont on parle se juxtapose celui qui parle. Il s'agit de la même personne du point de vue de l'identité, mais ces deux voix sont disjointes dans le temps : l'une a agi, l'autre raconte. La seconde possède un recul nécessaire pour comprendre la signification d'une séquence temporelle, ce dont est dépourvue l'autre, immergée dans l'action. Or le picaro qui écrit s'identifie à la culture contemporaine : il en épouse les jugements ; du même coup, son passé illustre la possibilité d'une vie en marge des valeurs communément admises. Ainsi, prend une forme nouvelle la vieille opposition entre nature et culture, car le picaro est un authentique défenseur des instincts et de leur libre affirmation. Le bonheur pour lui, dans une perspective très épicurienne, s'identifie à la satisfaction des désirs et la jouissance de l'instant — sans plus. Si la conduite picaresque est légitimée au nom de la spontanéité, on se met à s'interroger sur la valeur et la pertinence de la deuxième voix (celle du picaro repenti, porte-parole de la morale établie) qui condamne ; dans le *Guzman de Alfarache*, elle commente chaque élément du récit, dans une perspective religieuse. Le picaro est dans le récit et hors du récit ; il se meut dans la société et ne lui appartient pas ; ses jugements participent d'une morale qu'il renie en même temps : avec lui tout le récit est frappé d'ambiguïté.

A partir de là, on s'aperçoit que, dans une œuvre baroque, non seulement la signification est problématique, mais la forme et le genre auquel elle appartient : il faut parler à ce sujet de structures polymorphes, comme si la métamorphose faisait éclater les formes traditionnelles ou que, réciproquement, l'œuvre devenait protéiforme pour tenter une impossible *mimesis* du monde en devenir. A nouveau, on songe au roman picaresque : il s'agit d'abord de la narration d'une errance, mais on a aussi affaire à une écriture de type digressif et accumulatif. Il y a juxtaposition des aventures du picaro « valet aux nombreux maîtres », selon un schéma simple qui suit la succession temporelle : dans la durée d'une vie, telle aventure fut suivie de telle autre. Cependant, de même que surgissent dans le temps de nouveaux maîtres, apparaissent de nouveaux personnages, selon un identique cheminement chronologique qui permet, avec ces derniers, un éclatement du récit, jusqu'alors centré sur l'autobiographe :

rien n'interdit à celui qui survient de conter sa propre histoire. Les récits insérés sont une caractéristique de l' « esthétique » picaresque, par laquelle est fournie une réponse au foisonnement du monde. Enfin, le livre reste un récit ouvert, sans conclusion, et susceptible d'une continuation ou d'un retournement qui remette en cause tout ce qui a été précédemment écrit. Le bonheur de Lazarillo n'apparaît-il pas menacé, lorsqu'on lit, en guise de conclusion : « C'était le temps de ma splendeur et j'étais au comble de toute bonne fortune » ?

Le récit dans le récit, parce qu'il correspond à la perception même du monde à l'époque baroque, n'appartint pas en propre au seul roman picaresque. D'autres formes romanesques, plus ou moins apparentées, y ont eu recours : le roman de chevalerie parodié, dans le *Don Quichotte*, les avatars français du picaresque comme le *Francion* ou le *Roman comique*, le roman précieux du type de l'*Astrée*. Du point de vue de sa signification, cette forme par « emboîtement », qui n'a rien de gratuit, mais possède une valeur herméneutique, peut être comparée à d'autres techniques de l'écriture baroque qui font éclater la forme de l'œuvre.

L'unité de structure s'avère, en effet, impossible, puisqu'il n'y a pas de réponse unique à la multiplicité du monde. D'où le décentrement d'ouvrages qui reçoivent plusieurs foyers, au fur et à mesure que le récit (ou l'aventure de l'écriture ?) évolue : *La Jérusalem délivrée* commence bien par la nécessité de mettre enfin le siège devant la ville, mais l'attention passe vite des combats des Croisés, menés par le pieux Godefroi, aux manœuvres de l'insidieuse Armide, aux amours de Tancrède et à l'exil voluptueux de Renaud. Les productions dramatiques présentent fréquemment une double intrigue, soit pour intensifier la question centrale (voir *Le Roi Lear*), soit pour utiliser une sorte de contrepoint, mettant en valeur diverses réponses à un même problème : on citera, dans le registre comique, *Le Timide à la Cour* de Tirso, dans le tragique *Hamlet*, dont on oublie que la trame consiste en une triple vengeance du Père par son Fils : Hamlet, Fortinbras et Laërtes ont chacun la même mission. Bientôt, l'œuvre se métamorphose sous le regard du spectateur et passe d'un genre à un autre, au point de devenir un « étrange monstre », comme le reconnaît Corneille en parlant de son *Illusion comique*. Voilà peut-être le chef-d'œuvre en la matière, mais ce n'est certainement pas un exemple isolé : il demeure bien difficile d'identifier la nature des « pièces noires » de Shakespeare (*Mesure pour Mesure, Tout est bien qui finit bien*, etc.) et... même leur signification. Qu'est-ce que le *Roman comique* ? Le récit des aventures d'une troupe de comédiens ou un roman « comique », parce que, comme la comédie, il se donne pour objet de peindre des mœurs, des passions, des individus communs, alors que la tragédie a pour but de représenter les malheurs des grands ; ou bien encore, un roman qui prête à rire par sa gaieté, son comique de situation et les trouvailles du style burlesque ? Peut-être, plus subtilement, est-ce la tentative originale pour lier romanesque et comique : l'introduction de récits et de nouvelles à caractère romanesque ponctue, en effet, le développement plaisant de l'action proprement dite. Il reste que l'exemple le plus frappant de transposition de l'effet de miroir du récit dans le récit se rencontre, sur la scène, avec la technique dite du *théâtre sur le théâtre*, à laquelle la dramaturgie baroque eut fréquemment recours[19]. Par ce moyen, la forme dramatique éclate et cède au mouvement qui fait passer du comique au tragique (ou réciproquement) et d'un seul plan, celui de l'intrigue première, à une multiplicité spatiale et temporelle. Dans *Le Songe d'une nuit d'été*, la représentation, par les peu brillants acteurs de la troupe de Bottom, ne se ramène pas à un simple divertissement princier pour un mariage : *Pyrame et Thisbé* raconte la tragédie qu'auraient pu vivre les deux amants fugueurs, Hermia et Lysander, s'ils n'avaient pas été réconciliés par la magie nocturne de Puck et... les conventions de la comédie. Pareillement, le cinquième acte

19. En ce qui concerne la littérature française, on consultera G. Forestier, *Le Théâtre dans le théâtre sur la scène française du XVII*e *siècle*, Genève, Droz, 1982.

de *L'Illusion comique*, avant d'être identifié comme théâtre sur le théâtre, présente le glissement possible de l'aventure de l'inconstant Clindor dans le monde des grands et des adultères royaux Tout se passe comme si les genres dramatiques traditionnels s'avéraient soudainement incapables de rendre compte de la complexité du monde avec les seuls moyens offerts par les arts poétiques classiques. En définitive, la philosophie du mouvement et de la métamorphose, qui explique, pour une part, le goût pour *l'anamorphose* dans les beaux-arts, éclaire, dans la littérature, l'apparition de l'ambigu et l'abandon aux charmes troubles de l'incertain et du chaotique. De *La Comédie des erreurs* de Shakespeare aux *Ménechmes* et aux *Sosies* de Rotrou, le théâtre baroque abuse des doubles qui finissent par douter de leur propre existence : non seulement le spectateur, mais aussi le personnage se trouvent saisis par la métamorphose.

Voilà qui devrait inciter le lecteur moderne (et particulièrement en France) à la prudence : l'absence de « psychologie » pourrait bien être une façon plus subtile de rendre compte du comportement, de même que la complaisance pour les formes « irrégulières » de la littérature correspond à une conception originale du monde et non à quelque errement barbare du goût de la culture européenne en cette fin du XVIe siècle. A défaut de cohérence philosophique véritable, on voit se dégager une vision poétique non dépourvue d'unité et de logique interne : la mise au premier plan du mouvement héraclitéen et de la métamorphose en devenir vient finalement donner corps et pertinence à la représentation platonicienne du monde comme illusion.

II. L'HOMME EN PROIE À L'ILLUSION DANS LA CAVERNE PLATONICIENNE

D'emblée, il faut éviter une équivoque : il ne s'agit nullement ici de placer la littérature baroque sous le signe du platonisme, mais, puisque l'on tente de passer en revue les principales images qui structurent l'inconscient collectif contemporain, il est apparu nécessaire de situer l'identification du monde à une caverne, qui hante les écrits de la fin du XVIe siècle et du début du XVIIe siècle. La réactivation du mythe platonicien, énoncé au début du livre VII de *La République*, n'implique nullement une adhésion à l'ensemble de la philosophie de l'auteur du *Banquet*, mais seulement le fait que la crise de la connaissance contemporaine trouvait, grâce à cette image, un moyen d'exprimer son désarroi et les causes de son impuissance. Au demeurant le platonisme, s'il n'a jamais eu, au Moyen Age ni à la Renaissance, de position institutionnelle prépondérante, n'a pas disparu : il s'est souvent révélé comme la philosophie des élites de la culture et de la naissance. Le néo-platonisme florentin des amis de Laurent le Magnifique a ressurgi lors de la « seconde Renaissance romaine », sous l'impulsion des Barberini, dont le Palais était devenu une sorte de nouvelle académie. En Angleterre, un certain nombre de philosophes, enseignant à Cambridge (surtout Henry More et Ralph Cudworth), opérèrent un retour à Platon contre les excès du cartésianisme, ce qui ne doit pas surprendre si l'on se souvient que *La Reine des fées* de Spenser tentait déjà une sorte de synthèse entre calvinisme et platonisme. Dans l'Espagne du Siècle d'Or, à l'influence des deux grands platonisants italiens, Pic de La Mirandole et Marsile Ficin, s'ajoute celle, décisive, de Léon Hebreo et de ses *Dialoghi d'amore*, traduits en espagnol à la fin du XVIe siècle. En marge des influences littéraires, le platonisme offrait la possibilité de satisfaire des aspirations religieuses authentiques (on le verra à propos du mysticisme) ; dans le domaine de la connaissance, il présentait l'occasion d'échapper à l'aristotélisme et au thomisme, qui enferment la conscience dans la dépendance des sens. En refusant aux objets sensibles la qualité de réalité, Platon répondait à la nostalgie du divin, pour un croyant mécontent de la pratique traditionnelle, et au malaise du savant, déçu par le cosmos fermé de *L'Almageste* et plus volontiers séduit par un univers en mouvement, obéissant à la loi mystérieuse des nombres.

Ce que les écrivains de l'époque baroque ont retenu, c'est moins l'édifice métaphysique qu'une théorie de la perception, représentée allégoriquement. Si le monde n'est qu'une caverne, ce que l'on y voit demeure toujours confus et incertain dans une clarté douteuse, alors que la vraie lumière se trouve ailleurs.

Déjà, l'image connaît un développement rapide dans la littérature religieuse, qui s'en empare pour montrer la faiblesse de la condition humaine, depuis Jean de la Croix, pour qui « les profondes cavernes du sens » doivent s'éclairer à la « flamme vive d'amour qui navre avec tendresse »[20], jusqu'à Bossuet, décrivant l'homme, ombre parmi les ombres : « et comme lui-même n'est rien de solide, il ne poursuit aussi que des choses vaines, l'image du bien et non le bien même... »[21], à la manière des prisonniers évoqués par Platon. L'image de la caverne, cependant, envahit également la littérature profane. Dans *La Reine des fées*, tout monstre trompeur (Erreur, Désespoir, Mammon) s'empare de sa proie au fond d'une grotte, où il l'a attirée ; pour rendre le symbole plus lisible, c'est le labyrinthe du monde qui mène à la caverne, selon un schéma que reprend Gracián dans le *Criticón* : « Après que nos voyageurs eurent passé cette vaste campagne de l'Oisiveté et les prairies du Divertissement, où ils virent une Foire franche de toutes sortes de vices, ils aboutirent à une grotte très obscure par où on entrait dans une caverne affreuse, située au pied de la montagne... » ; telle est la caverne du Néant (III, 8).

Il revient au même Balthazar Gracián, mais dans le passage liminaire du *Criticón*, d'avoir su donner la plus grande amplification à cette allégorie, de façon à exploiter pleinement le sens que lui prêtait l'époque baroque. Un des deux héros de ce « roman », Andrenio, est né dans les entrailles d'une montagne, où des bêtes l'ont nourri, jusqu'à ce que s'éveille sa conscience : « je me sentis soudain un extraordinaire instinct de connaissance ». Un cataclysme va le libérer de cette caverne-matrice et le jeter brutalement dans le monde, qu'il

20. *La Vive Flamme d'amour*, *op. cit.*
21. *Sermon sur la mort*.

commence à explorer n'ayant pour guide que les instincts animaux et les illusions d'un esprit, qui a toujours pris les ombres dansant sur la paroi pour des réalités. La signification n'est explicitée qu'au chapitre V, par l'idée de piège de la nature : « Il s'imagine qu'on l'introduit dans un royaume de félicités, alors que c'est dans une affreuse prison. Et quand s'ouvrent les yeux de son âme et qu'il se rend compte de la tromperie, il se trouve engagé sans remède... » Cette citation a l'avantage de présenter deux thèmes dérivés de l'image de la caverne : en accentuant, tout d'abord, l'aspect maléfique de la tromperie, puis en montrant qu'il s'agit d'une prison. Dans la littérature baroque, en effet, la caverne est fréquemment présentée comme le lieu d'une fausse science, aux prestiges illusoires, qui finissent par se retourner contre leur prétendu bénéficiaire. S'enfermer dans ce lieu souterrain signifie, symboliquement, s'enfermer dans le monde, or Satan est le « prince de ce monde » dans le discours religieux contemporain. La connaissance que l'on acquiert se réduit à une magie dangereuse et vaine : le christianisme apporte donc un élément supplémentaire à la critique du savoir entreprise par le philosophe grec, tout en affirmant avec lui qu'il faut sortir de la caverne pour tenter d'atteindre un au-delà lumineux et absolu. On saisit maintenant pourquoi un Macbeth est voué à l'échec, car il est venu chercher la connaissance dans la caverne : l'usurpateur a rencontré les sorcières dans leur antre, pour les faire parler. S'il en est sorti plus sûr de lui, il a été, en réalité, complètement trompé par des visions et des paroles dont le sens lui échappe (IV, 1). Même épisode dans le mythe faustien, du moins tel que Calderón l'a représenté : Cyprien s'est enfermé avec un magicien (qui n'est autre que le démon), dans une grotte pour assimiler des pratiques vaines, qui ne parviendront qu'à lui procurer le fantôme de celle qu'il aime *(Le Magicien prodigieux)*. Or, si le monde est une caverne, tout ce qui s'y laisse voir doit être aussitôt dénoncé comme une illusion ; tel est le sens ultime du voyage allégorique du *Criticón* : les deux pèlerins ont cheminé « par la raison et les lumières sur les illusions de la vie » (III, 12), en se souvenant de la leçon donnée par le monstre Argus : « ne sommes-nous pas dans un temps où l'on ne saurait trop ouvrir les yeux ? » (II, 1).

En fait, la prison est double. Déjà, dans les *Ennéades*, l'âme apparaissait comme menacée par le corps, comparé à un tombeau, lui-même écrasé par la caverne ou le bourbier du monde sensible. L'équivalence, qui s'établit entre le corps, le tombeau et la prison, a sa source dans l'œuvre platonicienne, plus précisément dans un jeu de mots du *Gorgias* : « notre corps *(soma)* est notre sépulcre *(sema)* » (493 *a*). La formule, reprise par Augustin, qui nomme le corps « ce cachot ténébreux »[22], va appartenir au registre du discours religieux, avant de connaître une grande fortune dans la poésie baroque. On la trouve donc sous la plume des mystiques espagnols comme Thérèse d'Avila, dans le *Livre des Demeures* (VII, 1), et Jean de la Croix : « l'âme [...] tant qu'elle est dans le corps, elle ressemble à celui qui se trouve dans une prison obscure »[23]. Le thème est utilisé de manière plus originale dans la littérature anglaise ; dans la perspective d'une révolte prométhéenne, les héros de l'œuvre de Marlowe éprouvent, à la fin de leur aventure, les angoisses d'une symbolique claustration, qui souligne les limites de la condition humaine et leur échec personnel : que ce soit la pièce où Faust vit sa dernière heure, la prison d'Edouard II, le corps mortel de Tamerlan malade ou, plus prosaïquement, le chaudron où vient choir Barabas... ; avec Donne, l'image prend la forme d'une hallucination susceptible d'exprimer la malédiction qui pèse sur l'humanité, comme dans ce sermon de 1619 : « Tous, nous sommes conçus dans une étroite prison dans le sein maternel, tous nous sommes prisonniers ; quand nous naissons, nous n'avons que les limites de la maison : prisonniers encore, quoique au sein de murs plus vastes... » Il est frappant, enfin, de constater, à travers toute l'Europe, le retour, dans l'écriture poétique, de deux images, paradoxalement associées par la sensibilité baroque, afin de mieux

22. *Contra Academicos,* I, II, 9.
23. *Montée du Carmel,* I, III.

illustrer que l'enfermement en d'étroites et dérisoires limites est la loi de l'humaine condition : *le berceau et la tombe*. Le dramaturge espagnol Calderón en a tiré les effets les plus saisissants, grâce aux prestiges de sa langue poétique et à sa maîtrise du symbolisme de la mise en scène, dans l'*auto sacramental* du *Grand Théâtre du monde* : la vie humaine se déroule dans « un décor à deux portes où sont peints, sur l'une un berceau, sur l'autre un cercueil » ; l'isomorphisme[24] renvoie au même archétype :

> [...] le berceau dans son creux
> regardant vers le haut, accueille l'homme
> et, tourné vers le bas, ce berceau même
> devient tombeau.
>
> (Sc. 8, trad. M. Pomès.)

S'il y a là résurgence d'un symbolisme à valeur universelle, la motivation en est certainement une perception commune du monde comme caverne, pour la conscience baroque à laquelle se rattache Mathurin Régnier, quand il soupire :

> Du berceau courant au cercueil,
> Le jour se dérobe à mon œil,
> Mes sens troublés s'évanouissent. *(Stances.)*

— « *La vie est un songe* »

Puisque l'homme enfermé dans la pénombre ne peut percevoir que des simulacres, c'est toute l'existence qui devient alors illusoire et précaire, plus rien ne permettant de distinguer entre la feinte et le réel. Aussi, le songe, c'est d'abord l'expérience extrême de la faiblesse de l'entendement, qui découvre qu'il ne dispose pas de critères suffisants pour cerner la vérité et séparer clairement ce qui appartient au rêve et ce qui relève de la veille. Il est significatif que les plus grands esprits du temps soient revenus sur ce point qui illustre — encore une fois — la crise intellectuelle que traverse la civilisation européenne. Tour à tour, Montaigne (« Nous veillons dor-

24. Voir G. Durand, *Les Structures anthropologiques de l'imaginaire*, Paris, 1978, p. 270.

mant et veillant dormons », *Essais*, II, 12), Calderón (dans la première scène du *Schisme d'Angleterre*), Pascal (*Pensées*, 386 et 434, éd. Brunschvicg) ont repris la démonstration fondatrice d'un scepticisme qui entraîne Descartes à formuler l'hypothèse d'un « mauvais génie », car « il n'y a point d'indices concluants ni de marques assez certaines par où l'on puisse distinguer nettement la veille d'avec le sommeil » *(Première Méditation)*.

Le théâtre baroque a largement utilisé la possibilité de représenter un personnage réduit à ne comprendre ce qu'il a vécu que comme un rêve trompeur. Pour ne pas évoquer l'acte II du drame célèbre de Calderón, *La vie est un songe*, on rappellera que Shakespeare y a recours, dans un but simplement comique, dans l'Induction de *La Mégère apprivoisée* et, avec plus de rigueur, dans *Le Songe d'une nuit d'été*, où l'errance nocturne des amants se confond avec les purs fantasmes oniriques du désir.

La signification du *topos* « la vie est un songe » ne saurait se limiter au simple jeu de la confusion du rêve et de la veille : ses implications sont multiples. Le discours religieux s'est emparé du thème pour illustrer la nécessité de ne considérer cette existence que comme un pâle reflet dévalué, la mort étant le passage obligatoire pour accéder à la « vraie vie » dans l'au-delà. Telle est la leçon que retire de son aventure le prince Sigismond : lui, qui vivait symboliquement dans :

> cet obscur habitacle d'une clarté douteuse
> [...] une prison obscure
> qui d'un vivant cadavre forme la sépulture (I, 90-94)

déclare bientôt :

> [...] tout plaisir n'est que flamme brillante
> que convertit en cendres
> le premier vent qui souffle,
> tournons-nous vers l'éternité,
> qui est gloire vivante... (III, 2979-2983.)

L'application religieuse est d'autant plus aisée que l'image du songe véhicule celle d'un réveil, aisément assimilable à un retour à la réalité et à un châtiment figurant le Jugement dernier, qui doit faire suite à la résurrection des corps ; ce que d'Aubigné exprime de manière concise :

> Tous sortent de la mort comme l'on sort d'un songe.
>
> (*Tragiques*, VII, 676.)

La démarche du croyant, invité à se tourner vers Dieu et à ignorer le monde, se révèle finalement assez proche de celle du sceptique (le pyrrhonisme est une tentation de l'époque baroque, comme en témoigne Montaigne) pour qui tout le « réel » n'est qu'une illusion qui n'a pas plus de consistance qu'un songe : une apparence trompeuse, qu'il faut dénoncer plutôt que de souscrire à une prétendue « connaissance », dont les fondements sont, on l'a vu, remis en question. Finalement, la distinction entre le matériel et le spirituel s'abolit : si vivre et rêver sont une même chose, c'est parce que les événements historiques ou sociaux, prétendus « objectifs », n'existent, en fait, que par la conscience du sujet, *i.e.* au même titre qu'un songe, phénomène individuel et subjectif. Comme Descartes, il faudra passer par un Dieu incapable de feinte ou de mensonge, pour sortir de l'impasse. Là encore la source est Augustin : une bonne part de son œuvre met en lumière les raisons de douter des connaissances humaines (cf. *Contra Academicos*), pour mieux se réfugier dans le dialogue de la conscience et de son Créateur (cf. *Les Confessions*). D'ailleurs, le doute est un précieux auxiliaire de la foi opposée à la science : « Nous n'estimons pas que toute la philosophie vaille une heure de peine [...] le pyrrhonisme est le vrai » (Pascal). Si l'on se souvient de l'importance de la métamorphose et du devenir dans la vision baroque, on voit comment le thème du songe a pu contribuer, lui aussi, à caractériser la vie humaine, par la fugacité et la fragilité, au même titre que d'autres images examinées antérieurement : la cohésion de la vision d'ensemble en est renforcée. Rien n'a de consistance, tout change et disparaît comme dans un rêve : « [...] les tours coiffées de nuages, les palais fastueux, les temples solennels, le grand globe lui-même avec tous ceux qui en ont la jouissance se dissoudront comme ce cortège insubstantiel s'est évanoui... Nous sommes faits de la même étoffe que les songes et notre petite vie, un somme la parachève... » (*La Tempête*, IV, 1).

Il est assez tentant d'assimiler l'identification de la vie au songe à l'expression de la nostalgie par toute une génération chassée du paradis des certitudes et de l'idéal. Une telle explication historique ne suffirait pas à rendre compte de tous les sens du thème ni des raisons profondes de son succès ; néanmoins, elle n'est certainement pas fausse dans le cas de l'Espagne décadente du Siècle d'Or, qui chercherait une sorte de consolation à ses échecs intérieurs et extérieurs dans l'idée que le Vrai est ailleurs et le monde une illusion sans valeur.

— Les séductions de l'apparence

Jean Rousset a consacré une subdivision de son *Anthologie de la poésie baroque* aux eaux miroitantes, c'est dire l'importance du thème pour les contemporains, qui exprimaient ainsi un goût, que l'on peut observer non seulement dans la littérature, mais aussi dans la décoration des jardins et les ensembles architecturaux. Le miroir des eaux présente un équivalent physique à ce qu'est le songe dans le domaine mental : une illusion qui offre toutes les caractéristiques de la réalité. L'époque est comme obsédée par ce qui contribue à abuser les sens : elle en souffre parfois (on vient de le voir à propos de l'expérience tragique du songe), mais elle se réfugie aussi dans une attitude ludique, comme pour mieux composer avec les faiblesses de l'esprit humain.

Qu'il s'agisse de motivations religieuses, pour illustrer la déchéance irrémédiable de la créature, ou de considérations plus philosophiques, la littérature baroque est sans cesse revenue sur la présentation d'un homme abusé et victime de la « piperie » des fausses apparences. Parmi ces principes d'erreur, qui faussent sans cesse le jugement de la raison, l'imagination vient au premier rang. Sa puissance s'étend sur tous les hommes :

> Le dément, l'amoureux, le poète sont tout pétris d'imagination[25]

25. *Le Songe d'une nuit d'été*, V, I, v. 7-8.

et elle est d'autant plus redoutable qu'elle flatte le désir secret de chacun :

> Tels sont les jeux de cette puissante imagination que, voulant simplement concevoir une joie, elle aperçoit une personne qui l'apporte.
>
> (*Ibid.*, v. 17-20.)

De plus, comme « la réalité n'a jamais pu égaler l'imagination »[26], les prestiges de l'une permettent de camoufler les déceptions venues de l'autre. Une sorte de théâtre imaginaire existe virtuellement en chacun, analogue à un rêve éveillé : il faut savoir « modérer son imagination. Le vrai moyen de vivre heureux et d'être toujours estimé Sage est ou de la corriger ou de la ménager. Autrement elle prend un empire tyrannique sur nous... » (*ibid.*, maxime 24). Dans les cas les plus extrêmes, la folie guette qui n'a pas su résister et projette les hantises de l'imagination sur le monde : alors le roi Lear, pendant une nuit de tempête, s'offre littéralement la représentation hallucinée du procès de ses filles coupables ; pareillement, don Quichotte préfère lire le monde en conformité avec les règles du merveilleux et de l'errance chevaleresque. Dans ce cas, l'imaginaire métamorphose le monde ; inversement, la pression sociale ou un complot, fondé sur une habile mise en scène, peut parvenir à persuader que ce qui paraît n'est pas, tant l'homme baroque se sait aisément victime des illusions. Tel est le mécanisme du *Retable des Merveilles* de Cervantès, où les protagonistes déclarent bien assister à un spectacle, alors que la scène est vide, par peur de se voir accusés de ne pas être de « vieux chrétiens » ; plus plaisamment, dans l'intermède *Les Oies*, Calderón montre un paysan benêt, qui finit par croire tout ce qu'on lui dit et non ce qu'il voit.

Une sorte de théorie de l'imaginaire se constitue peu à peu,

26. Gracián, *L'Homme de Cour*, maxime 19, *op. cit.*

mais les observations sont diffuses dans toute la littérature baroque :

> Bref, mes sens tous confus l'un l'autre se subornent
> En la crédulité de mille objets trompeurs
> Formés dans le cerveau d'un excès de vapeurs,
> Qui s'étant emparé de notre fantaisie,
> La tourne moins de rien en pure frénésie[27].

Du moins, en retire-t-on l'impression d'un débordement par les impressions douteuses des sens, seules sources d'information, causes de toutes les illusions, puisqu'ils véhiculent un reflet de ce reflet qu'est le monde, comme le poète qui s'interroge sur le miroitement du soleil à la surface de l'eau :

> Le soleil s'y fait si bien voir
> [...]
> Qu'on est quelque temps à savoir
> Si c'est lui-même, ou son image...[28].

Les études lexicales et statistiques confirment cet envahissement : G. Matoré, à propos du vocabulaire des sensations au XVIe siècle[29], pose la question : « Ne pourrait-on dire que la Renaissance française, sauf exceptions, [...] subit les sensations, mais est incapable de les analyser et par là de les écrire ? Elle voit, elle entend avec intensité, mais passivement. » La remarque reste valable en ce qui concerne l'époque baroque : si l'on consulte l'index des comparants de la poésie lyrique, établi par F. Hallyn[30], on relève l'écrasante majorité des images visuelles, centrées sur la lumière et ses jeux ; reviennent le plus souvent : le soleil, la flamme, la nuit, le flambeau, l'orage, l'ombre (les deux autres registres sont ceux de l'eau et du vent).

Primauté de la vision donc, et, simultanément, mise en

27. Saint-Amant, *Les Visions*.
28. Id., *La Solitude*.
29. In *L'Information grammaticale*, mars 1981, p. 3-5.
30. *Formes métaphoriques dans la poésie lyrique de l'âge baroque en France*, Genève, Droz, 1975.

accusation de ce sens trop enclin à tromper. Le procès, à l'origine, était religieux : la tentation passe par les yeux et trouble la raison, qui perd la maîtrise des passions ; tel est le processus de la séduction de Messire Guyon :

> [...] voyant le chevalier qui ralentit le pas
> pour les mieux contempler, voyant en son regard en feu
> brûler secrètement les signes du désir,
> l'une et l'autre de redoubler leurs jeux lascifs...[31].

De manière plus profane, ces yeux, « qui sont les fenêtres de l'âme », deviennent fréquemment la cause du mal qu'ils alimentent eux-mêmes, à la manière des « hydropiques, car alors que le boire peut provoquer la mort, ils boivent davantage »[32]. Il ne serait donc pas exagéré de lire l'apogée de cette « histoire de l'œil » baroque dans la grande scène du *Roi Lear* (III, 7), durant laquelle Gloster est supplicié ; ses yeux arrachés ne sont pas seulement le prix d'une prétendue trahison politique, mais, symboliquement, la condamnation de celui qui n'a pas su voir où étaient la loyauté et l'affection de son vrai fils ; l'aveugle — en un retournement significatif — va commencer à apercevoir le monde et les êtres tels qu'ils sont. Toute une génération, fascinée par le théâtre et les jeux de l'illusion, procède ainsi à l'exorcisme de sa faiblesse, non sans masochisme, car il est doux parfois de ne pas voir : Cervantès a beau nous déclarer, à la fin du *Quichotte*, « jamais je n'ai désiré autre chose que de faire abhorrer aux hommes les fabuleuses et extravagantes histoires des livres de chevalerie »[33], néanmoins, il reprend la plume pour achever, littéralement sur son lit de mort, les *Travaux de Persiles et de Sigismonde*, roman baroque qui sacrifie beaucoup aux prestiges du merveilleux et de l'insolite, au moins durant la première partie. De même, Charles Sorel dénonce avec férocité, dans son *Berger extravagant*, les mensonges de la pastorale et les

31. *La Reine des fées*, II, 12, 68.
32. *La vie est un songe*, v. 425 et 227-230.
33. Ed. revue par Jean Cassou, Bibliothèque de la Pléiade.

charmes de l'illusion poétique (1627), mais le lecteur de son *Francion* ne peut que constater, dans la dernière partie du roman (1633), un retour au romanesque le plus conventionnel...

Le monde est inconnaissable, l'homme insaisissable : il se trompe sans cesse et aime se tromper et être trompé ; comme le chantent les musiciens de don Juan, « Tout ce monde est méprise »[34]. Un thème revient donc dans la littérature baroque : celui de l'*homme dupé*. « C'était un commandement paradoxe que nous faisait anciennement ce Dieu à Delphes : Regardez dans vous, reconnaissez-vous... », observe Montaigne, puisque « tu es le scrutateur sans connaissance, le magistrat sans juridiction et, après tout, le badin de la farce »[35]. La cause de l'aveuglement réside dans une faiblesse de la connaissance et il n'y a aucun domaine de l'existence qui en soit exempt. L'illustration la plus frappante se rencontre évidemment au théâtre, avec, dans le registre comique, ces « montages », d'une grande ingéniosité et dont la virtuosité assure le succès auprès de nombreux personnages victimes des apparences ; citons les œuvres d'un Ben Jonson, par exemple l'*Alchimiste* ou *Volpone*, ou celles d'un Tirso, comme *Don Gil de vert vêtu* ; *Les Fourberies de Scapin*, *Monsieur de Pourceaugnac* et *George Dandin* n'en sont que des répliques moins complexes. Cependant, la dupe se trouve tout aussi souvent dans la tragédie baroque : l'extension au domaine du drame montre que l'illusion constitue un sujet sérieux, caractéristique de la condition humaine. La tragédie d'Othello demeure l'exemple le plus célèbre : celui d'un homme éminent, saisi de folie meurtrière à cause de l'habile complot de Iago, qui a pu suffisamment capter sa confiance pour lui montrer, de manière « évidente », la culpabilité de son épouse. De nombreuses autres œuvres jacobéennes, souvent apparentées au genre de la tragédie de la vengeance, présentent le schéma similaire d'une mise en scène calculée avec soin par un personnage, pour mieux tromper les autres : *La*

34. *Le Burlador*, II, 507.
35. *Essais*, *op. cit.*, III, 9, p. 1001.

Tragédie du vengeur de Tourneur ou *Le Cœur brisé* de John Ford, par exemple. Et le drame historique abonde également en victimes d'ambitieux aux méthodes machiavéliques : Richard III en Angleterre ; en Espagne, l'Infant don Juan de *La Prudence d'une femme* de Tirso ou Absalon et Wolsey, aidé d'Anne Boleyn, dans l'œuvre de Calderón. Dans le domaine romanesque, le picaro est avant tout un faiseur de dupes, qu'il s'agisse des premiers essais anglais, qui portent le titre significatif de *Caveat*, ou de figures plus élaborées, comme le Jack Wilton de Thomas Nashe et ses émules espagnols. « Pauvre dupeur dupé », s'exclame John Donne dans un de ses poèmes : il apparaît qu'une des conséquences de la vision baroque de l'homme, comme jouet des puissances trompeuses, est une conception, non pas seulement aristocratique, mais élitiste, de la société. La littérature de l'époque affiche un mépris solide et sans nuance à l'égard de la foule qui, dans une perspective très platonicienne, se vautre dans *l'opinion*, *i.e.* se cantonne dans le domaine du visible. Le peuple se présente alors comme « le monstre aux mille têtes », fustigé par Coriolan et manipulé par les tribuns de la plèbe, en des termes et selon des modalités caractéristiques du drame baroque, puisqu'on les retrouve aussi bien dans les œuvres de Calderón : « Comme ta versatilité montre bien, ô peuple ! Que tu es un monstre à mille têtes ! Ce que tu blâmais hier, hostile à Absalon, tu l'approuves aujourd'hui »[36]. Ceux qui savent et peuvent ainsi échapper au règne de l'illusion sont peu nombreux, les autres deviennent eux-mêmes des ombres à la manière des faux biens qu'ils pourchassent : « la plus grande partie des hommes ne sont nés que pour servir d'ombre aux autres et que pour relever leur éclat... Ceux qui ne sont point les maîtres que sont-ils, sinon les ombres des autres ? »[37].

Dans ces conditions, il est aisé de voir pourquoi la littérature baroque a eu si souvent recours au *thème de l'erreur*, conséquence logique de tout ce qui précède. Au théâtre, bien sûr,

36. *Les Cheveux d'Absalon*, III, trad. Léo Rouanet.
37. Le *Criticón*, II, 12.

l'erreur est omniprésente, puisqu'elle constitue un des éléments dynamiques de l'intrigue (sinon le seul), avec la description de l'homme dupé qui lui est évidemment lié, mais il y a différents stades et l'on pourrait proposer une sorte de classement, du plus élémentaire au plus complexe. Le quiproquo (comique ou tragique) représente la simple confusion, rendue d'autant plus vraisemblable par le recours fréquent aux jumeaux, travestis et autres personnages masqués ; ce qui accroît le trouble, c'est la présence, dans la perpétuelle pénombre qui baigne l'existence des hommes, de fausses preuves, longtemps tenues pour authentiques : ainsi s'explique la fureur jalouse de Leontes *(Le Conte d'hiver)* et de l'amant du *Pire n'est pas toujours certain* (de Calderón et imité par Scarron, sous le titre significatif de *La Fausse Apparence*). L'univers de Rotrou peut se réduire à une vaste « comédie des erreurs », où l'essentiel réside dans le jeu des méprises, élucidées au moment du rétablissement de l'ordre final. Ensuite, il faut mentionner les erreurs dues au calcul d'un faiseur de dupes (cf. *supra*) ; enfin, l'erreur totale, qui porte sur l'attitude d'ensemble des personnages et fausse leur comportement : l'intrigue centrale de l'*Astrée* dépend de la conviction de la plupart des protagonistes de la mort de Céladon. Dans *Don Quichotte*, *Le Berger extravagant* ou *Le Licencié de verre*[38], le présupposé initial (aberrant) de l'un des personnages modifie, à des degrés divers, la vision et le comportement des autres.

L'importance accordée à la méprise va rejaillir sur le rôle et la représentation de l'amour baroque : la littérature associe avec régularité la jalousie à la passion. Les deux sont liées au théâtre, dans les œuvres élisabéthaines et dans celles du Siècle d'Or : la raison en est que la jalousie sécrète soupçons, hallucinations et fausse interprétation des apparences. Le roman et la nouvelle y ont recours tout autant : on le voit dans l'œuvre de Cervantès (*Le Jaloux d'Estramadoure*

38. Une des *Nouvelles exemplaires* de Cervantès.

ou l'histoire du *Curieux impertinent*, insérée dans *Don Quichotte*) qui trouve ainsi une nouvelle possibilité d'illustrer la puissance de l'imaginaire. De là, sans doute, un regain d'intérêt pour le mythe de Psyché dans l'iconographie contemporaine et lors des spectacles officiels (cf. Calderón et la collaboration de Corneille avec Molière) : l'amour ne peut s'accommoder de la clarté et de la lucidité. De là encore, l'inlassable reprise, à travers toute la littérature, des allusions aux caprices du petit dieu aux yeux bandés, dont l'aveuglement exprime, dans l'allégorie, celui des hommes.

En définitive, il résulte de tout cela de nouvelles caractéristiques du portrait de la femme à l'époque baroque : séductrice et sorcière à la fois. On connaît l'extrême raffinement de la galanterie espagnole, qui fit l'admiration de toute l'Europe (« Femme, ce mot est en effet le plus beau compliment que puisse faire un homme... »[39]) ; or, ce même pays s'est *simultanément* complu à produire les anathèmes les plus féroces (les plus morbides ?), que l'on rencontre sous la plume d'un Quevedo ou d'un Gracián : « une femme est le plus grand malheur qui puisse arriver à un homme. Le Démon, qui cherche toujours à nous tromper, s'est caché pour cela sous la figure des femmes »[40]. La femme apparaît objet de fascination *et* de répulsion, car elle est avant tout une énigme exaspérante : Cléopâtre cause la fureur de Marc Antoine, qui ne voit en elle que trahisons successives et fausses apparences, tandis que, dans le théâtre espagnol, les héroïnes des comédies surgissent, cachées derrière un voile *(tapado)*, qui symbolise à merveille la problématique identité féminine, même s'il s'agit là d'une pratique sociale courante. La poésie française insiste plus sur l'inquiétant mystère du fard[41], objet de scandale et charme supplémentaire tout à la fois. La femme est redoutée à l'image du monde inconnu et menaçant qui entoure l'Europe baroque (cf. *supra*) : « J'aime

39. *La vie est un songe*, v. 1584-1585.
40. Le *Criticón*, I, 12.
41. Voir l'anthologie de G. Mathieu-Castellani, *Eros baroque*, p. 162 et s.

un homme avec passion, mais je ne puis oublier que je suis la mer et qu'il est une humble barque », soupire une héroïne de Lope de Vega.

Aussi la femme n'est-elle qu'une de ces innombrables apparences qui abusent les sens et l'imagination. Séductrice, son domaine demeure celui de la théâtralité, du jeu, de l'illusion et de la mise en scène. Elle est celle qui se donne à voir : « Je te dis que nos sens sont à jeun de ce qu'est la femme et gavés de ce qu'elle paraît »[42] ; ses conseils ne sont que duplicité, comme ceux de lady Macbeth : « ayez l'air de la fleur innocente, mais soyez le serpent qu'elle couvre... » (I, 5). Les exemples abondent de ces mises en scène où triomphe le naturel féminin, jusqu'aux « exploits » des épouses des *Trois Maris mystifiés*, décrits dans une nouvelle de Tirso de Molina. Non contente de peindre son visage, la femme métamorphose son corps, grâce au travestissement. Le grand nombre des exemples de femmes déguisées en homme, dans la littérature baroque, ne peut que surprendre : les explications historiques ne sont pas suffisantes. Certes, dans l'Angleterre élisabéthaine, il n'y avait pas d'actrices et les rôles féminins étaient confiés à de jeunes garçons. L'Espagne, d'autre part, considérait comme méritoire l' « exploit » d'une femme qui arrivait à s'imposer sous le costume masculin. Cependant, de *Comme il vous plaira* à *Don Gil de vert vêtu*, en passant par de nombreuses nouvelles romanesques, ce sont autant d'exemples de la maîtrise par la femme des apparences trompeuses, autant de cas qui montrent l'homme dupé. La tentation du désespoir serait forte devant la puissance et la variété des principes d'erreur.

— *Vivre dans la caverne ?*

S'il faut vivre enfermé dans la pénombre, au milieu des simulacres, alors, le monde appartient à celui dont c'est la fonction de maîtriser les illusions : le *magicien*. La littérature baroque a particulièrement été fascinée par ce personnage, qu'elle n'a pas créé, mais auquel elle a donné une grande

42. Quevedo, *Les Dessous et les Dehors du monde*, *op. cit.*, p. 233.

importance, en lui-même et par l'intermédiaire de nombreux avatars.

D'ailleurs, l'imaginaire contemporain associe souvent le magicien et la caverne : on l'a vu pour le démon du *Magicien prodigieux*, mais on retrouve le même décor avec Alcandre, au début de *L'Illusion comique* (devant une « grotte obscure »), ou avec le redoutable Ismen, dans *La Jérusalem délivrée* : « du fond des cavernes où loin du vulgaire, il exerce une science occulte » (II, 2). Depuis l'Arioste, pas d'épopée chevaleresque sans magicien responsable du merveilleux ; il en va de même pour Spenser, qui dispose, grâce à Archimago, du personnage nécessaire. Une première variante — et la plus simple — consiste en la féminisation de ce type : les magiciennes sont au moins aussi nombreuses que leurs homologues masculins (Jean Rousset les a regroupées autour de la figure de Circé), mais certainement plus dangereuses, puisqu'elles ajoutent au pouvoir de la magie la séduction de leur sexe. La figure, sinon la plus poétique, du moins la plus riche de signification, est *Falsirena*, créature que l'on retrouve, avec le même nom, aussi bien dans *L'Adone* de Marino (sorte de reine des ténèbres, elle tente d'obtenir l'amour d'Adonis et, de désespoir, le métamorphose en oiseau) que dans le *Criticón* de Gracián (« une Circé en enchantement et une Sirène en mélodie », I, 12). La référence à Circé, qui métamorphose les hommes en bêtes, dénote une tentative de récupération d'un mythe illustrant la fragilité de la psychologie humaine : à tout instant l'édifice de la culture peut être remis en question par de brutales mutations, observation qui est — on le sait — une des constantes de la littérature baroque. Le décor favori de la magicienne n'est plus la caverne, mais le jardin (des délices), aux charmes vénéneux, qui exprime ainsi allégoriquement la nature de la séductrice. Le Bosquet où repose la Belle Acrasie réunit

> [...] tout ce qui dans cette condition terrestre
> est agréable et doux aux sens des vivants
> et tout ce qui peut plaire à l'imagination la plus délicate...[43].

43. *La Reine des fées*, II, XII, 42.

véritable tentation pour le chevalier Guyon, à l'égal du jardin d'Armide qui, elle, a réussi à retenir à ses côtés Renaud (*La Jérusalem délivrée*, chant seizième).

Il est une autre sorte de magicien, dont les connaissances doivent beaucoup au perfectionnement de l'art de la perspective et à l'habileté dans la construction des machines, c'est le metteur en scène. Ces magiciens du théâtre, recherchés par toutes les Cours d'Europe (cf. *infra*), étaient déjà comme contenus dans les personnages de la fiction : Alcandre fait jouer devant le père de Clindor ébloui des « spectres parlants », de même que le Prospéro de Shakespeare organise un véritable « masque » mythologique, avec musique et apparition de divinités célestes (*La Tempête*, acte IV). Ce que le metteur en scène opère sur le décor, l'acteur le fait sur lui-même : sa magie consiste à se métamorphoser, à changer d'identité et à feindre des passions. Il possède ces techniques par lesquelles le monde perd sa réalité et se confond avec son reflet, comme la veille avec le songe. Le jeu culmine avec le personnage de saint Genest, devenu le chrétien qu'il représentait, et dont l'histoire exemplaire a retenu l'attention de Lope de Vega *(Lo Fingido Verdadero)* et de Rotrou. A l'égard des comédiens, c'est toute l'époque baroque qui fait preuve du même intérêt passionné que le prince Hamlet ou le duc Thésée *(Le Songe d'une nuit d'été)*.

Parlant de l' « homme dupé » en tant que représentant exemplaire de l'humanité, on a aperçu la silhouette de celui qui, par sa ruse, disposait de manière crédible les apparences : ce personnage, l'époque baroque l'a appelé le « *machiavel* », pour mieux le distinguer du simple hypocrite, dont l'action n'est plus politique, mais simplement domestique. Il hante la littérature et surtout le théâtre : protéiforme, il se montre apte à jouer tous les rôles pour mieux duper ses adversaires, mettant en application un précepte du *Prince*, qui accordait autant d'importance à la ruse qu'à la force dans l'exercice du pouvoir. Ces principes, le conquérant les a faits siens dans sa marche vers le pouvoir : un Richard III sait feindre l'amour ou la piété avec la même virtuosité. Mais le « machiavel » demeure le plus souvent un intrigant de moindre envergure, qui travaille pour s'avancer sans scrupule dans la société, comme Mosca au service de Volpone, le Flamineo de Webster *(Le Démon blanc)*, Iago, qui manipule tous les protagonistes du drame *(Othello)*, ou Barabas *(Le Juif de Malte)*. Dans le théâtre « classique », les héritiers de ce personnage se retrouvent dans les grandes études d'hypocrites (Tartuffe et Don Juan, au cinquième acte de la pièce de Molière), mais surtout dans les valets de comédie qui se chargent, grâce à une habileté sans scrupule, de rétablir, par de véritables mises en scène, les affaires de leur maître, tels Scapin et Sbrigani, que Molière qualifie d' « homme d'intrigue ». Tels sont les derniers avatars du magicien baroque.

Les jeux ainsi combinés de la métamorphose, de la feinte et de l'illusion rendent compte du surgissement dans l'imaginaire baroque de la thématique du *masque*, résultat du vertige qui saisit l'esprit devant un monde qui n'est pas ce qu'il paraît, de même qu'autrui se cache et que la ruse politique contraint à dissimuler. Tout est une question de lumière : notre monde est pénombre pour ce même Bacon qui, fidèle à la démarche centrale de sa pensée, consacre le premier de ses *Essais* à la Vérité, comparée à « un jour franc et cru qui montre les parades, les processions et les mômeries de ce monde cent fois moins majestueuses qu'elles ne sont aux chandelles »[44]. Pourtant, quelques pages plus loin, il insiste sur la nécessité de dissimuler : « Car c'est grande faiblesse et traîtrise de livrer notre âme par les traits de notre physionomie, vu qu'on l'observe et la croit bien plus que nos paroles » (chap. VI).

En bonne logique, la thématique du masque engendre aussi son contraire dans l'imaginaire, *i.e.* en même temps qu'est affirmé le règne universel de la tromperie, apparaissent certains personnages dont la fonction consiste précisément en la dénonciation des apparences : le *fou*, *clown* en Angleterre et *gracioso* en Espagne. Le bouffon, en effet, correspondait à une réalité des Cours européennes : son statut marginal et dérisoire

44. Trad. M. Castelain.

lui permettait de dire le vrai impunément et de briser le voile des convenances et des usages. Grâce à lui, une certaine liberté (celle des instincts et de la nature) se fait entendre au sein de la société traditionnelle, hiérarchisée et soumise à une idéologie d'origine religieuse. En un sens, le picaro, par sa marginalité même, assume une part de ce rôle : il donne le mauvais exemple, tout en montrant que le reste de l'humanité se comporte (en cachette) comme lui. Au théâtre, le fou va devenir typique du théâtre baroque : il s'affirme comme celui qui voit et qui dit ce qui est : « je voudrais bien apprendre à mentir », déclare amèrement le compagnon du roi Lear (I, 4) ; à la Cour, il dénonce les masques politiques, comme Pasquin : « je voudrais que vous me nommiez défigureur de la Cour, c'est-à-dire dénonciateur des faux-semblants. A chaque masque que j'arracherai, je gagnerai un denier »[45]. Dans la comédie, le bouffon, devenu valet, sert de contrepoint au comportement des mondains : il raille ou singe les attitudes du bel air et, par lui, s'affirme encore la nature contre la culture — surtout dans la *comedia* du Siècle d'Or.

Le masque offre une sorte de réponse mimétique à la nature voilée du monde, mais il peut être aussi une de ces techniques de fuite rendues nécessaires à cause des audaces prométhéennes de la pensée. Cette situation a été théorisée par Torquatto Accetto dans son traité *De la dissimulation honnête* (1641), dont la conclusion se réduit à un véritable chant de louange en faveur de cette « vertu qui est l'ornement de toutes les autres vertus, lesquelles sont bien plus belles quand, de quelque façon, elles sont dissimulées »* ; mais c'est en Espagne, cependant, que la réflexion a été poussée le plus loin, pour tirer les conclusions de l'enfermement de l'homme dans le monde du masque et du paraître. Comment y survivre ? Pour simplifier, on peut dégager deux orientations, opposées mais issues du même constat : soit l'acceptation de la vie dans cette caverne métaphorique, soit le refus, après une prise

45. Calderón, *Le Schisme d'Angleterre*, II.

de conscience de la vanité de l'ici-bas au regard de l'au-delà.

La première direction a été suivie par Gracián, en un double mouvement de reconnaissance du monde tel qu'il est, comme pur phénomène limité à la conscience que l'on en a (« Ah ! si vous pouviez bien connaître ce que c'est que l'apparence, vous l'estimeriez beaucoup : c'est ce qui fait tout ; car dans le monde on ne juge des choses que par l'extérieur »), et de reconstruction des conditions d'une existence possible, en fonction de cette observation initiale : « Souvenez-vous qu'il y a quatre différentes manières pour se bien conduire : la première est de ne point négliger les occasions de paraître ; la seconde est de faire des actions d'éclat et il n'est pas surprenant qu'on les admire ; la troisième est de ne rien omettre pour sa propre satisfaction et toute la science consiste en ceci de paraître faire ce qu'on ne fait pas. Enfin de tâcher qu'on ait bonne opinion de vous, car plusieurs ne vivent que sur le crédit » (*Criticón*, II, 7). L'œuvre du jésuite se partage donc entre l'exercice du discernement critique et la récupération de celui-ci par un « héros », habile à se faire valoir grâce à sa maîtrise des apparences. Ainsi s'élabore un art de la séduction très donjuanesque : tromper en se dissimulant derrière l'apparence de son être-pour-autrui. On mesure ici la différence avec le souci éducatif de l'humanisme de la Renaissance : la littérature contemporaine ne s'adresse plus à un prince avide de connaître un monde qui s'offre à lui, mais à un héros du clair-obscur, prudent et rusé, car il s'avance masqué. Il ne s'agit plus de lumière solaire, mais plutôt d'éclairage à contre-jour : le clair-obscur baroque traduit le surgissement quasi paradoxal de la clarté dans la nuit et l'aperception douteuse des ombres ; le seul savoir consiste à jouer de l'ombre et de la clarté pour ne donner à voir de soi que ce que l'on veut : « l'art de montrer comble beaucoup de vides et donne à tout un second être »[46]. Au même moment, la « science » médicale tente de lire les expressions du visage comme signes : G. Grataroli de Bergame

46. *Manuel de poche*, trad. Benito Pelegrín, maxime 277.

et le Napolitain J.-B. della Porta essaient de faire de la physiognomonie une sémiotique.

Tout autre est la deuxième direction que propose avec le plus d'insistance la littérature espagnole : c'est la voie du *desengaño*, pour utiliser ce terme caractéristique, sans cesse repris et difficilement traduisible (désabusement, désillusion ?), qui marque une exigence intellectuelle et religieuse d'ordre ascétique. Comme précédemment, le monde est reconnu pour ce qu'il est : fascinant et trompeur. Il a fallu passer par l'illusion pour connaître la vérité : s'attacher d'abord à un monde factice, puis s'en dégager victorieusement, après avoir fait l'épreuve de sa vanité. Le monde s'effondre, quand on aperçoit la finitude de la condition humaine et que l'on prend en considération le Divin immuable et source de vérité : raisonnement répété à satiété au théâtre (*auto sacramental* du *Grand Théâtre du monde* de Calderón), dans la littérature morale (*Epistola moral a Fabio*, anonyme), satirique (le songe de Quevedo, *Les Dessous et les Dehors du monde*, fait parler le *desengaño* lui-même), religieuse (le père jésuite Nieremberg et son traité de la *Différence entre le temporel et l'éternel, creuset des désillusions*) et même picaresque. L'itinéraire du picaro est résumé dans « l'allégorie de la nef de la vie picaresque » (frontispice de l'édition de *La Picara Justina*, 1605), qui, bien que portée par le goût et la paresse, aboutit au port de la mort ; cette dernière tient un miroir sur lequel est écrit : *desengaño*.

Mais la force de la conviction espagnole ne doit pas faire croire que la démarche est caractéristique de ce seul pays au catholicisme austère : le même raisonnement se rencontre dans les autres littératures européennes, car il s'accorde bien avec les désespoirs d'une époque en crise pour qui, en quelque sorte, se désabuser, c'est sortir du domaine du songe. Aussi, le sage Godefroi reste-t-il insensible aux charmes vénéneux d'Armide, lui qui, « fatigué du monde, méprise ses plaisirs fragiles, et se dirige vers le ciel par une voie solitaire »[47].

47. *La Jérusalem délivrée*, V, 62.

Le Tasse exprime ainsi, de manière concise, le mouvement de la conscience contemporaine, qu'elle soit catholique (voir Chassignet et, par exemple, le sonnet 84, *op. cit.*) ou qu'elle se rattache à la « réformation » (voir John Donne et l'évolution de la pensée dans *Le Second Anniversaire*). Dans ces conditions, on parlera non seulement de refus du monde, mais de fuite : cette solution est peut-être satisfaisante du point de vue religieux, mais elle ne résout rien philosophiquement parlant, alors qu'il faut tenter de tirer les conséquences du défi lancé par l'insaisissable et trompeuse succession des phénomènes.

— *L'être et le paraître*

Dans la mesure où l'on a pu observer combien l'apparence et ses jeux avaient d'importance dans l'imaginaire baroque, il est possible de se demander si l'on ne tient pas là à la fois la source profonde de l'angoisse contemporaine et la clef de cette pensée quasi abyssale, à partir de laquelle tout s'ordonne et prend sens. Conformément à la nature des spéculations incertaines de l'époque, il s'agit plus d'une question que d'un constat ; on pourrait, pour simplifier, la formuler ainsi : est-ce que la multiplication anarchique et mouvante des apparences ne traduit pas l'occultation ou la disparition de l'être ? *Le baroque ou l'ontologie perdue ?* Pourquoi pas...

Rejoindre l'essence en partant des limites existentielles de la condition humaine est une entreprise difficile et, à la limite, dangereuse. La contemplation du muable ne mène-t-elle pas à une dissolution de la conscience, plutôt qu'à la saisie de la substance une et inaltérable que décrit Parménide ? Bien plus, l'univers en métamorphose, tel qu'on le perçoit alors, n'achemine-t-il pas à se demander si les phénomènes sont encore signes de quelque chose, s'ils en constituent vraiment une sorte de symbole dégradé ou, alors, ne dénoncent-ils pas l'impossibilité, voire l'inanité, de la quête de la substance ? Tout se passe, en effet, comme si la lecture médiévale du monde ne fonctionnait plus : la nature ne parle plus en renvoyant aux enseignements que Dieu a mis en elle ; le *codex vivis naturae* se révèle finalement un système privé de référent.

Pour toute la pensée traditionnelle, qui perdure bien avant dans le XVIIe siècle, la forme informe de l'être et le paraître de l'essence. La forme est un acte et elle permet d'avoir un concept de la substance. Mais la littérature baroque a fait l'expérience des formes changeantes et ambiguës, qui ne renvoient qu'à leur succession infinie : inflation inquiétante du paraître qui s'impose désormais seul à la conscience. Certains, tout en reconnaissant le règne du « change », y voient l'expression d'une loi divine qui peut encore en rendre raison :

> La forme est le cachet, et le grand Dieu vivant,
> Le juste chancelier, qui, nuit et jour gravant
> Ses grands et petits sceaux dans ce corps si muable...[48].

Tout autre est l'observation du critique de la connaissance, qui part du constat de l'homme enfermé dans la caverne, prenant pour des réalités les ombres : « il arrive souvent qu'il naît quelque chose de rien ; car les mensonges suffisent pour créer l'opinion et l'opinion engendre les réalités » (*Essays*, LIV). L'œuvre de Bacon est précieuse parce qu'elle dénonce l'homme emprisonné dans un réseau de fausses apparences, qu'il nomme *idoles*, suivant le langage platonicien. Celles de la tribu *(idola tribus)* sont inhérentes à la nature humaine et font de l'entendement un miroir déformant dans l'interprétation du monde ; à cela, il faut ajouter les idoles de la caverne *(idola specus)*, qui proviennent du tempérament et de l'éducation de chaque individu ; les idoles du marché *(idola fori)*, rattachées aux erreurs véhiculées par le langage et enfin les idoles du théâtre *(idola theatri)*, qui concernent l'influence des systèmes philosophiques du passé, nous dirions aujourd'hui : les idéologies[49]. Il s'agit là d'une tentative exceptionnelle par sa lucidité : Bacon va repousser l'investigation des formes vers la métaphysique et laisser, de manière salutaire, la recherche des causes efficientes à la physique nouvelle.

Or, il semble bien que l'essentiel de la littérature baroque se

48. Du Bartas, *Première Semaine*, second jour, v. 195 et s.
49. Voir le *Novum Organum*, paru en 1620.

situe dans un inconfortable entre-deux : loin de la sérénité de du Bartas qui se raccroche à Dieu, après avoir constaté le désordre du monde, et du discernement d'un Bacon, qui montre que le désordre est d'abord en nous. Pour la majorité, il n'y a plus que quête désespérée et problématique de la substance, derrière le chatoiement des apparences.

La réflexion menée par les Jésuites, au même moment, traduit, de leur part, une exacte perception de la situation de la conscience. La pratique de la direction d'intention, la dévotion aisée, les restrictions mentales et la doctrine de la probabilité, qui scandalisent tant Pascal, trahissent le souci révélateur d'abandonner l'essentiel (la rigueur éthique) pour préserver les apparences : primauté du phénomène (le comportement social) sur les valeurs ; la référence absolue s'éloigne devant la spécificité de chaque *cas*. Aussi on ne s'étonnera pas de voir un jésuite tirer les conséquences extrêmes de cette problématique, que l'on peut réduire à ceci : ce qui n'est pas vu n'existe pas.

Avec Gracián, en effet, seuls sont considérés les phénomènes, sans référence à une quelconque substance : les êtres n'existent que par leur visage (ou leur masque), les choses par la perception qu'on en a et les mots par les figures du style conceptiste (cf. *infra*). Philosophiquement, l'auteur du *Criticón* opère une sorte de renversement du platonisme, selon lequel l'apparence était frappée de dévaluation ontologique en renvoyant à un au-delà idéal et idéel. Pour Gracián, l'apparence ne renvoie qu'à elle-même, car rien n'existe en dehors de ce qui paraît. Selon un développement logique, si le monde se révèle comparable à une caverne propice aux illusions, alors, dans la pensée du jésuite espagnol a lieu une sorte d'inversion du mythe solaire platonicien : seule l'apparence est brillante ; au centre règne maintenant l'obscurité — masquant un vide ? « Les choses ne passent point pour ce qu'elles sont, mais pour ce dont elles ont l'apparence »[50]. Pratiquement, les règles de

50. *Oraculo manual*, *op. cit.*, maxime 99.

conduite qui s'imposent pour le héros baroque se réduisent à savoir se mettre en valeur : « savoir faire et le savoir montrer, c'est double savoir. La Raison même perd son autorité, lorsqu'elle ne paraît pas telle »[51]. De même que le Héros n'existe pas en soi, mais pour les autres, ce qui est passé inaperçu n'a pas d'existence réelle : on imagine les conséquences dans le domaine éthique... La maxime 126 est, significativement, intitulée : « Ce n'est pas être fou que de faire une folie, mais bien de ne la savoir pas cacher. » Le retournement du platonisme a entraîné la disparition de la valeur morale, comme référence idéale et absolue, en faveur de la multitude des circonstances particulières : « Ne réglez pas votre vie sur des maximes générales... le sage sait que le guide de la prudence est de s'adapter à l'air du temps »[52]. Avec l'idée du Bien s'évanouit celle du Beau : « Il y a autant de goûts que de visages et autant de différence entre les uns qu'entre les autres »[53]. Ce *phénoménisme* baroque constitue, du point de vue de l'histoire de la pensée, une situation instable et même intenable : un moment de l'évolution européenne, lors du passage du XVIe au XVIIe siècle, qui correspond à la crise globale de la connaissance. Il n'en demeure pas moins que les traces en sont aisément discernables dans la littérature dans son ensemble.

Ainsi surgit à nouveau la vieille question de l'unicité du Moi ou, si l'on préfère, de la cohérence du personnage. Si tout est truqué par la présence de l'œil de l'autre, que reste-t-il de la conscience en soi, si ce n'est une conscience pour autrui ? L'ostentation aristocratique et héroïque laisse-t-elle encore subsister un en-deçà caché ? Dans un discours solennel, l'allégorie de la Vertu recommande au jeune d'Aubigné :

> Retire-toi dans toi. Parais moins et sois plus[54].

51. *Ibid.*, maxime 130.
52. *Ibid.*, maxime 288.
53. *Ibid.*, maxime 101.
54. *Tragiques*, *Princes*, v. 1374.

On ne joue pas impunément avec le masque, qui finit par coller à la peau et tenir lieu de « nature » réelle. De Hamlet à Vendice, héros de *La Tragédie du vengeur* de Tourneur, le masque, qui était censé protéger, devient le portrait plausible auquel l'homme baroque finit par ressembler. D'où un vertige sans solution, devant ce jeu de miroirs à l'infini que Pascal a su exploiter : « La coutume est une seconde nature qui détruit la première. Mais qu'est-ce que nature ? [...] J'ai grand peur que cette nature ne soit elle-même qu'une première coutume, comme la coutume est une seconde nature » (*Pensées*, 93). Il ne reste alors au « mondain », que vise fictivement l'apologie pascalienne, qu'à aller à la messe et faire comme s'il croyait : « cela vous fera croire et vous abêtira » (233). Hamlet ne dit pas autre chose à sa mère, quand il lui conseille de ne pas céder à la sensualité : « Affectez la vertu si vous ne l'avez pas [...] car l'usage peut presque changer l'empreinte de la nature » (III, 4). A ce jeu, la frontière entre le fictif et le vrai s'efface.

C'est là une idée chère à l'époque baroque qu'il faut souvent passer par le mensonge pour rencontrer l'authentique. Un esprit, aussi peu suspect de se complaire dans les jeux de l'illusion et de la fausse perspective que Bacon, le reconnaît au début de ses *Essais* (chap. VI) : « L'Espagnol a ce bon et judicieux proverbe : "Mens pour trouver la vérité", comme s'il n'y avait pour la découvrir d'autre moyen que la simulation. » Il ne s'agit plus cette fois seulement de l'empire de l'illusion sur les sens, mais de l'absence de référent, dans la succession des phénomènes, qui permette de les départager : la vie est un songe et le faux est le vrai, pour reprendre le titre de Lope *(Lo Fingido verdadero)* ; tout finit par équivaloir dans le chatoiement de l'apparence. Le « mentir vrai » abonde dans la littérature contemporaine : « il a bien fallu que je me serve de la vérité pour mieux feindre », déclare la malheureuse héroïne du *Médecin de son honneur* ; quant à la folie ou au jeu théâtral, ils sont le moyen de représenter, par le biais de la fiction, une vérité qui ne se saurait dire. Le jeu mimé des acteurs devant Claudius fait éclater le secret du meurtre du père d'Hamlet. Saint Genest découvre la foi en la mimant. Eraste, devenu fou, croit rencontrer Minos aux Enfers et confie ainsi le secret de ses manœuvres *(Mélite)*. Pour user encore du titre espagnol d'une pièce (d'Alarcón), c'est la vérité qui est devenue suspecte *(La Verdad sospechosa)*. Il est inutile de multiplier les exemples qui montrent que la vérité prend sa naissance dans l'illusion, comme l'amour d'Armide dans la magie et la soif de destruction, pour aboutir à la sincérité de la passion et de la foi chrétienne. Le genre du *songe*, qui faisait partie de l'attirail de la rhétorique médiévale, va connaître un dernier développement significatif avec Tourneur *(Laugh and Lie down)* ou Quevedo (et ses imitateurs) : on a là l'exemple même d'une fiction proclamée comme telle et qui dit le vrai[55]. Bien plus, par le moyen de cet artifice, la vie se révèle une simple succession de déguisements ; dans son rêve, Quevedo aperçoit, enfin, le vrai visage des choses, et la comédie sociale est dénoncée, tandis qu'il assiste au gigantesque défilé de tous les personnages de la société contemporaine qui l'abusaient jusqu'alors : « Comme les choses de ce monde démentent les apparences ! Dorénavant, je n'accorderai aucun crédit à ce que mes yeux verront »[56].

Ainsi va se constituer une série d'oppositions, caractéristiques de l'écriture baroque et qui ne font que prolonger et illustrer l'antithèse être/paraître. Par exemple : l'intérieur et l'extérieur, le masque et le visage, le cœur et la bouche, la lumière et l'ombre, l'envers et l'endroit, la réalité et l'illusion, etc., qui traduisent une véritable obsession de ce qui se montre pour mieux cacher. Il est une métaphore qui hante toute l'œuvre de Shakespeare, celle des murs peints :

> Pourquoi, quand au-dedans tu languis de douleur,
> Peindre au-dehors tes murs de couleur riche et belle ?
>
> (Sonnet 146.)

55. Voir l'auto de Calderón, *Il y a des songes qui sont vérité* (1670).
56. *Les Dessous et les Dehors du monde*, *op. cit.*, p. 224.

et l'on peut dire, sans exagérer, que *Le Marchand de Venise*, par sa construction qui oppose le monde de l'argent (Venise) et celui de l'amour (Belmont), constitue la rigoureuse démonstration de la nécessité de se désabuser, en échappant à la fascination de l'or pour rechercher (et gagner) les biens supérieurs et invisibles de l'harmonie et de l'amour vrai. Signification ultime qu'exprime, par un symbolisme banal, la scène du choix des coffrets (II, 7 et III, 2). Ce jeu d'oppositions hante également la littérature morale du temps ; dans le domaine hispanique, toute l'œuvre morale de Quevedo — en vers comme en prose — n'a d'autre but que de dénoncer une apparence flatteuse masquant une réalité sordide.

Avec lucidité, cet auteur n'épargne pas non plus la passion de l'honneur qui a saisi l'Espagne du Siècle d'Or. Il n'est sans doute pas de meilleur indice du glissement qui s'opère, à l'époque baroque, de la substance à la simple apparence : à l'origine, l'honneur appartenait en propre à l'être (noble) et à la pureté du sang vieux-chrétien. Puis, tout le monde s'est piqué d'avoir de l'honneur ; devenu universel, il s'affirme jusque dans la bouche d'un paysan caldéronien : « l'honneur est le patrimoine de l'âme et l'âme n'appartient qu'à Dieu »[57]. Alors s'établit la confusion entre *honra* et *fama* (renom), entre ce qui caractérise l'individu et ce qui relève de l'opinion d'autrui : sera homme d'honneur qui paraîtra tel. On retrouve ainsi la problématique précédente, puisque ce n'est plus l'être qui confère l'honneur, mais le qu'en-dira-t-on. Le concept tend à se vider de son contenu fondamental, pour ne plus résider que dans la proclamation verbale ou dans des pratiques qui encouragent le recours au masque : il faut *A outrage secret, vengeance secrète*, pour qui prend soin d'être *Le Médecin de son honneur* (Calderón) et l'on voit le picaro jouer à l'hidalgo et se conférer, lui qui n'est rien, un être noble, par la parole et le jeu théâtral.

Dans cette dialectique de l'être et du paraître qui s'esquisse,

57. *L'Alcade de Zalamea*, I, 874 et s., trad. R. Marrast.

lorsque le second en vient à occulter parfois complètement le premier, c'est toute la philosophie qui va être remise en cause (en tant que tentative de rendre compte de l'ensemble du réel par un discours totalisateur et rationnel), puisque le monde a disparu sous le reflet des apparences. La littérature baroque abonde en remarques désabusées sur l'impuissance de la philosophie, tel Hamlet au néo-stoïcien Horatio : « Il y a plus de choses sur la terre et dans le ciel qu'il n'en est rêvé dans votre philosophie » (I, 5). Jusqu'à Corneille, qui constate dans l'Epître dédicatoire de la *Suivante*, que « chez les philosophes, tout ce qui n'est point de la foi, ni des principes est disputable, et souvent ils soutiendront, à votre choix, le pour et le contre d'une même proposition » ; le dramaturge cite alors, significativement, Montaigne ! Le doute « hyperbolique » de Descartes est formulé, chronologiquement, en même temps que Calderón met en scène un Faust, « prodige de science » et « étonnement des Universités », qui avoue :

> Ce que j'en ai tiré
> ce fut le doute, un doute unique
> dont mon esprit confus
> n'a jamais pu sortir[58].

La confiance en la raison est bien ébranlée : dans son *auto*, *Le Festin de Balthazar*, Calderón représente la Pensée « en costume bigarré de fou » et lui fait dire :

> je cours sans cesse et ne sais
> où il me faut m'arrêter.

Gracián constate que si, pour l'un, le bon sens est la chose du monde la mieux partagée, la diversité des opinions empêche cependant toute certitude de se dégager : « on pense différemment sur le même sujet et quoique tous les hommes soient éclairés de la même lumière, rien n'est pourtant si diversifié que leurs opinions » (*Criticón*, III, 1). Le désarroi est grand et l'ardente obligation de tous les esprits désireux d'échapper à l'impasse devient la recherche angoissée d'un

58. *Le Magicien prodigieux*, III, v. 2884 et s.

point fixe, soustrait au doute, et d'une méthode, pour bien conduire son esprit hors du monde de l'erreur. En ce sens, Bacon *(Novum Organum)* et Descartes répondent à la quête de leurs contemporains. Avant la progressive mise au jour des fondements d'une connaissance expérimentale, tandis que la philosophie, qui ne reprend pas simplement les « sommes » du passé, accumule en un catalogue les raisons de ne plus croire à elle-même, le baroque demeure l'ère du soupçon et de l'inquiétude pour le philosophe et le poète :

> pas davantage ce monde n'offre de fondation suffisante
> pour ériger la vraie joie, tous les moyens fussent-ils fondus
> en un seul[59].

CONCLUSION

Menacé par le retour du chaos, prisonnier dans un monde dévalué et trompeur, incertain de lui-même, pécheur et incapable de bonté, ainsi apparaît l'individu baroque, aussi misérable que dans l'allégorie qui sert de *Prologue* au *Retour d'Ulysse* de Monteverdi : tour à tour, le Temps, l'Amour, la Fortune se jouent de l'Homme. Ce sentiment prévaut indéniablement, mais il serait trop simple de s'arrêter là, car l'époque, habituée aux incertitudes, ne s'est jamais contentée de réponses univoques : en même temps que le désespoir le plus sombre, *coexiste* un chant de bonheur, malgré la fragilité de ce monde ; la leçon du *desengaño* n'a jamais exclu l'effort prométhéen pour conquérir la jouissance dans l'immanence : de même que l'écrasement du Fils révolté n'était pas dépourvu d'ambiguïté, les illusions de l'apparence ne se révèlent pas entièrement privées de charme.

Il serait facile de s'appuyer sur la complaisance de l'iconographie contemporaine à l'égard de la valeur symbolique du personnage de Marie-Madeleine ; il a paru plus probant de souligner les hésitations de nombreux esprits entre l'ascétisme

59. John Donne, *Second Anniversaire*.

et les tentations de la chair : si le pécheur est condamné, alors il doit faire son bien de ce qui lui reste et choisir l'immanence. John Donne, avant de devenir le prédicateur le plus en vue de l'Eglise anglicane, écrit : « Que mon corps règne » ; il rejoint ainsi le choix de don Juan, de Faust entre les bras d'Hélène et du conquérant, qui revendique ce monde pour « s'ébrouer »[60]. On trouverait de semblables accents parmi les adeptes de ce libertinage agressif qui fut à la mode dans les milieux où Théophile donnait le ton :

> Notre destin est assez doux,
> Et, pour n'être pas immortelle,
> Notre nature est assez belle
> Si nous savons jouir de nous.

Si l'époque a été hantée par les représentations de la mort, elle a aussi rêvé, avec Charles Sorel, d'apprendre aux hommes à « vivre comme des dieux » *(Francion)*. Sans doute est-ce une caractéristique de l'imaginaire baroque que de n'avoir pas su (ni voulu) choisir entre des extrêmes inconciliables.

60. *Richard III*, I, 1, 151.

TROISIÈME PARTIE

Formes baroques

> « Il faudrait inventer quelque nouveau langage,
> Prendre un esprit nouveau, penser et dire mieux. »
>
> Théophile de Viau, *Elégie, à une dame*.

Dans l'histoire de la littérature, chaque période — quelles qu'aient été son originalité et sa fécondité — récupère ou développe des genres plus anciens, en leur donnant sa marque originale. Toutes les formes illustrées ne sont évidemment pas une création du moment : si l'époque baroque voit naître le roman picaresque, elle n'a pas inventé le théâtre, qui fut pourtant, alors, l'objet d'une véritable passion. Le développement de la littérature dramatique, cependant, s'est effectué selon des voies originales et l'on peut parler, sinon de recréation, du moins d'un nouvel essor, tandis qu'apparaissent sur la scène des catégories d'œuvres qui ne doivent rien à la tradition. Le recours à un genre plutôt qu'à un autre a un sens, tout comme l'invention d'une nouvelle forme. Dans la conscience contemporaine s'opère un choix, selon les possibilités offertes par chaque type d'œuvre, afin d'exprimer au mieux la problématique du moment. Il a bien fallu parler de philosophie du baroque (même pour constater son impossible édification), aussi évoquera-t-on des *genres baroques*, qui ont connu à cette époque un développement marquant.

Encore une fois, il ne s'agit pas d'évoquer exhaustivement *tous* les genres pratiqués, mais ceux cultivés avec prédilection, dans la mesure où ils renvoient à ce foyer central, que l'on a tenté de cerner précédemment, et aux grandes images structurantes.

En simplifiant, il y a deux manières de rendre compte du monde par la littérature : en le présentant comme un univers ordonné en lui-même, c'est-à-dire compréhensible par l'esprit et susceptible d'être rendu par l'écriture (cf. Balzac), ou bien en le montrant absurde et sans ordre : il échappe alors aux catégories de la raison, de même qu'à l'écriture, qui ne peut le saisir dans sa totalité. Devant cette inadéquation des mots et des choses, éclatent le désespoir et le sentiment de la déréliction, en une œuvre impossible et souvent fragmentée. Le baroque appartient à cette deuxième manière, ennemie des canons de toute tradition, comme de toute tentative de codification : aussi, lorsqu'il s'agira de définir sa poétique, on cherchera en vain un d'Aubignac, un Boileau ou un Bellori. Mieux vaut réunir les constantes dans les — rares — déclarations théoriques et tirer la leçon des différentes pratiques.

Une fois encore, on est frappé par les apparentes contradictions que révèlent les prises de position contemporaines : d'une part, un modernisme certain, au service d'une liberté originale et d'un refus de la mesure, au nom de la vie et de ses métamorphoses. D'autre part, la conviction, inlassablement répétée, que l'art l'emporte sur la nature et que la poésie naît de l'artifice le plus grand.

Tout le XVIe siècle et l'époque baroque voient d'innombrables traités gloser et répéter les enseignements d'Horace et d'Aristote, sur les traces de Scaliger et de Sidney : on ne cesse d'insister sur l'importance des préceptes et de la théorie dans la création littéraire. Pourtant, avec le tournant du siècle, la pratique va montrer qu'il ne s'agit le plus souvent que de déclarations de principe, rendues caduques par la réalité des œuvres. Quelle plus belle illustration de ce malaise que la notion de *discors concordia*, défendue par Le Tasse, qui se veut fervent partisan des règles aristotéliciennes dans ses traités (*Discorsi dell'arte poetica e in particolare del poema eorico*, 1565-1566) ? La formulation contradictoire de ce concept, chargé de représenter le principe de l'unité dans la variété, résume bien, en fait, les efforts désespérés de l'auteur lui-même pour concilier les aspirations morales du temps avec les suggestions authentiques du désir et les exigences formelles des érudits avec les impulsions lyriques de son imagination. La littérature baroque se trouve au cœur du débat entre les tenants de l'imitation et ceux de l'invention. Dans cette perspective, les *Fureurs héroïques* de Giordano Bruno intéressent l'histoire de la poétique : il ne s'agit pas seulement des formes, mais du génie, caractérisé par sa spontanéité, qui le rapproche de la nature. L'auteur, par la bouche de Tansillo, déclare que « la poésie ne naît pas des règles, mais les règles dérivent de la poésie »[1]. A nouveau surgit le vieux débat entre aristotélisme et platonisme : le premier symbolise l'obéissance à des règles ; Platon, au contraire, ne sépare pas la poésie de la « fureur » inspiratrice, novatrice et authentique.

En fait, la rupture avec la Renaissance, pour ne pas s'exprimer « officiellement » en des traités rigoureux, n'en est pas moins nette. Aux affirmations péremptoires de Puttenham (*The Arte of English Poesie*, 1589), présentant l'art comme « un certain ordre de règles, prescrit par la raison et rassemblé par l'expérience »*, on opposera la prise de conscience de la génération jacobéenne, source d'une nouvelle forme de culture, moins italianisante et idéaliste, plus soucieuse de rendre compte des débats et des passions contemporains. La mutation des mentalités est accompagnée dans les différents pays par un changement de l'anthropologie, ainsi qu'il a été dit, dont le résultat contribue à justifier le refus de la mesure et de la tradition, au nom du naturel et du génie individuel. Derechef, l'apport de Montaigne, s'élevant contre l'enseignement scolastique et son dogmatisme (*Essais*, I, 26 : « De l'institution des enfants »), rejoint les tentatives d'analyse

1. Trad. P.-H. Michel.

« scientifique » de Huarte, concernant la puissance et la liberté de l'entendement humain (allié à l'imagination), qui n'a que faire d'art ou d'exercices oratoires[2]. S'il faut enfin, après l'ouvrage cité de Bruno, une autre référence constitutive de cet art poétique nouveau, on la trouvera dans l'œuvre de Théophile de Viau, *Elégie, à une dame*. Tour à tour, on y rencontre une déploration des temps présents, « en ce commun malheur », une remise à sa place de Malherbe, qui « a très bien fait, mais il a fait pour lui », et, poussée par l' « ardeur », l'énonciation de l'art d'être fol sagement :

> Mon âme, imaginant, n'a point de patience
> De bien polir les vers et ranger la science.
> La règle me déplaît ; j'écris confusément
> Jamais un bon esprit ne fait rien qu'aisément.

Le changement se laisse discerner également dans le domaine de la réflexion sur la rhétorique, où l'on assiste à un progressif délaissement de Cicéron, symbole de mesure et de maîtrise, en faveur de Sénèque ou de Tacite, plus aptes, semble-t-il, à fournir des modèles plus subtils, convenant à l'expression d'une pensée incertaine, qui se cherche au milieu des contradictions, donc mal à l'aise dans le moule de la période classique, lequel correspondrait plutôt à l'assurance et à la certitude intellectuelles. Telle est la nouvelle orientation de la génération de Donne en Angleterre (cf. ses *Sermons*), de Montaigne en France (les *Essais* ne sont qu'une « fricassée » ou « contrerole », éclatés dans le temps, donc caractérisés par l'asymétrie et l'absence d'enchaînement logique), de Gracián et des « conceptistes » en Espagne ou de Marino en Italie (cf. ses *Dicerie Sacre*). Le conflit n'est pas neuf en lui-même, puisqu'il donne l'impression d'une résurrection de l'antique opposition entre atticisme et asianisme. Dès lors, se laissent peu à peu entrevoir les causes de cet apparent paradoxe, qui incite une poétique de la « fureur » et de la liberté à se réfugier dans les raffinements d'une utilisation savante et

2. Voir l'analyse de M. Fumaroli, in *L'Age de l'éloquence*, p. 127-134.

systématique de la rhétorique classique, devenue presque une fin en soi. La justification la plus fréquemment mise en avant réside dans le topos : « L'art l'emporte sur la nature » ; l'extrême artificialité de l'expression devient garante de l'originalité et de l'authenticité de la pensée, bien assurée d'échapper par ce moyen aux moules traditionnels. « L'art est l'accomplissement de la nature et comme son second créateur, il la finit, il l'embellit, il la surpasse même quelquefois ; il a pour ainsi dire ajouté un autre monde au premier » (*Criticón*, I, 8). En ce sens, Gracián qui proclame : « sans l'art, le meilleur naturel est en friche »[3], se révèle, en même temps que le jésuite Emmanuele Tesauro (cf. son *Cannocchiale aristotelico*), théoricien de la poétique baroque, pour ce qui concerne la recherche de l'artifice : ce que les commentateurs, toujours fascinés par le modèle des beaux-arts, appellent le goût de la surcharge et de la profusion du décor... Il reste à montrer ce qu'une telle dénomination a d'insuffisant : indépendamment du jugement de valeur négatif qu'elle semble impliquer, elle donne l'impression d'un choix gratuit pour l'ornement rhétorique, que rien ne vient expliquer ou justifier. Au contraire, l'écriture baroque se comprend aisément pour qui met en relation ses caractéristiques avec le sens caché de l'imaginaire et de la problématique philosophique de l'époque contemporaine.

3. *Oraculo Manual*, maxime 12.

CHAPITRE PREMIER

La crise du langage et l'écriture baroque

« Que ne peut l'artifice et le fard du langage ? »

Corneille, *La Place royale*, III, 6.

Quelques références au contexte historique permettent de discerner des éléments dont le rôle n'est pas à négliger dans le domaine linguistique. En Europe en général, l'époque baroque coïncide avec l'achèvement d'une période d'enrichissement des langues nationales : depuis la Renaissance « classique », la partie est gagnée pour chaque « vulgaire » en face du latin, resté langue des savants. Le XVIe siècle, dans son ensemble, a vu se développer, à la cour comme à la ville, de brillantes littératures, en même temps que s'affirmait la puissance de chaque Etat, ainsi que le remarquait l'Espagnol Nebrija : « toujours la langue fut compagne de la puissance ». A la fin du siècle, l'outil linguistique dispose partout de richesses nouvelles et variées : si l'on a coutume de remarquer la diversité des registres de la langue élisabéthaine et de celle de Shakespeare en particulier, en France, les ambitions des amis de du Bellay dans sa *Défense et Illustration* n'ont pas été vaines : il n'est que de songer à la langue de d'Aubigné ou à celle de Montaigne, qui pour parvenir à ses fins ne recule devant aucun emprunt. Nul hasard si la phase baroque a précédé (à défaut de la justifier...) l'épuration entreprise par

Malherbe et Vaugelas. En Espagne, l'apogée du Siècle d'Or coïncide avec les plus grands chefs-d'œuvre de la prose (Cervantès), de la poésie (Góngora) et de la littérature dramatique. La situation linguistique de l'Italie apparaît beaucoup plus ambiguë du fait de la rivalité entre l'italien des lettrés, le « vulgaire illustre » de Dante, et les prétentions du toscan de Machiavel, enrichi par les apports étrangers et puisant son efficacité à ses sources vives, contre les différents dialectes florissant dans la péninsule. Quoi qu'il en soit, l'italien hérite de ce handicap à la fois une souplesse, qui va jusqu'au polymorphisme, et un goût pour les raffinements de la langue artificielle des lettrés, au point d'être jugé, par le catégorique P. Bouhours, propre à exprimer seulement « inepties, pointes et vaines enflures ».

Il faut mentionner, ensuite, un deuxième facteur : l'importance considérable prise, dans tous les pays, par l'enseignement de la rhétorique. Là encore le rôle décisif revient aux Jésuites, dont la *Ratio studiorum* accorde une place de choix à l'étude systématique, théorique et pratique, des figures de style et à l'entraînement aux différentes formes de discours et de *disputationes*. C'est d'ailleurs le manuel d'un jésuite, celui de Cipriano Suarez *(De Arte Rhetorica Libri Tres)*, qui connaîtra le plus de succès à travers toute l'Europe, tant par ses traductions que par ses imitations. Cette prédilection est une caractéristique de l'époque et n'appartient pas en propre à la sphère d'influence du catholicisme romain : le système éducatif de l'Angleterre des Tudors obéit aux mêmes principes. Partout, la suprématie de la rhétorique entretient non seulement la conviction de la supériorité de l'art sur la nature, mais la croyance en la puissance quasi divine de la parole : force est de constater qu'un tel enseignement a tendance à s'installer dans l'irréel ; selon les termes mêmes de la *Ratio*, l'éloquence est *eruditio*, *cognitio rerum*, en même temps que *cognitio verborum*. Idéalement, la forme du discours et l'ordonnance des mots voudraient rendre compte de la nature des choses : la conception baroque de la rhétorique n'est pas innocente ; quand l'idéal s'effondre, le langage découvre ses limites et son impuissance : la rhétorique ne conserve plus de ses cinq fonctions traditionnelles que *l'elocutio* ou art du style et choix des « ornements ».

Dans les pages qui vont suivre sera tentée l'esquisse d'un classement des figures de style les plus couramment rencontrées dans la littérature du temps. Le choix qu'opère ainsi l'écriture révèle les modalités du rapport problématique de la conscience au monde qui l'entoure ; la rhétorique devient signe d'une crise, quand le langage ne parvient plus à dire, lorsqu'il cache ou recouvre les choses ; ne pouvant plus nommer, il fait allusion ; bien plus, l'outil linguistique lui-même éclate, la polysémie l'emporte pour, parfois, atteindre la gratuité pure ou la contemplation désabusée de la structure phonique du mot, indépendamment de tout effet de sens.

— *Le masque et la passion de la métaphore*

C'est un point bien établi que de caractériser le style baroque par l'utilisation fréquente, pour ne pas dire systématique, de la *métaphore*. Or, depuis Aristote, le sens et la fonction attribués à cette figure de style ont varié : au Moyen Age, le monde était rempli de métaphores, composées par Dieu pour communiquer une signification par le biais d'une « interprétation » correcte. A la fin du XVIe siècle, cette conception rassurante et didactique s'efface en faveur de l'atomisation de l'expérience individuelle : les métaphores deviennent sciemment artificielles, conçues pour plaire d'après des principes purement formels, plutôt que par un quelconque rapport d'authenticité avec le réel. Le monde intelligible qui se dévoile ainsi est celui que l'intellect projette sur la Nature et non la Nature elle-même. Bien plus, dans les écrits des esprits qui ont le plus systématiquement réfléchi sur ce problème (E. Tesauro, dans le *Cannocchiale aristotelico*, et B. Gracián, dans l'*Agudeza y arte del ingenio*), on assiste à une sorte de changement de perspective ou de déplacement de l'accent du métaphorisé au métaphorisant, du support à l'ornement, comme si l'accessoire devenait l'essentiel et que l'effet de surprise accaparât toute l'attention. Sur le plan de l'effet de style, on observe le même glissement que celui dénoncé antérieurement sur le plan de la problématique philosophique : le déguisement (le phénomène) occulte la substance, devenue objet de doute, tout comme l'art de l'expression l'emporte sur le sens.

« Tout se passe comme si la métaphore greffait un système second sur le système de réflexion habituel de la langue, comme si elle utilisait l'ensemble du miroir et du reflet du langage littéral (système I) en tant que miroir d'un autre reflet (système II) »[1]. L'œuvre de Gracián est ici particulièrement précieuse, puisque se laisse percevoir en elle le lien entre une morale de l'artifice et du masque (cf. *supra*) et une écriture où les jeux du paraître deviennent surenchère d'artifice : la vérité fondamentale de départ s'évanouit et la culture se présente comme la métaphore initiale à partir de laquelle s'élève le travail de l'écriture : « l'esprit ne se contente pas de la vérité seule, comme le jugement, il aspire, de plus, à la beauté »[2].

On voit donc se dessiner une rhétorique dont la perfection consiste à ne pas nommer les choses par leurs noms, mais plutôt à les déguiser. Sur ce point, transparaît une nouvelle fois la cohérence profonde de l'univers baroque : tout ce qui a été relevé antérieurement, à propos de la fascination pour l'erreur et l'illusion, se réduit, en un sens, à illustrer la fonction de maquillage et de dissimulation de la métaphore. Le « furieux » du théâtre contemporain métaphorise le monde, puisque la folie prend une chose pour une autre et opère un transfert *(métaphorè)* de sens. Pareillement, le goût pour les métaphores filées ou les chaînes de comparaisons, reposant sur un continuel jeu de substitution, peut être interprété comme révélateur de l'hypertrophie de la superficialité, qui tend à s'imposer pour elle-même, en dissimulant son origine ; en même temps, il y a là le signe d'un processus de l'intellect en devenir *i.e.* dont l'objet échappe sans cesse, au cours d'une approximation infinie et répétitive ; la métaphore fait alors assister le lecteur au déroulement d'une métaphore. Du

1. F. Hallyn, *op. cit.*, p. 19.
2. *Art et Figures de l'esprit*, Disc. 2, trad. B. Pelegrin.

Bartas, s'il contemple le firmament étoilé, songe à la splendeur du paon, dont l'image s'impose au poète en une succession d'impressions colorées, qui, à leur tour, renvoient aux étoiles, devenues non plus source, mais comparaison ultime, par un « oubli » bien symbolique du fonctionnement de l'écriture :

> [...] Mais plus des astres clairs j'admire, ou plus j'y pense,
> La grandeur, la beauté, le nombre, la puissance,
> Comme un paon, qui navré du piqueron d'amour,
> Veut faire, piafard, à sa dame la cour,
> [...]
> Le firmament, atteint d'une pareille flamme,
> Desploye tous ses biens, rode autour de sa dame,
> Tend son rideau d'azur, de jaune tavelé,
> Houpé de flocons d'or, d'ardents yeux piolé,
> Pommelé haut et bas de flambantes rouelles,
> Moucheté de clairs feux, et parsemé d'étoiles...[3].

La métaphore baroque est le produit d'une épistémé (Foucault) qui renonce à connaître la chose en soi, mais poursuit la quête des correspondances. L'incompatibilité allait se révéler complète avec les exigences de transparence de la génération classique : Rapin, Bouhours ou la *Logique de Port-Royal*. « L'on ne regarde les mots que comme des signes auxquels on ne s'arrête que pour aller droit à ce qu'ils signifient », écrira Dumarsais, dont les *Remarques sur le mauvais usage des métaphores* sont révélatrices : « Théophile, dit M. de la Bruyère, charge ses descriptions, *s'appesantit sur les détails* ; il exagère, il passe le vrai dans la nature, il en fait le roman »[4].

Puisqu'il ne s'agit pas de nommer (non par goût, mais par impuissance), la littérature baroque va se complaire dans les détours et l'énonciation des équivalents, passant du masque des mots aux masques de la pensée que constituent *symboles*, *allégories*, *emblèmes*, *mythologismes*, etc. La culture contemporaine, qui nous a laissé de nombreux traités savants, à

3. *Première Semaine*, quatrième jour, v. 169 et s.
4. *Des tropes*, II, 10 — c'est nous qui soulignons.

la limite de l'hermétisme[5], ne voyait pas là un jeu, mais une démarche permettant d'exprimer l'un par l'autre : méthode d'interprétation qui fonctionne comme une métaphore continuée.

> L'allégorie n'est rien d'autre
> Qu'un miroir qui transpose
> Ce qui est avec ce qui n'est pas[6].

Le mécanisme semble aujourd'hui artificiel, il ne l'était pas alors, étant donné l'intérêt pour la Kabbale, les livres hermétiques et, plus simplement, le goût pour la mythologie : on usa et abusa du symbole. L'enthousiasme épique ou la violence satirique suscitaient la personnification : ce procédé de style est appelé, presque naturellement, dans les *Discours* de Ronsard et, encore plus peut-être, dans *Les Tragiques* de d'Aubigné. Dans le théâtre même, sous le voile de l'intrigue, apparaît la structure de l'allégorie : *Le Roi Lear, Othello*, *Macbeth*, *Mesure pour Mesure* peuvent se lire comme l'illustration du vieux schéma de la chute ou la représentation tragique de la psychomachie médiévale. Bon nombre de « masques » de Ben Jonson se réduisent à des conflits ou triomphes d'abstractions personnifiées : *La Réconciliation de Plaisir et de Vertu*, *Le Temps Vengé, L'Amour délivré d'Ignorance et de Folie*, etc. C'est évidemment en Espagne que la tendance se maintient avec le plus d'éclat, grâce à la passion pour l'*auto sacramental*, qui ne se démentira pas durant tout le XVIIe siècle : le génie d'un Calderón y est pour beaucoup, car, jusqu'à sa mort (1681), cet auteur a su rester le fournisseur officiel pour ce genre de spectacle dramatique en un acte, véritable allégorie, chargée de dramatiser les choses de la foi et de rendre, pour ainsi dire, le concept représentable :

> il n'y a point
> de fable qui n'ait son mystère,
> pour peu qu'allégoriquement
> sa signification s'entende[7].

5. Voir C. Giarda ou le P. Kircher et, en Angleterre, R. Fludd.
6. Calderón, *Le Vrai Dieu Pan**.
7. Lever de rideau pour le *Labyrinthe du monde**.

L'*Iconologia* de Cesare Ripa (première édition en 1593) va fixer pour toute l'époque (et bien au-delà) les attributs des vices, des vertus ou autres qualités abstraites que l'on retrouve dans l'iconographie ou la littérature. Il faut rappeler aussi la mode contemporaine des *emblèmes* : l'œuvre d'Alciat, publiée pour la première fois en 1531, connaît 94 éditions entre 1531 et 1600. On a dénombré plus de 1 000 livres d'emblèmes en un siècle et demi ; l'interaction du texte et de la représentation donne vraiment le monde comme un livre qui doit être déchiffré : l'image a un contenu sémantique voulu, que la subscription confirme en explicitant sa portée didactique.

Dans le Discours LV de son traité de l'*Agudeza (op. cit.)*, Gracián a présenté l'allégorie sous le titre d' « acuité *(agudeza)* fictionnelle composée ». Ce qui compte, ce n'est pas tant la définition qui est alors fournie que la justification philosophique du recours à ce procédé, grâce à un court récit où la Vérité négligée se plaint et reçoit les conseils de l'Acuité (encore une allégorie !) : « Vous devez devenir politique : habillez-vous à la mode, à la façon de l'Erreur ; ... déguisez-vous. » Formules précieuses, puisqu'elles légitiment l'idée d'une vérité masquée et, en même temps, montrent que l'écriture figurée reproduit le fonctionnement du monde où se mêlent la vérité et l'erreur, comme le songe et la veille, en un chatoiement sans fin où tout est donné à voir : « La Vérité... détermina de n'aller plus sans artifice et, depuis lors, use d'invention, s'insinue par des détours [...]. Le mode le plus courant pour déguiser la vérité, pour la mieux insinuer sans qu'on y résiste, est celui des paraboles et des allégories » *(ibid.)*.

— *Le Moi et le monde*

L'articulation entre vision philosophique et rhétorique commence à se laisser percevoir et l'on devine comment les grands traits de l'imaginaire contemporain viendront rendre compte de la fréquence de l'usage de certaines figures. *L'hyperbole* a été longtemps jugée caractéristique du style baroque. Les figures de l'exagération se rencontrent d'abord dans la veine héroïque, de *Tamerlan* au *Cid*, et traduisent cette exaltation du Moi dont il a été parlé. C'est le mode d'expression du conquérant, dont l'énergie modifie le cours de la nature et qui situe d'emblée son conflit individuel au niveau de l'ordre cosmique : « Alors, que les galets de la plage affamée aillent lapider les astres ! Alors, que les vents mutinés lancent les cèdres altiers contre l'ardent soleil ! »[8].

D'une manière générale, l'hyperbole concourt à l'exaltation du sentiment individuel, qu'il s'agisse du discours héroïque (ou de sa dérision dans les évocations de Falstaff et de Matamore) ou du rituel amoureux, qui se sert des clichés pétrarquistes, portés à leur maximum de tension superlative. Dans ce registre, un des lieux communs les plus fréquemment repris dans toute la littérature européenne (au-delà de la satiété pour le lecteur moderne), célèbre les yeux de la femme, dont l'apparition éclipse l'éclat du soleil même. Le procédé, présent dans les déclarations du *Polyphème* de Góngora, connaît une nouvelle faveur grâce au sonnet de Marino (Spuntava l'alba...), qui suscita de nombreuses imitations en France, où fleurirent les belles Matineuses : Voiture, Malleville, mais aussi Tristan. L'agacement, que l'on peut légitimement éprouver devant certaines hyperboles, ne doit pas faire oublier la signification profonde de la démarche : certes, l'écrivain monte plus haut et va plus loin que la chose dont il parle, mais, par là, il tente de nous emmener à la vérité par l'excès du discours, donc, encore une fois, de nous mener à la vérité par le mensonge.

L'exaltation concerne d'ailleurs non seulement l'affirmation, comme dans les exemples précédents, mais aussi l'excès de douleur et la formulation de sentiments négatifs. Lorsque le monde s'offre dans sa diversité, il provoque l'enthousiasme hyperbolique, que vient renforcer le procédé de *l'accumulation*, dans les tirades du Docteur Faustus et de Volpone ; par conglobation, plutôt que par raisonnement, l'adhésion de

8. *Coriolan*, V, 3.

l'esprit est gagnée devant le spectacle écrasant de la multiplicité foisonnante, comme pour cette héroïne (coupable) de Calderón : « telle est à mes yeux la clémence divine, qu'il n'y a pas d'astres au ciel, qu'il n'y a pas de grains de sable dans la mer, qu'il n'y a pas d'atomes dans le vent qui, joints ensemble, ne forment un petit nombre, à côté des péchés que Dieu peut pardonner »[9]. Simultanément, on perçoit la fragilité de la frontière qui sépare le lyrisme de telles évocations du retournement de la situation, lorsque ce monde surabondant vient à écraser le Moi. L'hyperbole, alors, sert à exprimer la douleur et l'anéantissement du héros, tandis que les forces de la nature se déchaînent, de façon purement destructrice : « S'il existe un Etna brûlant, qu'il s'écroule sur moi et m'engloutisse dans sa fournaise ! Des sueurs ardentes comme le soufre bouillonnent dans mes pores »[10].

Le glissement, de l'affirmation hyperbolique du Moi à la vision hyperbolisée du monde, prouve l'authenticité d'une écriture, dans laquelle la rhétorique se met simplement au service des tendances structurantes de l'imaginaire. Ce constat est encore renforcé pour qui observe que l'univers baroque, que l'on sait conflictuel, mouvant et inconnaissable, a suscité le recours systématique à des figures qui expriment la contradiction et l'opposition non résolues des forces : le paradoxe, l'antithèse et l'oxymore.

Dans la perspective traditionnelle, chaque être et chaque objet devaient avoir leur antithèse, à l'égard de laquelle ils éprouvaient une antipathie naturelle ; l'ordre finissait par s'imposer grâce à la stabilité de l'ensemble : « balancement constant de la sympathie et de l'antipathie... qui ne cesse de rapprocher les choses et de les tenir à distance » (Foucault, *op. cit.*). Or, dans le domaine intellectuel, ce qui est apparu comme caractéristique de la période baroque, c'est la perte de cet équilibre, pour ne laisser, à la place, que le libre déchaînement

9. *La Dévotion à la Croix*, II, 14, trad. A. de Latour.
10. John Ford, *Le Cœur brisé*, IV, 2, 95 et s., trad. R. Davril.

de forces contradictoires qui assaillent le poète, fidèle écho de son temps :

> Oh ! pour me tourmenter les contraires s'assemblent.
>
> (Donne, sonnet XIX.)

Première figure de pensée chargée de mettre en valeur ces contradictions, le *paradoxe* : il semble illogique, contraire aux données de l'expérience et de la morale et, pourtant, il renferme une vérité piquante et féconde. Or, la littérature baroque a cultivé le paradoxe : le genre a été apprécié durant tout le XVIe siècle, mais, ainsi que le note R. Ellrodt, il « reçut une impulsion nouvelle, en Angleterre, à la fin du règne d'Elizabeth » *(op. cit.)*. Dans ce cas, le renouvellement de l'intérêt provient de l'intériorisation de l'anthropologie chrétienne et de la théorie des doubles natures : l'Incarnation est un paradoxe ; la mort devient désirable, car elle est éveil à une vie nouvelle ; l'anéantissement du corps se révèle renaissance de l'âme, etc. John Donne fut sans doute le premier à exploiter ce procédé, dans une perspective religieuse, pour mieux tenter d'apaiser son angoisse (ses *Paradoxes* furent composés vers 1599-1600) ; il fut suivi par d'autres poètes « métaphysiques », notamment Crashaw. Bien évidemment, là ne réside pas la seule source de l'écriture paradoxale, qui demeure, avant tout, une façon d'outrer la pensée : en créant une opposition entre certains éléments, on force le lecteur à réfléchir ou, plus simplement, son attention est attirée sur l'habileté de celui qui écrit. A ce dernier type, appartient l'élégie l'*Automnale* de Donne. La double nature du paradoxe, à la fois procédé de style et artifice didactique, n'a pas échappé à Gracián, dont le goût pour l'aphorisme s'accommodait fort de la séduction supplémentaire apportée par une contradiction faussement évidente : « L'extraordinaire est souvent bien reçu et davantage s'il procède de l'esprit. » Selon un processus qui s'accorde en profondeur avec la problématique baroque, le paradoxe met en valeur l'opposition entre l'apparence, admise par l'opinion, et l'essence profonde des choses, d'où son importance comme technique de dévoilement : « les idées paradoxales sont triomphes de l'esprit et trophées de la finesse ».

Le lien de *l'antithèse* avec la structure conflictuelle du monde est beaucoup plus évident : cette figure de construction, qui déborde sur la figure de pensée, demeure, elle aussi, une caractéristique du style baroque. Elle se prête à l'expression d'un certain manichéisme, à la dénonciation de la réalité derrière l'illusion (savoir regarder, c'est voir selon « la règle de l'antithèse : le Monde est plein de ces sortes de gens qui sont tout autres qu'ils ne paraissent », *Criticón*, III, 4) et de la beauté dans la laideur. Dans ce dernier cas, il s'agit souvent d'un jeu, comme en témoignent les nombreux poèmes consacrés à la belle mendiante, la belle More ou la belle vieille. L'antithèse retrouve plus d'authenticité quand elle énonce, de façon concise, une découverte, au cours d'une expérience, qui a renversé le sens apparent des événements :

> Je le cherchais à mort, il me donna la vie.
> J'étais jaloux de lui, je lui livre m'amie[11].

Avant tout, l'antithèse permet l'introduction, au moins implicite, d'un jugement moral et/ou religieux : ce procédé, si fréquent dans l'œuvre de d'Aubigné, n'a rien d'un artifice formel, mais correspond à une aspiration profonde : celle de l'esprit calviniste, avec la radicale séparation qu'il implique entre le divin et l'homme, avec l'exigence d'une justice qui entraînera le renversement des situations, la chute des puissants et l'exaltation des martyrs :

> La fange fut sa voye au triomphe sacrée,
> Sa couronne un collier, Mont-faucon son trophée...[12].

Dans le monde de la catholicité romaine, si le dualisme est moins intériorisé, les thèmes, liés à des paires de symboles, imposent souvent une structure antithétique très marquée, notamment dans l'œuvre du « poète de l'Inquisition » (Calderón) : d'un côté, le monde et les passions humaines

11. Garnier, *Bradamante*, v. 797-798.
12. A propos de l'amiral de Coligny, *Princes*, 1231-1232.

(l'Ombre, le Mal, la Faute, l'Illusion, le Sommeil, la Folie, etc.), de l'autre, la sphère des valeurs religieuses (la Lumière, le Bien, le Salut, la Vérité, la Veille, la Sagesse, etc.). Ces entités se prêtent particulièrement à la réalisation du drame symbolique de l'*auto sacramental*, mais il serait injuste de ne voir là qu'un effet de la propagande du catholicisme espagnol : la pensée dichotomique appartient en propre à l'époque baroque, par-delà les frontières politiques et religieuses. En Angleterre, le spectacle du *masque,* si prisé de la Cour, inclut en lui-même son contraire : l'anti-masque, sorte de repoussoir qui met en valeur le grand ballet central, par le moyen du recours au grotesque ou au satirique.

Gérard Genette, dans un article consacré à la poésie baroque[13], a brillamment insisté sur l'importance de ce goût pour les contrastes, qui lui semble fournir « l'exemple rare d'une poétique fondée sur une rhétorique. Ce qui distingue la poésie baroque, c'est le crédit qu'elle fait aux rapports latéraux qui unissent, c'est-à-dire opposent, en figures parallèles, les mots aux mots et à travers eux les choses aux choses ». Ce qui lui paraît en jeu ici, c'est bien encore la tentative de l'esprit pour rendre compte du monde, en essayant (désespérément) une sorte d'intégration par le fait de reconnaître la différence : « maîtriser un univers démesurément élargi, décentré et, à la lettre, désorienté, en recourant aux mirages d'une symétrie rassurante, qui fait de l'inconnu le reflet inversé du connu » ; selon ce schéma, « toute différence porte opposition, toute opposition fait symétrie, toute symétrie vaut identité ».

Maladroitement, le procédé cherche à rendre manifeste l'intuition d'une unité plus profonde, voire cachée, derrière les antithèses et l'aperception d'une tension réconciliatrice des contraires. Aristote se trouve sans doute à la source de cette conception avec sa théorie du sublunaire, dont les quatre éléments constitutifs sont perpétuellement en guerre, tout en présentant une somme constante.

Le langage se révèle particulièrement inapte à exprimer

13. L'or tombe sous le fer, *Figures I*, Paris, 1966.

cette idée : le discursif obéit d'abord au principe de non-contradiction ; il s'énonce selon un procès logique et linéaire, qui semble exclure la dynamique du réel, par l'immobilisation dans des catégories analytiques[14]. Or l'intuition baroque dont il s'agit ici est d'ordre synthétique et elle renvoie encore à Héraclite : sa réflexion sur le mouvement inclut et unifie les contraires : « Ils ne comprennent pas comment ce qui lutte avec soi-même peut s'accorder : mouvements en sens contraire, comme pour l'arc et la lyre. » Ce fragment (51) insiste justement sur la difficulté de l'entreprise, qui va devenir le point ultime à atteindre pour l'écriture baroque : « Unir par la force du raisonnement deux contradictoires extrêmes, extrême preuve de subtilité » (Gracián, *Agudeza*, VIII).

La rhétorique traditionnelle offre cependant avec *l'oxymore* (ou antilogie) une figure qui réunit les deux membres de l'antithèse et soude, en une expression ramassée, deux sens apparemment incompatibles. Or, on ne peut qu'être frappé par l'abondance des cas où se rencontre ce procédé : la fréquence et la variété des contextes constituent autant de raisons pour ne pas se contenter de voir là une recette stéréotypée sentant l'artifice. Certes, il y a parfois jeu, comme dans cette évocation de la luciole par un mariniste italien (Guido Casoni) :

> éclair obscur qui luis
> et noire et lumineuse (Trad. J. Rousset)

mais l'oxymore demeure surtout l'indice d'un bouleversement profond ou d'un défi à l'intelligence, dans une situation extraordinaire : « Royal gredin ! Blanc démon ! » déclare le héros de Tourneur, pour mieux traduire son dégoût de la corruption du monde et des consciences. Comme « dans cette vie tout est vérité et tout est mensonge » (titre d'une pièce de Calderón), il ne faut pas s'étonner du grand nombre de ces figures de style dans les titres des œuvres dramatiques, puisque le théâtre

14. Voir J.-J. Wunenburger, Logique de la dualitude et dynamique des contraires, in *Etudes philosophiques*, n° 1, 1976, p. 29-47.

a été le genre le plus chéri des contemporains, grâce à son aptitude à représenter les problèmes du moment ; dans une étude consacrée au domaine français et à « La Dramaturgie de l'oxymore dans la comédie du premier XVIIe siècle », l'auteur[15] remarque que, « de 1603 à 1699, près de cinquante titres de ce type peuvent être dénombrés, des *Indifèles fidèles*, "fable bocagère" d'un anonyme, à la *Maladie sans maladie* de Dufresny, en passant par la *Fidèle Tromperie* de Gougenot (1633), *Les Fausses Vérités* de d'Ouville (1643), *La Folie du sage* de Tristan (1645), *Le Gardien de soi-même* de Scarron (1656), *Le Mort vivant* de Boursault (1662) et même *Le Bourgeois gentilhomme* de Molière ». Encore faut-il ajouter, pour donner plus de valeur à l'observation, que nombre de ces titres proviennent de l'espagnol, où l'on note un semblable engouement.

D'une manière générale, dans l'ensemble de la littérature baroque, le recours à l'oxymore s'observe dans trois domaines où se conjuguent le tragique et l'énigme. Pour évoquer Dieu, tout d'abord ; suivant en cela une tradition, inaugurée par le Pseudo-Denys, pour qui le Divin peut se dire soit par des équivalents, aisément perceptibles, mais inadéquats, soit par la *coïncidentia oppositorum* au sein de la Suressence : cette seconde voie sera suivie par les mystiques espagnols, pour tenter de rendre l'Ineffable, « à l'aide d'un non-savoir savant » (Jean de la Croix), ou par l'Anglais Robert Fludd, auteur d'une *Philosophia Mosaica*, dans laquelle Dieu apparaît comme synthèse des opposés, ténèbre incompréhensible *et* lumière de sagesse. Puis, pour rester dans une perspective religieuse, l'oxymore tente de représenter les contradictions de la nature de l'homme, partagé entre le corps et l'âme, grand et misérable à la fois, dont l'existence se réduit à un mélange d'horreur présente et d'espérance à venir : « O hommes... Que serez-vous, sinon des signes de mort, sinon des morts vivants et des vifs

15. G. Forestier, *Cahiers de Littérature du XVIIe siècle*, Université de Toulouse-Le Mirail, 1983, nº 5, p. 5-32.

mourants, des simulacres transis »[16] ! La même vision détermine l'impatience de Dieu chez le mystique : « O vie qu'on ne vit point ! O solitaire solitude ! Devrais-je, Seigneur, désirer de ne pas vous désirer ? O mon Dieu... vous tuez et on n'en est que plus vivant » (Thérèse d'Avila). La littérature baroque retrouve alors les accents du *Livre de Job*, pour montrer que l'existence réunit les contrastes les plus extrêmes ; sans cesse, revient l'image de l'homme *cadavre vivant*. L'oxymore, selon un schéma maintenant familier, traduit finalement le chaos du monde qui a pénétré dans l'homme, devenu la proie de ses passions et, en premier, de l'amour qui est dénoncé ainsi :

> Lynx aveugle, Argus enchaîné,
> vieillard à la mamelle et vieil enfant,
> ignorant lettré, nu cuirassé
> orateur muet, riche mendiant,
> bienheureuse erreur, douleur désirée, etc.[17].

Et, pour reprendre une expression du même texte, c'est le monde qui est perçu comme « paradis infernal, céleste enfer ». Il est significatif que l'utilisation de cette figure recoupe les principaux domaines caractéristiques de la sensibilité baroque : par elle s'exprime le tragique d'un moment de la civilisation européenne, pour qui la mort est un « heureux malheur » (Chassignet). Les choix opérés dans la rhétorique n'ont donc d'autre motivation que de manifester le désarroi général ; certaines figures mettent à rude épreuve les repères traditionnels de la pensée et son mode de fonctionnement : en fait, le mouvement vient des profondeurs et le langage lui-même est gagné par le bouleversement. Le discours, en tant que processus d'énonciation, n'échappe pas au doute : il ne se révèle pas plus fiable que la raison, « pot à deux anses qu'on peut saisir à gauche et à dextre » (Montaigne) ; le langage ne signifie plus : saisi par le vertige de l'ambiguïté, il devient objet de suspicion.

16. J.-P. Camus, *Homélies*, cité par J. Delumeau, *op. cit.*
17. Marino, l'*Adone*, strophe 173.

— *La crise du signifiant*

On ne contestera pas que certaines tendances de l'écriture ou le recours fréquent à tel ou tel procédé rhétorique obéissent parfois à une intention simplement ludique : il en va de même pour le goût très évident de la littérature baroque pour les calembours et autres formes de jeux de mots. Ils abondent dans l'œuvre de Shakespeare (on le lui a parfois reproché), comme dans celle de Quevedo (habile à exploiter la polysémie de certains mots et dont les trouvailles linguistiques sont l'effroi des traducteurs) ou de d'Aubigné ; la fureur vengeresse de ce dernier n'exclut pas le mauvais goût :

> Espagnol triomphant, Dieu vengeur à sa gloire
> Peindra de vers ton corps, de mes vers ta mémoire[18].

et même les à-peu-près : sur Coligny, « Amiral admirable », ou Ramus, « Rameau à la fertile branche ». Mais ce jeu ne saurait se comprendre isolément : il fait partie d'une opération beaucoup plus vaste de déstabilisation du langage, à la fois désirée et subie. Le même d'Aubigné se plaint (en toute bonne foi) de ceux qui polissent avec délectation « le discours équivoque et les mots homonymes »[19]. Un grand connaisseur de la littérature élisabéthaine comme Henri Fluchère[20] observe (malheureusement dans une petite note) : « après les jacobéens, le calembour n'a plus été utilisé que dans la comédie... Nous avons le tort de juger du calembour en fonction de ses emplois comiques ». Or, dans l'œuvre tragique qu'il étudie, si les calembours abondent, ce n'est pas seulement pour faire sourire, mais pour établir un parallélisme entre l'équivoque des termes et l'équivoque morale de ce monde corrompu. Semblable remarque pourrait être faite à propos de *Hamlet* : à la Cour, bénéficier des « faveurs » de la Fortune signifie se trouver « dans les parties secrètes de la Fortune. Oh ! rien de plus vrai : c'est une catin » (II, 2).

Gracián peut bien témoigner quelque dédain aristocratique

18. *Tragiques, Vengeances,* v. 865-866.
19. *Ibid., Fers,* v. 170.
20. Ed. bilingue de la *Tragédie du Vengeur,* p. 107.

à l'égard du calembour (« cette sorte de concept est tenue pour la plus populaire des pointes »), il lui consacre néanmoins un *Discours* (XXXII) de son traité ; pour lui, le constat essentiel — car, « si l'on y regarde bien, toutes les figures se servent de mots et de leurs significations » — demeure celui de la polysémie du signifiant : « un mot est comme une hydre vocale car, en plus de sa propre et directe signification, si on le coupe ou le renverse, de chaque syllabe renaît une subtilité ingénieuse et de chaque accent un concept » (*op. cit.*, XXXI). On devine l'importance de l'équivoque verbale pour le penseur du clair-obscur et du masque, quand les mots eux-mêmes se font apparence trompeuse et que l'ambiguïté du discours rejoint le dessein du Héros de se voiler lui-même, tout en se donnant à voir. « Et si vous êtes lubrique ne soyez pas rubrique », traduit joliment B. Pelegrin dans le *Manuel de poche*, donnant un exemple à la fois de jeu sur les mots et de jeu sur le paraître. Sous la plume de Gracián, l'art de l'équivoque devient une sorte de maîtrise de l'effet de lumière : « La délicate équivoque est comme une parole à deux tranchants et une signification à deux lumières » (*op. cit.*, XXXIII). Logiquement donc, un expert en « mise en scène » comme Richard III se révélera jongleur redoutable avec les mots : ce faisant, il participe de la même entreprise de truquage.

Pour se cantonner dans les généralités sans illustrations précises, puisque, par définition, de telles figures de rhétorique ne sauraient que très rarement franchir indemnes l'épreuve de la traduction, l'écriture baroque manifeste sa fascination de l'ambiguïté par son attention à l'homophonie, sensible dans les nombreux exemples de *paronomase*, d'*annomination* et d'*antanaclase*. Parler de crise du langage, n'est pas excessif, dans la mesure où le mot perd sa fonction de signifiant : le signe linguistique en vient à n'être plus considéré que dans sa matérialité, comme un simple ensemble phonique. La tendance est perceptible dans l'œuvre de d'Aubigné, qui se laisse aller à écrire :

> Tu devais à ces trois la vie aux trois ravie

ou :

> Si ton sens ne sentait, le sang devait sentir[21].

Le poète, on le sait, était particulièrement sensible à la valeur musicale des mots : ses *Psaumes* en vers mesurés en témoignent, qui reprennent la tentative de Baïf et de son Académie de musique, faite au cours des années 1570. Le problème de la liaison entre la musique et la poésie a hanté tout le XVIe siècle européen, autour de Ronsard, Shakespeare et Góngora. La langue française, qui ne peut jouer sur l'accent tonique, comme l'anglais et l'espagnol, reste en retrait ; néanmoins, la tentation de laisser le son l'emporter sur le sens est souvent perceptible :

> Figure après figure, en sorte qu'une face
> S'efface par le trait qu'une autre face efface[22].

Déjà, en 1583, les *Bigarrures* d'Etienne Tabourot supposaient une étrange fascination pour toutes les formes connues de jeux avec les mots, depuis le rébus jusqu'au calligramme. En Italie, Leporeo, dépassant le goût pour l'allitération et le calembour, divise le vers en trois et accumule les rimes dans ces *Leporeambi* auxquels il donne son nom ; la primauté accordée à la sonorité lui fait composer de véritables « puzzles » verbaux.

Le théâtre baroque utilise une autre possibilité — beaucoup plus spectaculaire, par définition — de dénoncer la fausse univocité du langage : certaines scènes prouvent que le message linguistique est ambigu, relatif à celui qui l'écoute, que le mot se prête à toutes les combinaisons, volontaires et involontaires : du chaos sonore à la lecture unique, les occasions d'erreur sont multiples. Un épisode typique, et relativement fréquent dans l'ensemble de la littérature dramatique, consiste à représenter un cas de double lecture du message entendu ou de langage dans le langage. Dans *Le Secret à haute voix* de Calderón, les mots utilisés signifient doublement : à

21. *Tragiques, Vengeances*, v. 526 et 532.
22. Du Bartas, *Première Semaine*, second jour, v. 225-226.

l'intérieur des phrases un second code permet le décryptage de ce qui forme un véritable message secret, reposant sur un nouvel ordre des termes ; par le moyen d'un dialogue, apparemment innocent, des amants traqués peuvent communiquer... en présence du Père et d'une duchesse susceptible et jalouse. Les exemples ne manquent pas dans l'œuvre de ce dramaturge comme dans celle de Tirso *(Amar por arte mayor)*. En France, *La Veuve* de Corneille présente un certain nombre de scènes dont le sens réel est différent de ce que l'on entend : l'auteur s'est « proposé d'y peindre un amour réciproque qui parût dans les entretiens de deux personnes qui ne parlent point d'amour ensemble et de mettre des compliments d'amour suivis entre deux gens qui n'en ont point du tout l'un pour l'autre... » (Au lecteur). Avant, en Angleterre, Shakespeare avait jeté le soupçon sur le langage, soit dans une perspective comique, lorsqu'un personnage s'adresse à un autre travesti, qu'il ne reconnaît pas et qu'il prie de jouer... son propre rôle (Orlando et Rosalinde, dans *Comme il vous plaira*, IV, I), soit sur le mode tragique : Iago fait parler Cassio de sa maîtresse Bianca, tandis qu'Othello, de loin, se persuade que tout ce qu'il entend se rapporte à Desdémone (*Othello*, IV, I) ; dans les deux cas, il n'est pas une phrase qui ait le même sens pour chacun des protagonistes pris isolément.

Pour rester dans le domaine de l'écriture dramatique, on y rencontre deux catégories de personnages qui ont, en quelque sorte, pour fonction de semer le désordre au sein du langage, non plus en jouant sur les mots, mais en les détruisant par maladresse (le paysan) ou par calcul (le fou). Les *catachrèses* et autres barbarismes commencent par faire rire, puis amènent l'auditeur à prendre conscience de l'arbitraire du signe linguistique et de sa fragilité, puisque l'oubli d'une forme grammaticale ou le glissement d'une syllabe engendrent le non-sens ou un autre sens, indépendants de la volonté du locuteur. Le théâtre élisabéthain offre quelques scènes savoureuses où intervient un balourd, qui accumule les *malaproprisms* ; dans l'œuvre de Shakespeare, par exemple, le spectateur garde le souvenir des entrées spectaculaires et sonores de Dull *(Peines d'amour perdues)* ou des confrontations entre Dogberry et Vergès (qualifiés, par la liste des personnages, d' « officiers municipaux imbéciles ») et, d'autre part, Borachio et Conrad (*Beaucoup de bruit pour rien*, III, 3). En Espagne, l'intérêt suscité par le paysan, qui écorche la langue de la Cour, était tel, au Siècle d'Or, que fut créé un patois, purement conventionnel, à des fins littéraires seulement, truffé d'archaïsmes et de déformations dites rustiques : le *sayaguès*. Déjà, don Quichotte essayait, avec plus ou moins de patience, de corriger les fautes de langage de Sancho et, sur la scène, les bergers de Tirso ressembleront fort aux paysans ridicules de Calderón.

Le fou opère le même travail sur le langage, mais volontairement, cette fois ; le bouffon Feste, dans le *Soir des rois*, se présente d'une façon qui conviendrait à tous ses émules, aussi bien en Angleterre qu'en Espagne (le gracioso) : placé auprès d'une grande dame, il déclare : « je ne suis que son corrupteur de mots » et remarque que sa tâche s'avère d'autant plus aisée que le langage se révèle plus fragile : « une phrase n'est qu'un gant de chevreau pour un bel esprit : comme on l'a vite retournée sens dessus dessous ! [...] et les paroles sont devenues tellement fausses que je répugne à les employer pour raisonner » (III, 1).

La perte de confiance dans les instruments, pourtant consacrés par l'usage, les conventions et la tradition, renvoie encore une fois à l'identification du « moment baroque » avec l'ère du soupçon. Après les mots, c'est la syntaxe même qui éclate, parce qu'elle est perçue comme inadéquate, lorsqu'il s'agit de rendre la nouvelle expérience du monde. En ce sens, la tentative de Góngora est très révélatrice : ceux qui parlent d'obscurité à propos de ce poète se trompent ; la difficulté n'est pas une fin en soi, mais plutôt la conséquence d'une volonté — très moderne — qui consisterait à rendre le pouvoir aux mots isolés. Aussi Borgès déclare-t-il : « Góngora, je crois, a été le premier à estimer qu'un livre important peut se passer d'un sujet important : la vague histoire racontée dans les *Soledades* est délibérément insignifiante. » La succession des termes restitue la seule vision irréfutable de ce qui nous entoure : ce qui défile devant nos yeux, la fragmentation des perceptions au sein de la conscience, le chatoiement de la dure *surface* brillante des choses. D'où l'importance de l'incertain, du flou, de l'indécis, de l'aboli dans le poème, en même temps que la structure de la phrase se calque, d'une certaine manière, sur le latin : hyperbates, allongements de la syntaxe, qui suit le surgissement des images, prolifération des appositions, parenthèses, inversions et post-positions, règne de la métaphore, qui ne nomme pas, mais renvoie à une autre réalité artificielle, *i.e.* intellectualisée et séparée du réel. L'œuvre du cordouan revêt ainsi une importance considérable ; on se bornera à citer deux courts passages, qui pourraient fort bien résumer la poétique de leur auteur, en raison de leur exemplarité :

> Les prend au dépourvu rauque trompe sonore,
> Qui lointaine d'abord,
> se fait voisine et demeure incertaine.

Sinuosité et impressionnisme ici ; esquisse d'un art poétique là :

> Pas d'un pèlerin ce sont errant
> autant que me dicta, vers, douce muse
> en solitude confuse
> perdus les uns, les autres inspirés[23].

La dissolution du langage vient donc en écho de la dissolution du monde pour la conscience. En un second temps, le mot lui-même n'échappe pas à cette inquiète remise en question : dans sa *Pragmatique de 1600*, Quevedo bannit les images fanées et les mots usés. Pour lui, ces expressions, reprises mécaniquement, sont des *bordoncillos* (rengaines) ; s'il recherche la vraie valeur sous l'habitude, il retrouve alors son obsession favorite : partir à la découverte de la réalité, derrière l'apparence décevante ; les lieux communs lui semblent couverts d'oripeaux, comme ces duègnes fardées qu'il ne cessera jamais d'accabler. Il est frappant de constater

23. Fragment inachevé de la *Seconde Solitude* (trad. P. Darmangeat), puis *Au duc de Bejar*, première strophe.

que ce souci de la réalité verbale se rencontre à travers l'Europe littéraire et se traduit, au sein des différents courants nationaux, par une tension nouvelle de l'écriture, qui fait porter toute l'attention sur le concept ainsi créé et l'artifice, plutôt que sur la chose signifiée. Le signifiant a perdu son innocence, non pas pour reconquérir une transparence passée, mais pour devenir ce qu'il est, à savoir un signe arbitraire et différentiel, donc qui se définit par le rapport qu'il entretient avec tous les autres. C'est ce rapport qui retient l'attention de l'époque baroque.

Toutes les littératures européennes ont *en même temps* cultivé une figure du style poétique que l'on appellera *concept* pour simplifier, et dont le fonctionnement est identique, derrière le nom variable selon les langues nationales. Il s'agit, à chaque fois, par-delà la simple recherche de l'effet de surprise, du choc de deux notions, artificiellement réunies, de telle sorte que le concept, ainsi créé au sein du discours et qui n'a d'être que par les mots, étant dépourvu de référent, montre bien que le travail du signifiant l'a emporté sur le signifié. En Espagne, l'*agudeza* bénéficie de la réflexion théorique de Gracián, dans ce traité déjà souvent cité *(Agudeza y Arte del ingenio)*, qui, non seulement présente de nombreux exemples, tirés (dans une perspective comparatiste très moderne) de différentes littératures, mais encore une tentative de classification et, surtout, une définition du mécanisme de l'acuité : « Cet artifice conceptueux consiste donc en une élégante concordance, en une harmonieuse corrélation entre deux ou trois extrêmes connaissables, exprimée par un acte de l'entendement » (II).

Les historiens de la littérature se plaisent à rappeler la dette (possible) de Gracián à l'égard de l'ouvrage de Matteo Pellegrini, *Delle Acutezze*, paru en 1639. Peut-être conviendrait-il de remonter un peu plus haut dans le temps, pour mieux mettre en valeur la communauté de l'approche, dans l'étude du nouveau langage poétique, en Italie et en Espagne. Un Francesco Patrizi, dans sa *Poetica* (1586-1588), ne voit plus l'élément poétique dans l'imitation du réel (à la manière des aristotéliciens), mais dans sa déformation artistique et volontaire ; d'où une esthétique qui privilégie la nouveauté et l'étonnement : « ce *mirabile* s'obtient, selon lui, en opérant le rapprochement de mots et d'images logiquement incompatibles et en introduisant l'impossible sous les dehors de la vraisemblance et de la cohérence, à travers un réseau indéfiniment riche et complexe de combinaisons iconologiques, conceptuelles et verbales »[24]. A la fin de la floraison poétique baroque en Italie, Emmanuele Tesauro, en 1654, fait l'éloge de l'*arguzia* ou *acutezza*, discours figuré, qu'il qualifie, en latin, de *cavillatio urbana* (subtilité raffinée) : « l'aspect le plus original de ce nouveau langage poétique réside dans le fait qu'au lieu de "revêtir les concepts de paroles, il revêt les paroles elles-mêmes de concepts", bouleversant le rapport habituel entre signifiant et signifié »[25].

La France n'offre pas d'œuvre théorique comparable ; les « doctes » militaient au contraire pour un retour à la simplicité et condamnaient les outrances, bonnes pour les Italiens et les Espagnols ; Malherbe, au nom de la clarté, admet la comparaison, si elle est vraiment expressive, sinon « elle ne vaut pas un potiron ». Seul, Cyrano, dans ses *Entretiens pointus*, veut faire subir au langage les derniers outrages du jeu et de la dislocation, au moyen de *pointes* sur les mots, par équivoques et recours à la double signification : les exemples qu'il donne sont, hélas ! peu nombreux et de portée limitée (« il faisait bon offenser le pape, vu qu'il avait beaucoup d'indulgence »). Pour ses contemporains, il est un « extravagant », dont le goût n'a pas su évoluer depuis Tristan, Théophile et Saint-Amant ; pour nous, il témoigne d'une direction abandonnée par la poésie française, mais vivace aux alentours de 1620-1630 : « La Pointe n'est pas d'accord avec la raison : c'est l'agréable jeu de l'esprit, et merveilleux en ce point qu'il réduit toutes choses sur le pied nécessaire à ses agréments, *sans avoir égard à*

24. M.-F. Tristan-Baron, in *Littérature italienne*, sous la dir. de C. Bec, Paris, 1982, p. 192.
25. *Ibid.*, p. 195.

leur propre substance [...] pourvu qu'elles brillent, il n'importe... »[26]. La pointe se nomme en Angleterre *conceit* (de l'italien *concetto*) ; fort appréciée des poètes « métaphysiques » et de Donne le premier, elle est analysée de manière critique par S. Johnson, selon des critères qui ne sont pas sans rappeler ceux des « pédants » du XVIIe siècle français, mais ses formules sont justes : le *conceit* lui apparaît comme « *discordia concors* ; une combinaison d'images dissemblables ou une découverte de ressemblances occultes dans des choses apparemment différentes »*, par le moyen desquelles « les idées les plus hétérogènes sont assujetties ensemble avec violence ».

Une telle victoire sur l'hétérogène n'est possible que grâce à la rhétorique : l'alliance n'existe qu'au niveau verbal. On assiste ainsi à une sorte de retournement, bien caractéristique du baroque : ce n'est plus la réalité qui importe, mais la technique (l'artifice), par laquelle on en rend compte. La rhétorique, à la limite, n'est plus art de parler, mais science et même matière. Le succès de la technique des lieux communs, issue des Sophistes, montre que le travail s'effectue désormais moins sur le thème que sur les variations et leur mise en valeur. Cyrano reconnaît n'avoir « voulu que se divertir » et Mersenne, en une comparaison frappante, réduit la poésie à un jeu sur les signes, sans lien que de convention avec les choses signifiées : « Je sais que les poètes prennent beaucoup de licences avec leurs figures, transpositions et métaphores, mais comme nous savons leurs coutumes et leur dessein qui est d'enrichir leur sujet de diverses inventions, et de relever leur style, cela importe peu, aussi bien que la façon des Astronomes qui donnent les noms de certains animaux terrestres aux constellations, par imitation, analogie ou autre raison... »[27]. Ce qui revient à dire que le nom, pour ingénieux qu'il fût, n'avait rien à voir avec la réalité astronomique considérée.

La découverte de l'autonomie du signe linguistique dans l'écriture poétique ne pouvait se limiter au seul mécanisme du

26. Préface des *Entretiens pointus* (c'est nous qui soulignons).
27. Cité par F. Hallyn, *op. cit.*, p. 219.

concept : un dernier état de la crise du langage est atteint, lorsque le verbe se révèle créateur, comme si le signifiant, devenu cause absolue, engendrait, par une folle et scandaleuse liberté, ses référents, qui s'imposaient avec autant (et peut-être plus) de force que le réel. L'époque baroque coïncide avec une extrême codification des registres : galant, héroïque ou courtisan. Dès lors, ressurgit le problème antérieur : ce qui n'existe que par le discours a-t-il encore une réalité ? ou, inversement, suffit-il de feindre, par l'emploi du langage approprié, pour être ? Ces questions renvoient au donjuanisme : le séducteur est le maître du discours, sa rhétorique est enflammée et convaincante et l'on aperçoit le peu de distance qui le sépare de l'hypocrite et de l'acteur, comme l'a montré Molière. Tirso fait soupirer une des victimes du Burlador : « Je ne sais quoi te dire : tes vérités se couvrent de mensonges si éloquents ! » (III, 255 et s.). Dorante[28] se forge un passé : tout ce qu'il dit de lui-même n'existe que par ses discours, admirablement improvisés, mais, en retour, ce menteur se doit de tenter de se conformer à son personnage fictif. Les œuvres contemporaines fourmillent de caractères qui n'ont d'être que dans et par le langage : Matamore s'invente une vie galante et guerrière à partir des métaphores à la mode, qu'il prend alors au pied de la lettre : exemple extrême où le figuré se métamorphose en concret :

> La foudre est mon canon, les Destins mes soldats :
> Je couche d'un revers mille ennemis à bas.
> D'un souffle je réduis leurs projets en fumée.

Quant à Clindor, le valet *porte-parole* des amours de son maître, son existence se réduit à un catalogue de métiers, centrés sur le langage (voir le récit très picaresque de la scène 3 de l'acte Ier) ; il finira donc acteur, en toute bonne logique, c'est-à-dire créateur, dans l'éphémère, d'un monde de fiction, par les prestiges de la parole :

> Leurs vers font leurs combats, leur mort suit leurs paroles[29].

28. *Le Menteur.*
29. *L'Illusion comique*, v. 238-240 et 1621.

Dans la même perspective, Quevedo, dans *Les Dessous et les Dehors du monde*, s'est acharné à dénoncer la facticité des termes du langage quotidien, qui visent à recouvrir de faux-semblants la réalité sociale : « Tout n'est que poudre aux yeux. [...] Le savetier s'appelle chausseur ; le fabricant d'outres tailleur de vin, parce qu'il habille ; le muletier gentilhomme des grands chemins... » (*op. cit.*, p. 220). La dénonciation du beau parler des courtisans suit une démarche identique : Hamlet s'agace de la fatuité et de la vacuité d'Osric et Quevedo a l'idée de faire défiler, dans son enfer, une galerie de personnages, qui correspondent aux expressions les plus rebattues du langage courant ; ce qui n'est que cliché donne ainsi une sorte de vie à des êtres de langage, tels que *M. de La Palice* (Pero Grullo), *l'Autre* (toujours présent dans « comme dit l'autre »), *Alavavite*, *Atortetàtravers*, etc.

En un sens, d'ailleurs, la vogue du burlesque et du genre héroï-comique, à l'époque baroque, pourrait s'expliquer par un jeu portant sur le signifiant et à son inadéquation par rapport au signifié, quand le registre noble ne renvoie qu'à une réalité ignoble ou, inversement, quand le sujet, consacré par l'Antiquité et l'épopée, est travesti par le langage le plus familier et le plus bas. Dérision à l'égard de la mythologie, pourtant chère à la culture contemporaine, comme s'il s'agissait de mettre en évidence l'écart entre le discours des élites et une réalité, ignorée volontairement par l'art ? Ce n'est pas impossible, si l'on songe que la mode du burlesque en France, née du *Virgile travesti*, inversée dans le style, par moment épique, du *Roman comique*, fut aussi considérable que brève (une dizaine d'années à partir de 1643), mais qu'elle fut partagée par d'autres pays. L'Italie, qui goûtait fort les épopées chevaleresques, s'en moqua ; déjà Bruno, dans *L'Expulsion de la bête triomphante*, avait présenté un Olympe burlesque : le tableau fait songer à celui tracé par Quevedo dans *L'Heure de tous*, mais, à y bien penser, c'est toute l'aventure de Don Quichotte qui fonctionne à la manière de l'héroï-comique, de par la volonté du héros d'interpréter ce qui lui arrive dans les termes caractéristiques du roman de chevalerie, en dépit d'un réel parfois sordide.

Revenir ici à l'œuvre essentielle de Cervantès n'est pas dû au hasard ; en elle se marque la rupture avec un monde de la transparence et de l'adéquation des signes et des choses : « Les choses demeurent obstinément dans leur identité ironique : elles ne sont plus que ce qu'elles sont ; les mots errent à l'aventure, sans contenu, sans ressemblance pour les remplir »[30]. Cervantès a composé des œuvres où surgissait l'angoissante question de la relation de la littérature avec la réalité *(Don Quichotte)* et de la puissance créatrice de la fiction *(Le Retable des merveilles)*. Où est le réel : dans un discours doué de la redoutable et étrange puissance de stabiliser et d'ordonner, selon des catégories ou même une idéologie ? Ou bien dans un chaos insaisissable, en proie à une constante métamorphose ?

— *En guise de conclusion*

Ces deux esquisses de réponse permettent de rendre compte des deux tendances, apparemment inconciliables, de l'écriture baroque. D'une part, l'artificialité elliptique et la concentration de l'expression, qui tentent de donner un ordre ou d'imposer une forme au monde ; de l'autre, l'abondance et l'accumulation hyperbolique d'une apparence séductrice. Coexistence contradictoire (encore une fois !) d'un ordre, qui se constitue dans la précarité de l'écriture, et de la métamorphose — et même de l'anamorphose.

Une rapide évocation des principales « écoles » littéraires nationales en Europe semble pouvoir confirmer ce schéma. D'une manière générale, on assiste, dans tous les pays, à une polémique autour des styles à la mode, qui témoigne que l'importance de l'enjeu était perçue par tous. En France, la prose des romanciers Nervèze et des Escuteaux, la « querelle de la métaphore », puis les préoccupations des précieuses en sont une preuve ; encore faut-il ne pas assimiler complète-

30. M. Foucault, *Les Mots et les Choses*, Paris, 1966, p. 61.

ment, comme semble le faire A. Adam[31], baroque et préciosité, mais plutôt se rappeler les ambiguïtés de ce dernier mouvement, proprement français, qui a préparé de nombreux aspects du « classicisme »[32]. Les poètes baroques sont des indépendants et des personnalités ; notre pays n'a pas eu d'école constituée, à la différence de ce qui se produisit dans le reste de l'Europe. En Italie, au contraire, on peut parler de *marinisme* : un mouvement nettement discernable (contre lequel s'est construite l'*Arcadie*) et qui se caractérise clairement par la rhétorique de la *meraviglia*, sorte de conceptisme précieux, tout autant que par une poétique de l'énumération, qui paraît se complaire dans la description fastueuse et l'inépuisable jaillissement des images. L'Angleterre élisabéthaine, quant à elle, a longtemps bénéficié de *l'euphuisme* (John Lyly), qui a fortement marqué la poésie et le théâtre de Cour, ainsi que les comédies shakespeariennes ; puis, à l'époque jacobéenne, on a vu apparaître les poètes « métaphysiques », dont il a été abondamment parlé. Il reste qu'avec l'Espagne on dispose, sans doute, du meilleur exemple, avec ces deux « écoles » poétiques : le *cultéranisme* et le *conceptisme*. Toutes deux sont caractéristiques de l'écriture baroque ; pourtant, elles s'opposèrent vigoureusement, si l'on en juge par la violence des pamphlets échangés. Cependant, à distance, le partage entre les deux courants s'avère bien difficile à réaliser de manière convaincante, tant il est vrai que ces deux modalités de l'écriture correspondaient à une même vision : un écrivain comme Calderón peut se rattacher aussi bien à l'une qu'à l'autre. Góngora est le grand représentant du cultéranisme : goût pour la métaphore et ses développements, érudition, difficulté voulue, néologismes empruntés au latin, s'opposent (théoriquement) aux choix conceptistes d'un Quevedo : l'extrême concision, l'équivoque, la recherche de la pointe, la prédilec-

31. Dans son *Histoire de la littérature française au XVIIe siècle*, t. II, cf. note 1 de la p. 26.
32. Voir R. Lathuillère, *La Préciosité*, thèse, Droz, 1966.

tion pour les figures qui expriment la correspondance, la connexion ou la ressemblance (catachrèse). L'hostilité entre les deux tendances devait beaucoup à l'animosité qui séparait Góngora et Quevedo ; dans leurs œuvres s'expriment clairement, en fait, les deux aspects du style poétique baroque : l'abondance anarchique des sensations et des images, en face de la construction conceptuelle. Pour simplifier à l'extrême, le conceptisme, en termes de rhétorique classique, relevait des figures de pensée, le cultéranisme des figures de mots.

Nulle complaisance, nulle gratuité dans ces choix, surtout si l'on veut bien se souvenir qu'en psychologie la prolifération formelle est interprétée comme l'indice d'une couverture ou d'une défense dans la manifestation d'une anxiété... La crise du langage contribue à renforcer le tragique de l'époque baroque ; à cette crise Shakespeare a consacré, non sans ironie, une pièce entière, souvent mal comprise de nos jours : *Peines d'amour perdues*. Significativement, on y rencontre les *malaproprisms* de Dull, la poésie précieuse de Cour, avec les œuvres galantes dues aux amis qui entourent le roi de Navarre, le pédantisme ridicule du magister Holopherne, les acrobaties verbales d'Armado, « un Espagnol qui réside ici à la cour, un grotesque... » et les railleries bouffonnes du page Phalène. Or, tous les personnages de cette comédie sans intrigue vivent une expérience essentielle, sous l'apparence du dérisoire : l'inflation linguistique, devenue tellement considérable qu'elle détourne de la nature, des sentiments vrais et de la lucidité sur soi : plutôt que de dire, on préfère faire porter ses efforts sur la manière de dire. Biron finira par tirer ainsi la leçon de son aventure galante, mais de portée évidemment symbolique : « Phrases de taffetas, termes précieusement soyeux, hyperboles à trois poils, affectations raffinées, figures pédantesques, toutes ces mouches qui me piquaient m'ont boursouflé de leurs malsaines ampoules. Je les honnis pour jamais ; et j'en jure par ce gant blanc (Dieu sait combien plus blanche est la main !), désormais les sentiments de mon cœur seront exprimés par un simple *oui* de bure ou un honnête *non* de serge. Et pour commencer, fillette, que Dieu m'assiste ! là, j'ai pour toi un amour bien trempé... » (V, 2, v. 406 et s.).

Reste à savoir si une telle résolution était alors susceptible de passer dans les faits, étant donné l'impasse de la connaissance. D'ailleurs, le poète baroque pouvait-il même le souhaiter, tandis qu'il croyait rivaliser avec Dieu, en une sorte de seconde création, puisque les combinaisons et les correspondances dans la nature font admirer l'esprit divin et que celles mises à jour par le discours font admirer l'esprit humain ? « De même que Dieu, à partir de ce qui n'est pas, produit ce qui est, de même l'esprit, à partir du non-être, engendre l'être » (Tesauro).

CHAPITRE II

Les genres littéraires

Peut-être y a-t-il quelque paradoxe à parler de « genres » ; voilà, en effet, un terme qui implique des normes et une poétique, constituée et universellement admise, alors que l'on n'a cessé de constater l'incertitude intellectuelle, la crise du langage et la remise en cause de toutes les traditions. Il ne faut pas oublier, cependant, qu'une situation instable constitue un encouragement aux expérimentations les plus diverses, tandis que le (relatif) mépris des règles de l'art permet une nouvelle liberté au sein des formes consacrées. En fait, la période baroque se révèle très riche du point de vue littéraire, puisque de réelles inventions apparaissent, en même temps que des genres anciens connaissent un essor étonnant. Mais l'ancien, comme le nouveau, correspond à un besoin profond, celui de tenter une représentation de cette vision du monde, dont on a essayé, précédemment, de dégager les caractéristiques. Les formes baroques seront donc *ouvertes*, susceptibles d'accueillir une vérité qui se cherche, de rendre les efforts de l'âme pour traduire la profusion du monde ou l'ineffable divin, d'assurer l'expression simultanée d'idéologies contradictoires et de respecter le naturel des passions, douloureuses, triomphantes et vengeresses, qui se donnent alors libre cours. Plutôt que dresser un inventaire, il s'agit de mettre à jour la *logique* d'un développement.

I. FORMES DE L'ERRANCE ET DE LA QUÊTE : À LA RECHERCHE DE L'IDENTITÉ PERDUE

La crise de la connaissance et les hésitations de la conscience européenne favorisent le recours à des schémas éloignés de l'affirmation : tout ce qui peut exprimer la recherche et l'expérimentation, parfois sous sa forme la plus empirique. On assiste alors aux tâtonnements d'un esprit qui découvre le monde, tandis que l'écrivain lui-même s'essaie à prospecter des voies nouvelles : rien n'est plus significatif, de ce dernier point de vue, que de parcourir les avatars du roman en France, durant la première moitié du XVIIe siècle : du *Francion* au *Roman comique*, sans oublier les *Histoires tragiques de notre temps*, autant d'expériences qui manifestent une liberté étonnante, que la littérature ne connaîtra plus avant la seconde moitié du XVIIIe siècle. La forme narrative qui domine est l'errance ; le parcours géographique renvoyant, évidemment, de manière allégorique à un itinéraire intellectuel, voire spirituel, mais toujours à l'échelle de l'individu, abandonné à lui-même. Lorsque la lassitude de cette quête, sans fin ni finalité *a priori*, saisit la conscience, elle se réfugie hors de la réalité, dans l'heureuse et artificielle Arcadie de la pastorale, par laquelle une culture rêve sa réalisation, à l'abri des contingences d'une existence décidément décevante et cruelle.

— *La nostalgie des valeurs*

Un premier remède, un réflexe plus qu'une solution authentique, consiste à idéaliser le passé et ses certitudes perdues. La vogue des *romans de chevalerie*, tout au long du XVIe siècle, jusqu'au milieu du siècle suivant, témoigne du regret d'un monde, que l'Europe imagine fidèle à ses valeurs féodales et exempt du doute, quand triomphaient le courage, la piété, l'amour courtois et l'esprit de croisade. Ce dernier n'a pas encore disparu, ainsi que le prouvent les débarquements espagnols en Afrique du Nord et la célèbre bataille de

Lépante (1571), à laquelle participa Cervantès. Les exploits des conquistadors rappelaient que la prouesse individuelle pouvait modifier le cours de l'histoire. Si des esprits aussi différents que Charles Quint, Ignace de Loyola et Thérèse d'Avila ont vibré à la lecture des exploits des chevaliers errants, c'est parce qu'ils y trouvaient comme une représentation de leurs propres désirs.

Très vite, dès le deuxième tiers du XVIe siècle, l'enthousiasme va laisser sa place à la nostalgie, puis à l'ironie. Montaigne, par deux fois, déclare son agacement devant de tels livres (*Essais*, I, 26 et II, 10). Les censeurs religieux les accusent d'immoralité ; leur merveilleux choque le sens grandissant de la vraisemblance ; prophétiquement, le Roland de l'*Arioste* avait jeté, bien loin dans la mer, l'arme à feu qui allait priver l'aristocratie guerrière de sa suprématie et bientôt de sa raison d'être ; plus grave encore, la féodalité se trouve dépassée par les exigences nouvelles du pouvoir royal et de l'Etat centralisateur, en même temps que par la montée des valeurs bourgeoises (le mercantilisme). Pourtant, les *Amadis* et les *Palmerin* seront régulièrement réédités, en France comme en Espagne, jusque vers 1630 ou 1640 ; les épopées chevaleresques fourniront de nombreux arguments aux fastueuses fêtes de Cour de l'ère baroque (jusqu'aux « Fêtes de l'Ile enchantée » à Versailles), ainsi qu'à la naissante tragicomédie (cf. la *Bradamante* de Garnier).

Non seulement on goûtera longtemps les modèles du début du XVIe siècle, mais la littérature baroque voit s'épanouir de véritables œuvres d'inspiration épique et chevaleresque : en Angleterre, *La Reine des fées* de Spenser ; en Italie, *La Jérusalem délivrée* du Tasse ; en Espagne, les tentatives de Lope de Vega, plus qu' « inspirées » des modèles italiens *(La Hermosura de Angélica* ou *La Jerusalén conquistada)* ; en France, les laborieux plagiats de Gilbert Saulnier. Néanmoins, l'impossible retour aux valeurs et aux formes littéraires du passé apparaît clairement : le moule chevaleresque éclate, pour accueillir des types d'écriture très divers et en rapport avec les préoccupations du moment. On sait jusqu'où alla chez le Tasse la hantise d'avoir trop cédé à une matière extra-chevaleresque : le personnage principal de sa grande œuvre n'est pas Bouillon, mais Armide, la très baroque magicienne, avatar de Circé, ce qui prouve bien la caducité du genre. Spenser le fait revivre habilement, en s'éloignant des exemples médiévaux : ses héros deviennent des modèles de bonnes manières, qui doivent plus au *Courtisan* de Castiglione ou au proche exemple de Sir Philip Sidney qu'à Lancelot ou au Beau Ténébreux (Amadis) ; bien plus, *La Reine des fées* s'ouvre à d'autres perspectives, comme si cette forme désuète portait en son sein les embryons de futures expériences littéraires. En préambule au livre I, l'auteur clame une ambition très classique :

> [...] chanter les hauts faits de chevaliers et de dames,
> combats violents et fidèles amours fourniront la morale de mon chant

mais l'histoire de l'Ecuyer des Dames, « cherchant en vain autant de dames chastes qu'il en est d'impudiques », celle de Sire Calidore et des séductions de la vie pastorale (livre VI) ou le récit mythologique des créatures de la mer (III, 4), qui s'oppose à l'atmosphère mystique entourant le personnage d'Una, indiquent autant de directions que développera la littérature contemporaine. Le roman épico-chevaleresque n'apparaît plus que comme une forme prétexte, qui laisse à l'écrivain une grande liberté dans le choix des sujets et des registres. En France, par exemple, tandis que, « de 1625 à 1640, on assiste à une renaissance du roman d'aventures, marquée par le retour aux *Amadis* »[1], on peut voir dans le roman héroïque (Gomberville, La Calprenède et Madeleine de Scudéry) une métamorphose du genre épique, qui accorde la première place à la courtoisie, à la galanterie et au romanesque.

Le décalage croissant avec les valeurs des Amadis et autres Palmerin engendra l'ironie, voire la dérision grinçante.

1. M. Lever, *Le Roman français au XVIIe siècle*, Paris, 1981, p. 103.

Don Quichotte porta le coup décisif, d'autant plus que le livre ne fut que partiellement compris : les contemporains n'en ont retenu que le côté satirique et parodique. Le succès, on ne saurait trop le rappeler, fut considérable, non seulement en Espagne, mais en France, où les traductions commencèrent à paraître dès 1614 (César Oudin) et connurent de nombreuses rééditions, et en Angleterre, dès 1612 (Thomas Shelton). Chronologiquement, l'engouement pour le burlesque correspond aux derniers temps de l'épico-chevaleresque : le mérite n'en revient pas au seul Scarron, avec son *Virgile travesti* ; Lope de Vega, dont on a vu les tentatives « sérieuses », écrivit une *Gatomaquia* (combat des chats) en 1634 ; il avait été précédé dans cette voie aimablement sacrilège par José de Villaviciosa et son poème de la *Mosquea* (1615), qui narre les hauts faits de la lutte des fourmis et des mouches. Quant à la terre d'origine de Boiardo, de Pulci, de l'Arioste et du Tasse, elle voit aussi paraître des œuvres burlesques et héroï-comiques (cf. le chap. précédent). Sacrifier au burlesque n'est pas sans ambiguïté : il y a là comme une sorte d'autocritique à l'égard d'une tendance non encore surmontée et Cervantès n'est pas le seul à aimer ce qu'il dénonce...

Un même mouvement nostalgique, pour retrouver des valeurs refusées par la réalité, est à la source de l'engouement européen pour la *pastorale* à l'époque baroque. Là encore, on observe la continuité d'une forme chère à la Renaissance ; à la fin du XVIe siècle, la pastorale envahit le roman, le théâtre et la poésie : à proprement parler, il ne s'agit donc pas d'un genre. Partie d'Italie, grâce à Sannazar, elle gagne l'Espagne de Montemayor (*La Diana*, 1558), puis s'épanouit au théâtre, à nouveau en Italie, avec l'*Aminta* du Tasse (1573) et le *Pastor Fido* de Guarini. La France n'est pas épargnée, aussi bien dans le domaine romanesque (l'*Astrée*), qu'au théâtre (cf. Racan et Mairet) ; en Angleterre, Spenser fait œuvre de pionnier (*The Shepherd's Calendar*, 1579), précédant l'*Arcadia* de Sidney et l'invasion théâtrale, directe (Fletcher et même Milton) ou indirecte (Shakespeare, *Comme il vous plaira*).

L'esprit de la pastorale renvoie sans cesse à l'éthique et à l'art de vivre aristocratiques ; plus subtilement, ainsi que le remarque M. Lever[2], « la pastorale exalte les valeurs aristocratiques, tout en simulant leur dénégation ». Les personnages ne sont que des oisifs distingués, dont la seule préoccupation est l'amour : le chevalier servant se métamorphose en « berger-servant » d'une bergère-dame, unique objet d'admiration respectueuse, qu'il faut conquérir par ses « mérites » et son « honnêteté » ; dès lors, le héros renonce à toute gloire militaire, pour briller dans la société par ses seules qualités, comme l'aristocratie, réduite à paraître dans les salons. Ces pasteurs offrent donc un modèle d'élégance et de savoir-vivre, tout en dissertant avec finesse sur les subtilités du sentiment amoureux.

Grâce à la liberté que procure la forme ouverte de la pastorale (alternance de prose et de vers ; récits ou épisodes intercalés), la philosophie implicite de l'époque baroque trouve le moyen de s'exprimer : le monde des bergers permet d'échapper idéalement aux apparences trompeuses, pour rejoindre une transparence mythique des cœurs, loin du masque de l'homme de cour :

> [...] tout le faste de ce monde que nous admirons
> n'est rien que vaines ombres, comparé à cette retraite sûre[3]

au contact d'une nature utopiquement pure et préservée de tout artifice. En vérité, il n'est peut-être rien de plus artificiel que cette Arcadie nostalgique, où une culture raffinée rêve d'échapper à la malédiction des apparences et du machiavélisme pour s'abandonner à la sagesse prudente de l'épicurisme et à la quête de l'ataraxie : « la nature étant contente de peu de chose, nous qui ne recherchons que de vivre selon elle, sommes aussitôt riches que contents... »[4].

En définitive, le roman chevaleresque, comme l'inspiration

2. *Op. cit.*, p. 60.
3. *La Reine des fées*, *op. cit.*, VI, 9.
4. L'*Astrée*, éd. G. Génette, coll. « 10-18 », p. 90.

pastorale, tente de s'opposer aux valeurs dominantes du monde réel; dans la mesure où la littérature baroque ne renonce pas aisément à ces deux types d'œuvres, se manifeste un désir de fuite, à l'abri d'une évolution historique angoissante. Attitude schizophrénique si l'on veut, que certains ont entrevue avec lucidité : Sorel, avec son *Berger extravagant*, mais surtout Cervantès, qui a réuni significativement les deux folies dans le personnage de don Quichotte, lorsque, vaincu et contraint à renoncer à l'état de chevalier errant, le héros envisage de devenir berger (IIe partie, LXVII et LXXII).

— *Le labyrinthe de la vie*

Si les esprits ne parviennent pas à se défaire de leur fascination pour la veine chevaleresque, celle-ci, en s'épuisant, a du moins légué sa forme à deux genres très en faveur à l'époque baroque : le roman allégorique et le récit picaresque. Faut-il y voir une ultime métamorphose de l'épopée ou une création vraiment nouvelle ? Là n'est pas la question; il importe plus de constater que s'expriment ainsi de nouveau la recherche du sens et la quête de l'identité; puisque toute vérité est devenue problématique, la primauté revient à l'expérience individuelle plutôt qu'à la tradition. D'une manière générale, même lorsque la suite des aventures (et mésaventures) est choisie pour elle-même et non en vue du dévoilement d'une signification globale, la génération baroque se laisse entraîner par le romanesque d'œuvres imitées, peu ou prou, d'Héliodore *(Les Ethiopiques)* : elle y reconnaît, en effet, une représentation de l'existence humaine bien proche de ce qu'elle vit en réalité : des héros passifs, luttant non plus contre géants et tyrans, mais contre tempêtes, naufrages, pirates et rivaux. Bref, le déguisement, l'enlèvement et la feinte ont remplacé l'épée ou la lance, lorsqu'il s'agit de subir l'épreuve des caprices d'une Fortune aveugle, dans un monde hostile[5].

5. Voir Cervantès, *Persilés et Sigismonde*; Lope, *El Peregrino en su patria*; Gomberville, *L'Exil de Polexandre*, etc.

Le *roman allégorique* n'est pas, bien évidemment, sans avoir été illustré au Moyen Age : ce qui est significatif, c'est sa survivance à l'époque baroque. Il n'est plus question, maintenant, de cueillir la rose, après de dures épreuves : l'enjeu se révèle plus grave, religieux, sinon métaphysique. Le savoir, qu'acquiert le héros central de ces œuvres, permet — progressivement — un déchiffrement du monde et la mise à jour de l'authentique sous l'illusion des apparences. Les contemporains pouvaient y satisfaire, en même temps, leur goût de la lecture symbolique, lors d'un parcours initiatique à décrypter.

Une fois de plus, l'exemple le plus fameux est fourni par Gracián et son *Criticón*, qui raconte le voyage de la vie, entrepris par deux « héros » complémentaires (l'un, toute sagesse, l'autre, animé par ses instincts), vers l'île d'immortalité, où l'on ne peut accéder que muni des « Patentes signées du Travail continuel, de la Valeur héroïque et scellées par la Vertu » (III, 12) et si l'on a compris « que tout ce qu'il y a dans le monde a besoin d'être déchiffré, à cause que tout est contraire à ce qu'il paraît » (III, 4). Voilà un bilan fort laïque dira-t-on. Ce n'est pas un des moindres paradoxes du subtil jésuite ; les autres romans allégoriques du temps sont en effet beaucoup plus pénétrés de religiosité, ainsi *Le Labyrinthe du monde et le Paradis du cœur* (1623) de l'écrivain tchèque Comenius : un jeune homme y entreprend un long voyage, accompagné de Je-sais-tout et de Faux-Semblant, hésitant entre le château de la connaissance « ultime » et le « Château du bonheur », avant de s'agenouiller devant Dieu. Malgré les différences qui séparent le pansophisme et l'irénisme du Tchèque du prosélytisme puritain de Bunyan, il faut mentionner *The Holy War*, *The Life and Death of Mr. Badman* et, surtout, *The Pilgrim's Progress*, récit du parcours de Chrétien, sourd aux exhortations de M. Sagesse-du-monde, de M. Civilité ou de M. Légalité, à travers la Vallée de l'Humiliation, celle de l'Ombre de la Mort, la Cité de la Vanité, etc., avant de parvenir à la Cité Céleste ! Le schéma est clair et pourquoi serait-il interdit de le retrouver dans la narration — fort profane — des pérégrinations d'Adonis, selon Marino, qui fait passer son héros par une initiation aux mystères des cinq sens corporels, par un voyage cosmique et astrologique, puis par une descente aux Enfers, avant la suprême épreuve de la mort ?

La parenté avec le roman picaresque, à ce stade, doit apparaître clairement, d'autant plus que les aventures du picaro sont, dans l'ignoble, le symétrique inversé des errances du chevalier de la tradition. La signification allégorique s'impose à qui contemple cette gravure qui accompagnait l'édition de *La Picara Justina* (cf. *supra*) : sur le fleuve de l'oubli, la « nef de la vie picaresque », au gouvernail le Temps, vogue vers le port où l'attend la mort, qui tient le miroir du *desengaño* ; on notera la symbolique du voyage et le dévoilement auquel il aboutit, sorte de leçon du chemin de la vie.

Le roman picaresque reste, sans doute, un des grands genres baroques. Né en Espagne, après l'esquisse du *Lazarillo de Tormès* (1554), avec le *Guzman de Alfarache* (1599), ce type de roman connaît un grand succès, tant dans son pays qu'à l'étranger, grâce à de promptes traductions. Certes, sa postérité, en France et en Angleterre, sera tardive (surtout durant la première moitié du XVIIIe siècle), mais elle ne doit pas faire oublier des tentatives immédiates d'acclimatation, qui ne sont pas dépourvues d'intérêt : *Le Voyageur malchanceux* de Thomas Nashe et *Le Page disgracié* de Tristan, pour ne pas parler du célèbre *Simplicius* de Grimmelshausen, en Allemagne.

Les mésaventures et les prouesses à rebours du picaro ne sont possibles que parce que celui-ci a compris le fonctionnement du monde ; tout n'y est qu'apparence, donc quiconque saura s'adapter à un maître, pour capter sa bienveillance, s'habiller en gentilhomme ou feindre la pauvreté pourra prétendre jouer un rôle dans la comédie du monde, grâce à une habile utilisation du masque. Le récit picaresque marque d'abord l'émergence de l'autobiographie dans la littérature romanesque ; sous sa forme espagnole, il s'agit avant tout de la représentation d'un itinéraire spirituel et d'un combat individuel, dans une perspective eschatologique, derrière l'errance d'un garçon abandonné par sa famille. Orphelin de fait, le « héros » découvre le labyrinthe du monde par ses propres moyens : l'apprentissage est rude, mais on voit ainsi surgir une conscience, qui se constitue progressivement, grâce à sa perméabilité et sa passivité. La première méprise de Lazarillo est révélatrice de la démarche picaresque dans son ensemble : « A cet instant, il me sembla que je m'éveillais de la simplicité dans laquelle, enfant, j'étais jusqu'alors plongé. Il a raison, me dis-je à part moi, et puisque je suis seul, *il me faut ouvrir l'œil...* »[6].

Nul hasard si la « nef picaresque » semble hésiter entre deux itinéraires : ce faisant, elle rejoint les deux tentations contradictoires de l'époque baroque. Les uns, avec Lazarillo et Pablos *(Le Buscón)*, cèdent aux mirages sans gloire de la jouissance dans l'instant ; les autres se tournent vers Dieu, après avoir pris conscience des vanités de ce monde (Guzman de Alfarache et — peut-être — Jack Wilton, dans le roman de Nashe). Choix individuel donc, qui vient couronner le récit d'une vie offerte à la méditation du lecteur, mais la conscience baroque, lorsqu'elle accepte de se détourner de la contemplation nostalgique des paradis perdus, ne se contente pas d'*un* exemple, quelque convaincant qu'il ait été : le doute la contraint, jusque dans le roman picaresque, à admettre une multiplicité de points de vue divergents, qui relatent des expériences variées. D'où ce goût pour les ruptures du fil de la narration, afin d'accueillir des épisodes enchâssés et des récits dans le récit. La structure « à tiroirs » n'est, finalement, qu'une des façons d'avouer l'incapacité de l'esprit à rendre compte du monde.

6. Voir notre article, Le récit picaresque, in *Littératures*, n° 14, printemps 1986, Université de Toulouse-Le Mirail.

II. L'IMPOSSIBLE SYNTHÈSE RATIONNELLE : ESSAIS ET APHORISMES

Si la philosophie peut se définir, dans une perspective classique, comme une tentative de reconstruction de la totalité, à partir d'un principe unique, il faut bien reconnaître que l'époque baroque n'a pas su se construire de système philosophique. Montaigne, Bruno, Bacon, tout comme Gracián ont échoué : pour eux, comme pour tous leurs contemporains, la connaissance est problématique. Stimulée par un scepticisme, dont on a vu l'importance, la pensée semble s'être alors ordonnée selon deux démarches caractéristiques : soit la renonciation à toute construction rationnelle, en faveur de la discontinuité, c'est le cas de Montaigne ; soit l'abandon aux facilités du syncrétisme et aux prestiges d'une conciliation souvent illusoire : ainsi pour Campanella, mais aussi Bruno et même Cyrano dans ses *Voyages*.

Il faut sans doute voir dans ce désir d'accommodement la raison de l'attachement tardif, que manifeste encore la génération de la fin du XVIe siècle, à l'égard de ce que l'on appelle « la poésie scientifique »[7] ; le lecteur moderne s'y ennuie vite, quand il n'est pas gagné par l'exaspération à l'égard des naïvetés et des jugements hâtifs. Cependant, il faut prendre garde aux raisons du succès, à l'échelle de l'Europe, des œuvres d'un du Bartas : indépendamment de nombreuses traductions, *La Semaine* a bénéficié, jusqu'en 1630, d'une cinquantaine d'éditions. Il en va de même pour des ouvrages qui ne nous retiennent plus qu'au titre de l'histoire des idées : en Angleterre, l'*Orchestra* de Sir John Davies, le *Vicissitudo Rerum* de John Norden ; en Italie, le poème inachevé du Tasse : *La Création*. Dans un climat de religiosité contemplative et glorificatrice, ces œuvres témoignent d'une grande ambition, héritière de l'humanisme : célébrer le monde dans

7. Voir A.-M. Schmidt, *La Poésie scientifique en France au XVIe siècle*, Paris, 1938.

son fonctionnement, en unissant science et religion dans un même regard totalisateur. « S'efforçant donc toujours d'exprimer une intuition originale de l'univers, qu'elle choisisse, comme prémisse normative, le déterminisme astral, l'extase spirituelle, la soumission à la Bible ou l'élévation de l'âme par l'amour, cette poésie forme la prétention d'être l'achèvement unitaire des sciences » (A.-M. Schmidt). Elle se condamne, en fait, à répéter nostalgiquement l'accord de la Bible, d'Aristote et de Ptolémée, en restant volontairement loin des nouvelles questions et des découvertes récentes. Si la poésie scientifique connaît encore quelque faveur, c'est bien précisément parce qu'elle offre une image rassurante et cohérente à la conscience contemporaine, qui, dans l'incertitude de l'avenir, se raccroche au passé, par un réflexe analogue à celui qui la porte vers les romans de chevalerie.

Aussi, en un parfait contraste, la vraie pensée de l'époque baroque va se trouver exprimée dans des formes caractérisées par la fragmentation et la discontinuité. A commencer par les *essais*, genre dont la paternité revient à Montaigne, mais qui connut immédiatement le succès (cf. Bacon et Cornwallis ou Etienne Pasquier dans ses *Recherches de la France* et ses *Lettres*). Par ce moyen, se trouvent réunis des écrits d'inspiration variée et qui ne peuvent se rassembler sous un même titre. L'hétérogénéité, l'éventail quasiment infini des sujets vont de pair avec l'abandon de toute supériorité didactique ou magistrale : l'auteur fait « l'essai » de son esprit dans un certain nombre de domaines et prend, pour ainsi dire, à témoin le lecteur, qui se trouve mis sur un pied d'égalité. De manière significative, ce type d'ouvrage proclame d'emblée l'absence d'ambition généralisatrice et le caractère individuel et subjectif du propos. Montaigne affiche même sa volonté de ne pas recourir à l'exposé construit traditionnellement : « Je m'égare, mais plutôt par licence que par mégarde... Les noms de mes chapitres n'en embrassent pas toujours la matière... »[8]. Bacon, s'il ne parle pas directement

8. *Op. cit.*, III, 9, p. 994.

de lui-même dans ses *Essays*, demeure, en fait, au centre, puisque c'est bien à lui et à ses préoccupations que renvoie la multiplicité des thèmes abordés ; le livre commence par une méditation sur la Vérité, mais traite aussi bien de politique que de religion ; il va jusqu'à consacrer deux essais (XLV et XLVI) à décrire un palais princier, selon ses goûts, et le jardin attenant.

Alors que les poétiques consacrées n'en parlaient pas (sinon à titre d'ornement), la littérature baroque va accorder un véritable statut aux formes brèves de la prose : « Une telle pratique, longtemps considérée comme la preuve de l'impuissance d'un écrivain à assurer, par de claires transitions, la liaison des parties au tout, remet en cause une certaine idée de la totalisation du sens, à partir des éclats de "vérité" qui sont proposés au lecteur »[9]. Cette sorte d'écriture, concentrée et elliptique, exigeant la participation du lecteur, renvoie à une tendance du style baroque, bien représentée par le « conceptisme » espagnol ; à l'échelle européenne, elle se manifeste par l'intérêt témoigné à la littérature emblématique, aux maximes et même aux proverbes d'origine populaire, enfin, surtout à *l'aphorisme*. On tient là le plus bel exemple de fragmentation de la pensée dans l'espace : l'effort créateur porte sur l'écriture de la phrase, autonome et autosuffisante ; le sujet, lui, apparaît incernable et décrit uniquement par des approches multiples. Aux convictions massives et fortement argumentées de don Quichotte, Cervantès oppose la sagesse de Sancho, qui s'exprime par proverbes : contre le discursif, symbole des temps révolus, la formule isolée et le discontinu. On pourrait évoquer ici, bien sûr, les *Maximes* de La Rochefoucauld et, peut-être, aussi les *Pensées* de Pascal, qui nous sont parvenues par fragments et qui, malgré le dessein apologétique de leur auteur, s'accommodent fort bien de cette dispersion. Le meilleur exemple reste celui

9. Jean Lafond, Avant-propos, in *Les Formes brèves de la prose et le discours discontinu (XVIe-XVIIe siècle)*, Paris, Vrin, coll. « De Pétrarque à Descartes », XLVI, 1984.

présenté par Gracián. L'homme qui, sans doute, mériterait le mieux l'appellation de philosophe baroque, si une telle dénomination était possible. Or, précisément, la pensée gracianesque n'a jamais pu revêtir une forme élaborée, construite et définitive, au grand dam des commentateurs : la dernière œuvre du jésuite, pour s'en tenir au paradoxe le plus immédiat, démonte les prestiges illusoires de ce monde, dans un cheminement allégorique vers l'Immortalité, tandis que les œuvres précédentes paraissaient travailler à la construction du Héros, prince masqué de l'éphémère, affirmant sa supériorité par sa maîtrise des apparences. Bien plus, dans un cas, le discours renonce à dire, pour s'appuyer sur une composition symbolique (le *Criticón*), dans l'autre, on rencontre une succession pure et simple d'aphorismes *(Manuel de poche)*, distribués sans ordre logique et confiants en leur seule force de *séduction*. « Les paralogismes, les enthymèmes qui affirment une conclusion sans démonstration, en faisant l'habile économie du raisonnement... les opinions vraisemblables, *probables*, au sens strict du mot, font du *Manuel* une application aussi séduisante que captieuse du *probabilisme* moral »[10], cher aux Jésuites.

En dernier lieu, c'est dans la même incertitude de la pensée qu'il faut chercher la persistance du *dialogue* et non uniquement dans la continuation d'un usage remis à l'honneur par les humanistes : il s'agit, à l'époque baroque, tantôt d'un dialogue intérieur, où se déploie le scepticisme d'un esprit s'entretenant avec lui-même (cf. certains *Dialoghi* du Tasse, à la recherche d'un équilibre entre platonisme et aristotélisme de la Contre-Réforme ou le *Quichotte*, dans lequel s'affrontent, en un dialogue sans fin du valet et du maître, les deux tendances contradictoires qui animent Cervantès), tantôt d'une opposition révélatrice entre l'ancien et le nouveau (cf. Galilée et son *Dialogue sur les deux plus grands systèmes du monde*, où est représenté le conflit entre la tradition et la mathématisation de l'univers). A la limite, les

10. B. Pelegrin, *Ethique et Esthétique du baroque*, Arles, 1985, p. 163.

Essais de Montaigne peuvent être considérés comme un dialogue, où l'auteur s'oppose à lui-même, au fur et à mesure du déploiement de l'écriture ; d'ailleurs, il ne tarit pas d'éloges à l'égard de Platon, qui lui « semble avoir aimé cette forme de philosopher par dialogues, à escient, pour loger plus décemment en diverses bouches la diversité et variété de ses propres fantaisies » (II, 12). Finalement, c'est dans des dialogues que l'on rencontre une bonne part des réflexions et des hypothèses les plus audacieuses du temps : par exemple, dans l'*Heptaplomeres* de Bodin ou dans les œuvres de Bruno, auteur fort représentatif de la pensée baroque, ne serait-ce que par sa juxtaposition contradictoire et jamais résolue d'intuitions fécondes (infini, pluricentrisme des mondes, etc.) et de survivances (animisme ; matière incorporelle *et* composée d'atomes, etc.).

Ce type d'écriture condamne qui s'y adonne à l'inachèvement ; on peut y voir aussi le signe de la plus rigoureuse authenticité, en des hommes qui ont réussi à se faire l'écho sonore de leur temps, au prix parfois du désespoir. Il y eut une autre voie, suivie par ceux qui refusaient ce constat d'impuissance et aspiraient à la plénitude ; Montaigne l'a très bien senti : « O la vile chose et abjecte que l'homme, s'il ne s'élève au-dessus de l'humanité ! [...]. Il s'élèvera si Dieu lui prête extraordinairement la main » (II, 12, fin).

III. LE SAUT EN DIEU : LA TENTATIVE MYSTIQUE

« L'invasion mystique », pour reprendre l'expression de l'abbé Brémond, demeure une caractéristique déterminante de l'époque baroque. L'énumération de nombreux facteurs permet de l'expliquer, en tant que phénomène historique, mais un tel développement ne saurait se comprendre, si l'on omettait de dire combien la voie mystique constitue une réponse à la problématique philosophique contemporaine.

C'est dans la sphère de la catholicité romaine que s'épanouissent les écrivains mystiques du temps, sans doute à cause de l'étroitesse et du formalisme grandissant des théologiens réformés, à la fin du XVIe siècle. Benoît de Canfield, né en Angleterre, s'établit à Paris et devient un des plus importants directeurs de conscience de la capitale ; Richard Crashaw vient à Rome après un séjour en France ; Angelus Silesius, né dans une famille luthérienne, se convertit au catholicisme. Certes, l'Inquisition, surtout en Espagne, reste toujours méfiante à l'égard des mystiques, qui sont, comme Jean de la Croix, l'objet de persécutions, mais, d'une manière générale, la mystique baroque est un produit né du dynamisme de la Contre-Réforme. Le Concile de Trente avait mis l'accent sur l'intériorité, en rendant nécessaire le contrôle aigu de la conscience de soi ; comme par les siècles passés, la pratique religieuse est unanime : ce qui a changé est de l'ordre du qualitatif, moins de formalisme et plus de méditation personnelle. A la différence du Moyen Age, le cloître n'est plus le lieu par excellence des valeurs spirituelles : le « mondain » peut aussi être un bon chrétien, puisque les œuvres et l'exercice du libre arbitre agissent désormais positivement dans la direction du salut. En Italie et en France, on assiste à une pénétration de la dévotion dans tous les aspects de la vie quotidienne, comme en réponse aux angoisses du temps, mais à l'échelle de l'individu. *L'Introduction à la vie dévote* (1609) et *Le Discours de l'état et des grandeurs de Jésus* (1623) présentent cette nouveauté essentielle : une spiritualité à l'usage des laïques, offerte sous forme de méthode pour « adhérer » (Bérulle) au divin, dans une totale désappropriation de soi. Produit de la réforme tridentine, l' « humanisme chrétien » réconcilie l'autonomie de l'homme dans le monde avec l'esprit de l'Eglise. En même temps, on observe un retour à la vie monastique, accompagné d'une « énorme poussée du clergé régulier de 1570-1580 à 1650-1670... La restauration régulière s'est développée sur deux plans : une résurrection et un ressourcement des anciennes "religions" et la création, suivant un schéma de nombreuses fois séculaire, d'ordres nouveaux »[11].

11. P. Chaunu, *Eglise, Culture et Société, op. cit.*, p. 386.

Dans ce contexte, on ne peut qu'être frappé, en lisant les biographies des écrivains baroques, par la récurrence du même itinéraire : une traversée de l'existence, vécue dans l'angoisse ou le scepticisme, puis la prise de conscience de la vanité du monde, qui conduit à l'étape finale : la conversion, souvent marquée par une entrée dans les ordres. En ce sens, rien de plus typique que le parcours de d'Aubigné dans *Les Tragiques* : tout commence par un départ au combat :

> Puisqu'il faut s'attaquer aux légions de Rome,
> Aux monstres d'Italie...

et s'achève par une extase et l'abandon en Dieu :

> Tout meurt, l'âme s'enfuit, et reprenant son lieu,
> Extatique, se pâme au giron de son Dieu

entre-temps : la mort, l'horreur et les illusions du monde.

Voilà résumée l'expérience de toute une génération et, en particulier, de Cervantès (Tiers Ordre de saint François), Lope de Vega (prêtre en 1614), Calderón (prêtre en 1651), John Donne (prêtre en 1615), Pascal (en 1654, sans se faire religieux, il rompt avec le monde). La question se pose alors de voir quels éléments ont pu faire du choix religieux une solution possible à l'expérience baroque du monde et une réponse aux angoisses contemporaines.

En fait, le problème est d'ordre philosophique. Il se trouve que les caractères du monde, tels qu'ils sont perçus par la conscience baroque (instabilité et métamorphose, enfermement dans les apparences, cf. *supra*), s'intègrent dans une tradition néo-platonicienne qui, loin d'avoir été reniée par l'Eglise, constitue une des composantes de sa théologie traditionnelle. On a déjà relevé combien le schéma platonicien de la caverne a pu s'accorder avec les données de la sensibilité religieuse. Plotin, puis Denys l'Aréopagite ont proposé une certaine exégèse du *Parménide* de Platon, qui dépend de deux principes essentiels : d'abord la reconnaissance de Dieu comme source d'une procession universelle, représentée dans la hiérarchie des créatures ; ensuite, l'assimilation du Divin à un Principe absolument ineffable, nommé symboliquement l' « Un » ou le « Bien ». D'où la possibilité de l'aventure mystique, en une remontée dialectique, dont le but ultime reste l'illumination et l'union ; d'autre part, l'identification de Dieu à l'Etre implique une renonciation à la connaissance humaine et à ses voies imparfaites, limitées par la séparation ontologique ; subsiste alors le chemin cathartique, qui doit s'achever dans l' « inconnaissance », dont la théologie mystique rappelle les conditions négatives.

On saisit maintenant pourquoi la formulation d'un tel Dieu-essence semble résoudre les contradictions et les échecs de la pensée baroque. Si je pose l'Un pur, l'Autre (le monde) est multiplicité, c'est-à-dire non-être : ainsi se trouvent intégrés la dévalorisation du monde et le topos du *desengaño* ; le monde labyrinthe inconnaissable, lieu d'illusion est frappé d'irréalité : Dieu seul échappe au mouvement et à la métamorphose ; il est la source, le point fixe enfin rencontré, à partir duquel tout prend sens et peut se reconstruire. Ce constat s'impose au poète :

> Puis, connaissant l'état de ta fragilité,
> Fonde en Dieu seulement, estimant vanité
> Tout ce qui ne te rend plus savant et plus sage[12]

comme au mystique :

> Que rien ne te trouble,
> Que rien ne t'effraie
> Tout passe,
> Dieu ne change pas...[13].

Au monde du « change » s'oppose la permanence divine ; se tourner vers Dieu, c'est échapper à la succession des métamorphoses inessentielles, atteindre l'Etre et *son* être ; ainsi, dans *Les Tragiques*, le poète ne peut renoncer, au moment où il décrit la Parousie et s'exalte de la vision du Jugement

12. Chassignet, *Mépris de la vie*..., sonnet 125.
13. Thérèse d'Avila, sur un signet trouvé dans son bréviaire, cité par E. Renault.

dernier, à en souligner les conséquences philosophiques, en des termes qui renvoient à l'ontologie aristotélicienne :

> Mais disons simplement que cette essence pure
> Comblera de chacun la parfaite mesure
> [...]
> Nous aurons bien les sens que nous eûmes au monde
> Mais, étant d'actes purs, ils seront d'action
> Et ne pourront souffrir infirme passion.
>
> (VII, 1091-1092 et 1200-1202.)

Parmi les attributs du Divin, il y a la constance et la véracité. La définition de Dieu, de même qu'elle implique son existence, entraîne le fait qu'il ne saurait tromper. Descartes, pourtant fort loin du mysticisme, a besoin de l'idée de Dieu pour « rejeter tous les doutes de ces jours passés, comme hyperboliques et ridicules, particulièrement cette incertitude si générale touchant le sommeil que je ne pouvais distinguer de la veille » *(Méditation sixième)* ; en effet, le problème du songe est résolu par le recours aux idées claires et distinctes, dont Dieu est garant. Aussi l'âme se tourne-t-elle vers un Dieu transparent et sans masque, pour fuir ce monde d'illusions et de fausses apparences :

> Las qui pourra me guérir ?
> Achève de Te livrer sans feinte aucune[14].

La voie mystique apporte une double réponse au désarroi. L'« enstase » réduit le sentiment d'impuissance devant l'éclatement du Moi (cf. *supra*) et la remise en question de l'unité de la personne psychologique dans le flux des états de conscience : grâce à l'exploration de l'intériorité et à la descente en soi-même, au moment où l'âme renonce à soi pour se fondre en Dieu, elle se trouve et se réapproprie, paradoxalement, en ce lieu le plus profond et le plus intime où Dieu se tient. Tel est le sens de l'aventure décrite par Thérèse d'Avila dans *Le Château de l'âme ou Livre des*

14. Jean de la Croix, *Cantique spirituel*, *op. cit.*

demeures, qui réaffirme la nécessité, chère à l'humanisme, de « se connaître soi-même », car « l'on conseille à l'âme de rentrer au-dedans d'elle-même. Eh bien, c'est précisément de cela qu'il s'agit ici »[15]. Après avoir rendu l'homme à lui-même, en un deuxième temps, l'obstacle que constitue la crise de la connaissance baroque est contourné : Dieu ne demande pas que l'on connaisse le monde par une science quelconque, sujette à faillir, mais il se donne lui-même, directement, par voie intuitive, c'est-à-dire immédiate (dans la faible mesure où notre nature est capable de quelque considération de ce qui la dépasse infiniment) :

> [...] Cette science suprême
> Réside en un sublime sentir
> De l'essence de Dieu même[16].

La réaffirmation de la Sur-Essence divine, dans toute son incommensurabilité, va de pair avec le recours à une théologie apophatique (qui reconnaît, dans le droit fil de la pensée baroque, l'impossibilité de dire Dieu). On ne peut donc parler du Divin que négativement ; toute définition étant une limitation, celle-ci doit être immédiatement niée. A la manière de Denys, dans les *Noms divins*, la mystique baroque affirme tout de Dieu, pour nier tout de lui :

> Dieu rien et tout.
> Dieu est esprit, feu, essence et lumière ; et n'est pourtant aussi rien de tout cela[17].

Parvenu à ce point, on perçoit combien l'entreprise mystique se retrouve en plein cœur de la remise en question du langage, dont on a vu l'importance dans l'ensemble de la littérature baroque :

> Plus on connaît, moins on comprend.
> Plus tu connaîtras Dieu, et plus tu avoueras que tu peux moins donner un nom à ce qu'Il est (*ibid.*, V, 41).

15. Trad. du RP Grégoire de Saint-Joseph, *Premières Demeures*, chap. I.
16. Jean de la Croix, *Sur une extase de haute contemplation*.
17. Angelus Silésius, *Le Pèlerin chérubinique*, IV, 38, trad. H. Plard.

A y bien penser, l'écriture mystique constitue, en effet, un paradoxe indéfendable : l'expérience vécue au sein de l'oraison est, par définition, individuelle et incommunicable ; l'extase est arrachement aux limites de la condition humaine, don de Dieu, indescriptible et bouleversant, qui mène à l'aperception ou à la fusion avec l'absolue Transcendance, l'Etre sans aucune mesure avec tout être. Ce que reconnaît volontiers Thérèse, lorsqu'elle s'adresse à ses sœurs : « Ce que je veux vous exposer est très difficile à comprendre quand on n'en a point l'expérience », ou Jean, dans le Prologue du *Cantique spirituel* : « Ce serait une erreur de croire que les paroles d'amour concernant les connaissances mystiques... puissent bien se traduire dans le langage. » Ce qui est communicable, en définitive, ce n'est pas l'expérience, mais les chemins ou la méthode, qui donnent accès à une éventuelle révélation fulgurante, dans la grâce d'un instant privilégié. Pour une large part, la littérature mystique du temps aura une vocation pédagogique d'initiation. Confronté aux limites extrêmes des possibilités du langage et à la nécessité d'inventer des formes susceptibles de rendre compte de la recherche de l'extraordinaire, ce type d'écriture va porter à leur paroxysme les choix entrepris par la littérature profane, comme pour mieux souligner que l'aventure baroque atteint ici son maximum de tension et, aussi, que l'expérience mystique est reliée à la mentalité contemporaine : il y a une affinité indiscutable entre la culture du temps et cette expression du sentiment religieux.

Les formes retenues, en effet, ne sont pas spécifiques : on retrouve soit la formule de l'itinéraire, soit l'énonciation par fragment. Les *Exercices spirituels* et une bonne part des œuvres de Thérèse sont, à proprement parler, des récits autobiographiques, qui tentent de reproduire une quête spirituelle, qu'il s'agisse, évidemment, de l'*Autobiographie*, du *Chemin de la perfection* ou des *Demeures*. Le rapprochement avec le roman picaresque est, peut-être, moins sacrilège que l'on ne penserait à première vue, dans la mesure où le picaro aboutit à une conversion et à la découverte de sa relation privilégiée avec Dieu (cf. *Guzman de Alfarache*). Le recours au fragment ne surprend pas, puisqu'il obéit à une logique que l'on a déjà rencontrée : impossibilité de décrire ou de rendre compte de manière discursive, mais donner un équivalent partiel. D'où la présentation du *Pèlerin chérubinique* : une suite (sans ordre !) de distiques, précédés chacun d'un titre bref. Que cette écriture soit poétique et non simplement aphoristique amène à s'interroger sur le pourquoi de l'utilisation d'un mode d'expression aussi « profane ». L'exemple de Jean de la Croix et celui d'Angelus Silesius permettent de tenter de répondre : la mystique aurait avec la poésie une parenté[18] réelle ; l'une comme l'autre s'opposent au langage rationnel, qui nomme et catalogue les objets, dans un but utilitaire ; toutes deux jouent avec les mots et les images, en utilisant leur inadéquation à l'objet et leur incapacité à épuiser son contenu. On voit alors que l'expérience poétique baroque sera précieuse pour les mystiques. Thérèse d'Avila souligne à la fois la nécessité et l'insuffisance de l'écriture poétique : « Je ris moi-même de ces comparaisons, car elles ne me satisfont point ; que faire ? Je n'en trouve pas d'autres. Vous en penserez ce que vous voudrez ; en tout cas, ce que j'ai dit est vérité »[19]. Jean de la Croix, en poète, justifie l'emploi du langage figuré, pour exprimer les « faveurs » que reçoivent certaines âmes : « elles se servent de figures, de comparaisons et de symboles, pour traduire quelques-uns de leurs sentiments et révéler quelques-uns des nombreux mystères dont elles ont le secret, au lieu d'en donner raison »[20]. Avec lucidité, lui, qui a écrit peu de poésies, mais les a beaucoup glosées, reconnaît l'insuffisance du commentaire et la polysémie d'une écriture qui renvoie sans cesse à un au-delà (textuel et spirituel) : « il me sera impossible de les

18. Que l'histoire de la poésie, au XIXe siècle, confirmera : cf. Novalis ou Rimbaud, par exemple.

19. *Demeures*, VII, 2.

20. Prologue du *Cantique spirituel*, in *Œuvres complètes*, Desclée de Brouwer.

expliquer complètement... Mieux vaut, en effet, laisser aux paroles d'amour toute leur ampleur, pour que chacun puise à sa manière et selon sa capacité... » *(ibid.)*.

Ainsi fonctionne le poème dans les œuvres d'écrivains religieux français comme Sponde, Chassignet et, surtout, La Ceppède : l'image, souvent réaliste et, parfois, insoutenable, fournit le prétexte ou l'équivalent sensible du commentaire lyrique ou théologique qui suit. D'où, aussi, la prédilection pour le sonnet, dont la forme appelle une opposition entre quatrains illustratifs et tercets explicatifs, quand la « leçon » n'est pas purement et simplement réservée pour la « pointe » finale.

Certains aspects de la rhétorique baroque, que l'on a analysés antérieurement, se trouvent même valorisés par la théologie négative et l'inspiration néo-platonicienne qui prévaut. Il en est ainsi pour la figure de l'oxymore, moyen de rendre l'idée d'un Dieu où se confondent toutes les contradictions ; l'antithèse et le paradoxe surgissent à chaque instant, afin de rappeler la situation du croyant, qui renonce au monde et à lui-même et à qui Tout est redonné, au travers d'un Dieu, lui-même Rien et Tout à la fois. Un véritable réseau métaphorique revit dans ces textes, souvent inspirés de la Bible et de ses allégories : le désir d'union de l'âme, la source rafraîchissante, etc. Or, s'il est une thématique qui domine vraiment la littérature mystique baroque, c'est celle qui oppose les ténèbres nocturnes de l'âme à la lumière incréée ; antithèse centrale dans la pensée d'un Jean de la Croix, poète de la nuit mystique, mais qui hante aussi Thérèse et Angelus Silesius : *Tout vient du mystère*.

> Qui l'aurait cru ? des ténèbres vient la Lumière, la vie vient de la mort, la chose du Néant (IV, 163).

Par là, le mystique rejoint les expressions profanes de la conscience contemporaine (cf. *supra*) ; il montre qu'il a ressenti, lui aussi, le tragique de l'existence comme enfermement dans les ténèbres et délaissement, mais, à la différence des autres, il a choisi de se tourner totalement vers Dieu, qui lui a accordé de faire naître l'illumination au plus profond de l'obscurité et au plus profond de lui-même :

> Au sein de la nuit sereine,
> Dans la flamme qui consume et plus ne peine[21].

Cet itinéraire se révèle toujours être l'aboutissement d'un choix individuel et il est vécu dans la solitude d'une conscience. En revanche, le théâtre, qui est l'objet d'un engouement sans équivalent dans toute l'Europe, peut apparaître comme la manière qu'eut la collectivité de représenter, à la fois, les questions qui la pressaient et les solutions qu'elle tentait d'y opposer. Les moyens changent, la fin subsiste : sortir de la nuit.

IV. LA PASSION DU THÉÂTRE

Les œuvres dramatiques demeurent sans conteste la grande réussite de l'époque et leur ensemble constitue le plus beau fleuron de la littérature baroque. Aucune littérature nationale n'échappe au mouvement : l'Italie crée le théâtre moderne dans son architecture et sa technique du décor, mais c'est en Angleterre et en Espagne que l'on rencontre les centres dramatiques les plus brillants, comme en témoigne l'éclosion à Londres, à Madrid et dans les grandes villes espagnoles de théâtres ouverts au public et dont la technique de mise en scène, le jeu des acteurs et la disposition générale peuvent être comparés. Le théâtre, à la fin du XVIe siècle, devient partie intégrante de la vie sociale, malgré les attaques dont il est l'objet, dans tous les pays, de la part des censeurs religieux, qu'ils soient puritains ou liés à l'Inquisition. Le spectacle dramatique tend à prendre la place, dans les réjouissances collectives, du théâtre religieux médiéval (sauf en Espagne, grâce à l'*auto sacramental*, toujours vivant) et du tournoi ; il s'intègre à la fête princière, dont il devient un des

21. Jean de la Croix, *Cantique spirituel*.

principaux éléments constitutifs. On ne peut qu'être frappé, lorsqu'on examine le recrutement du public du *Globe* ou du *corral del Principe*, par le fait que toutes les classes sociales sont présentes : une pièce de Shakespeare ou de Calderón est conçue pour satisfaire les exigences des aristocrates qui donnent le ton, tout aussi bien que du parterre : tant était authentique le lien qui unissait cette forme de littérature à son public. Pour s'en persuader, il suffit de rappeler que le déclin du théâtre baroque est dû — entre autres — à la séparation qui s'est opérée, au cours de la première moitié du XVIIe siècle, entre théâtre populaire et spectacle de Cour : la différenciation a engendré une sclérose et un enfermement dans la répétition des mêmes recettes (à partir de 1610 en Angleterre et de 1640 en Espagne). Au contraire, l'apogée coïncide avec l'indéniable intérêt que tous y prennent :

> [...] à présent le théâtre
> Est en un point si haut qu'un chacun l'idolâtre[22].

Ce triomphe, cependant, ne fut pas facile : il fallut surmonter, non seulement le pouvoir religieux, mais les condamnations de ceux que, suivant l'usage français du XVIIe siècle, on nommera les « doctes ». L'évolution de la littérature dramatique suivit les mêmes étapes, au cours du XVIe siècle, dans tous les pays d'Europe : l'humanisme avait certes remis le théâtre à l'honneur, mais en l'enfermant dans l'étroite imitation des modèles antiques et en le plaçant sous la dépendance des préceptes aristotéliciens. Sidney, Jean de La Taille, Alonso López Pinciano reprenaient les remarques de la *Poétique*, devenues consacrées, au titre de seule méthode possible pour composer une œuvre dramatique. Le théâtre humaniste échoua donc, par manque d'ambition et faute d'un public réel. Les Jésuites, dans le cadre des collèges, firent représenter des œuvres, souvent écrites en latin et dans un but d'édification. Du moins, ces grands pédagogues, qui formeront tout ce qui compte dans l'aristocratie de la naissance, de l'argent et de l'intelligence, à partir de la seconde

22. Corneille, *L'Illusion comique*, V, 6.

moitié du XVIe siècle, vont-ils largement contribuer à répandre la passion du théâtre. Le modèle libérateur sera Sénèque, parfois imité maladroitement, mais lu comme un encouragement au déploiement des passions contemporaines et à la création d'une langue dramatique accueillant toutes les audaces de l'écriture poétique. L'action, paradoxalement, est la deuxième découverte fondamentale. A la tragédie de la déploration, chère aux humanistes (cf. Jodelle), et aux contraintes, nées du respect de l'histoire sainte et de la vie des saints, succède une tragédie de l'action, dont le personnage apparaît comme l'unique cause. On a vu ce que cette autonomie impliquait par rapport à la pensée traditionnelle, à propos du conquérant.

En vérité, le théâtre baroque s'est construit en dépit de la théorie et à partir d'expériences individuelles, souvent méprisées des doctes, ce qui explique peut-être l'absence d'écrits ayant valeur de manifeste ou de définition du nouveau genre. Il est curieux de noter la pauvreté des réflexions théoriques dans l'œuvre de Shakespeare : tout au plus, faut-il citer les remarques du duc Thésée, à l'acte V du *Songe d'une nuit d'été*, et celles d'Hamlet accueillant les comédiens ; le lecteur moderne observe qu'elles se contredisent presque : dans un cas, l'auteur insiste sur le rôle de l'imagination, pour compenser la pauvreté du spectacle, dans l'autre, il réclame plus de naturel dans le jeu des acteurs (*Hamlet*, III, 2) ! En Espagne, on aurait pu attendre de Lope de Vega *le* texte-référence, marquant une rupture historique, avec son *Nouvel Art dramatique*[23] (composé en 1607 et imprimé en 1609). Or, le ton comme le propos demeurent ambigus, car Lope déplore le goût de ses contemporains, puisque « celui qui maintenant veut écrire pour le théâtre, suivant les préceptes de l'art, meurt sans gloire et sans récompense » ; il constate que la *comedia* est née des exigences de ce public qui « a le droit d'établir *les lois disparates de notre monstre dramatique* »[24].

23. *Arte nuevo de hacer comedias*, trad. Damas-Hinard.
24. C'est nous qui soulignons.

S'il reconnaît qu' « en Espagne, nous avons renoncé aux règles de l'art et nous le traitons sans façon, pour cette fois les érudits auront la bouche close », on peut s'interroger sur la relativité de ce silence, quand on voit le dramaturge reprendre la doctrine aristotélicienne de l'imitation et la distinction entre tragédie et comédie. Ce dernier point est indéfendable, dans la mesure où la *comedia* se caractérise par le mélange des genres et des styles. Néanmoins, de cet assemblage de hardiesse et de fidélité à la théorie traditionnelle, émerge la célèbre formule : « Lorsque j'ai à écrire une comédie, j'enferme toutes les règles sous de triples verrous. » De même, en France, on rencontre l'esquisse de théorisation d'une nouvelle pratique théâtrale avec l'*Art poétique* de Laudun d'Aigaliers ou de Vauquelin de La Fresnaye (1598 et 1605) ; mais, malgré les tentatives de Pierre du Ryer, qui fit figure, aux environs de 1630, de chef du parti de la tragi-comédie, au milieu de ses amis Auvray, Mareschal, Pichou et Rayssiguier, malgré le plaidoyer « moderne » d'Ogier[25], ce fut le parti dogmatique de Chapelain, puis de l'abbé d'Aubignac, qui l'emporta.

De telles querelles littéraires paraissent d'autant plus artificielles qu'elles se situent en marge de la réalité de la production dramatique, foisonnante et diverse. De cet ensemble, se dégagent deux formes, susceptibles d'être classées comme proprement baroques : le drame et la comédie — même si on y discerne aisément la survivance d'éléments plus anciens.

Le *drame* baroque recouvre une foule d'œuvres, qui échappent aux genres traditionnels, sans appartenir ni à la comédie ni à la tragédie. S'y rattachent donc le drame historique ou le *problem play* en Angleterre, la tragi-comédie en France (avec toutes ses variantes, de *Clitandre* au *Cid*, en passant par la veine galante du *Timocrate* de Thomas Corneille, en 1656) et la *comedia* (ou *comedia dramática* ou *drama* : incertitude révélatrice des termes) dans le domaine

25. Préface de *Tyr et Sidon* de Jean de Schelandre.

hispanique. La fin n'en est pas nécessairement heureuse, ni le déroulement exempt de mort violente. Beaucoup plus caractéristique de ce type hybride : le mélange des genres, qui traduit la nature de l'expérience baroque : ambiguë et indéfinissable, car échappant aux catégories traditionnelles de la pensée. Liberté, qui n'est donc pas sans justification, car la refuser, « c'est ignorer la condition de la vie des hommes, de qui les jours et les heures sont bien souvent entrecoupés de ris et de larmes, de contentements et d'afflictions, selon qu'ils sont agités de la bonne et de la mauvaise fortune » (Ogier, *op. cit.*). Aussi voit-on le prince héritier rejoindre Falstaff dans un bouge d'East Cheap, après avoir tué Hotspur, ou Rodrigue expédier le comte et revenir soupirer, en amoureux soumis, auprès de Chimène. Comment, enfin, classer l'aventure du Burlador, avec ses plaisantes tromperies, les commentaires du *gracioso* et l'effroi inspiré par le Commandeur ? Ambiguïté que l'on retrouve dans ce *Dom Juan* de Molière où cohabitent le ridicule M. Dimanche et un invité de pierre, précédé d'apparitions surnaturelles... « Mais cette variété plaît beaucoup. La nature même nous en donne l'exemple, et c'est de tels contrastes qu'elle tire sa beauté » (Lope, *op. cit.*). En un sens, le drame peut se définir par opposition à tout ce que le classicisme français à érigé en principe : point de respect des « bienséances », ni d'unité de temps, de lieu ou d'action, mais souvent une double intrigue, une causalité floue, quelque désinvolture à l'égard de la chronologie, compensées par une grande liberté dans le choix et la conception des sujets, par une volonté de rendre compte du monde dans sa totalité, ce qui autorise bien des audaces.

Il n'est pas indifférent de noter qu'au moins en Angleterre et en France la tragédie a remporté d'éclatants succès, avant que la comédie ait pu atteindre sa maturité littéraire. Une telle primauté accordée au tragique est significative des mentalités. Le théâtre élisabéthain commence par s'affirmer avec *Gorboduc* et *La Tragédie espagnole*, tandis qu'en France il faut attendre les années 1630 pour assister à une renaissance de la comédie. Dans ce dernier domaine aussi, l'époque baroque a créé, sinon un genre nouveau, du moins une forme comique nouvelle, dont la définition n'est pas plus aisée que celle du drame : mélange d'intrigue et de romanesque, on proposera de l'appeler *comédie des erreurs*, non par référence à Shakespeare, mais par allusion à son fonctionnement et à sa signification profonde. Ce type de comédie a pour principal ressort l'illusion d'un ou de plusieurs personnages ; elle exprime ainsi, dans un cadre familier, la confusion des esprits à l'égard du monde. Erreur sur autrui, sur soi-même, sur le sens des événements, personnages doubles et même travestis, nourrissent l'imbroglio des situations et des sentiments. Même si le procédé demeure artificiel et facile, Lope reconnaît que le déguisement des actrices « est toujours très agréable au public ». La composition de l'intrigue est parfois schématique et d'une rigueur quasi mathématique, grâce à l'exploitation systématique des différentes combinaisons, offertes par les jeux de l'amour et du hasard et nées de l'opposition ou de l'alliance des deux couples centraux, que viennent aider valets et servantes plus ou moins habiles. Tirso, expert dans l'art d'échafauder des comédies, a cette formule, valable pour tout ce secteur de la littérature dramatique baroque : « En amour tout est affaire d'occasion »[26] ; le maître de l'occasion est l'auteur comique. S'il ne fallait qu'un exemple pour démontrer le lien qui unit l'univers comique à la représentation du monde la plus générale, il faudrait relever l'importance de la nuit ou de l'obscurité dans les intrigues. Que de confusions, nées d'un flambeau qui s'éteint ou d'une personne prise pour une autre dans l'ombre nocturne ! Citons, pêle-mêle, *Le Songe d'une nuit d'été*, *La Dama duende* de Calderón ou *La Place Royale* et *Le Menteur* de Corneille. Pour nuancer un peu ces propos, on distinguera la comédie d'intrigue proprement dite *(de enredo)*, comme l'*Alchimiste* de Ben Jonson ou *La Maison à deux portes* de Calderón, de

26. « Amor todo es coyuntura » (*Le Timide au Palais*, III, 1172).

la comédie romanesque *(de capa y espada)*, dont le champ est plus vaste : *Comme il vous plaira*, *L'Illusion comique* ou *Le Geôlier de soi-même* (Calderón). Dans les deux cas, la technique comme le sens qui s'en dégage restent les mêmes.

Il reste à s'interroger sur les raisons de cette faveur dont jouit le théâtre à l'époque baroque. Dans la mesure où les hommes de ce temps n'ont cessé de percevoir l'existence comme spectacle d'apparences illusoires et changeantes, donné à voir à la conscience, le théâtre est devenu logiquement la meilleure représentation symbolique de ce qu'était le monde, dans la perspective de la « philosophie » baroque : sensible, mais privé de réalité ; séducteur et trompeur à la fois. D'où cette idée, inlassablement répétée, dans chacune des littératures nationales, au point de devenir le topos le plus courant de l'écriture baroque : *le monde est un théâtre*. « On peut se faire une idée plus grandiose du monde, mais difficilement du théâtre. Aucune époque ne s'est adonnée à cet art avec autant d'intensité que le baroque, aucune ne l'a plus profondément compris. En outre, il n'est pas de domaine où le baroque se soit révélé aussi totalement qu'au théâtre. Il en a fait un tableau complet et un symbole parfait du monde »[27]. Il serait vain d'aligner les exemples — innombrables — de l'emploi de cette formule. On se limitera à deux œuvres : dans le *Don Quichotte*, Sancho réplique à son maître, qui parle doctement de la comédie du monde : « Brave comparaison ! Quoiqu'elle ne soit pas si nouvelle que je ne l'aie ouïe maintes et diverses fois » (II, 12) ; à la fin de la période baroque, Angelus Silesius, tendu vers l'au-delà, clame la vacuité de la *scaena mundi* : « Ami, laisse donc faire le monde, qu'il lui arrive ce qu'il veut : mais tout ce qu'il fait, n'est-ce pas rien qu'une tragédie ? » (*op. cit.*, V, 141). Satire et mysticisme ont recours au même topos.

Il est plus intéressant de voir comment cette image du *theatrum mundi*, déjà utilisée par les Grecs et familière au théâtre médiéval, s'intègre dans le reste de la pensée baroque.

27. R. Alewyn, *op. cit.*, p. 66.

La première implication est religieuse : tous les hommes jouent la comédie de la vie ; les uns l'ignorent, les autres le savent et prennent conscience de l'existence de l'unique spectateur : Dieu. Nul n'a mieux su tirer parti de cette idée que Calderón, dans son *auto sacramental* du *Grand Théâtre du monde* : les différentes catégories sociales y sont représentées, du Roi au Pauvre ; lorsque sonne l'heure de la mort, chacun abandonne les vêtements qui symbolisent son rôle, sous l'œil du Monde, pour ensuite comparaître devant l'Auteur, lors du jugement final, « puisque tout en cette vie est représentation » (v. 1569-1570). L'habileté du dramaturge espagnol consiste à avoir inséré la comédie de la vie dans l'histoire du monde, elle-même assimilée au déroulement d'une *comedia*, en trois journées : d'abord, la Création et le déluge ; puis, l'Histoire : « cet acte deux finira sur une éclipse effrayante, ... alors viendra l'acte trois avec de plus grands prodiges... »[28]. Le spectateur assiste donc à une représentation théâtrale, qui a pour objet le *theatrum mundi* et qui s'inscrit à son tour dans le drame du cosmos : on retrouve ainsi le schéma du « théâtre dans le théâtre », non plus seulement comme structure littéraire symbolisant les anamorphoses causées par la mouvance du sens, mais comme procédé chargé d'exprimer la nature du monde, en tant que représentation donnée à voir. Réfléchir le monde n'est rien d'autre, pour le théâtre, que réfléchir du théâtre : la scène est reflet d'un reflet. Ainsi arrive-t-on à la perte de la réalité, situation déjà rencontrée à propos du masque. Perdue dans les répliques à l'infini d'un tel jeu de miroirs, la conscience baroque rejoint aussi la lancinante question : qu'y a-t-il derrière le reflet ? Peut-on atteindre autre chose qu'un simulacre ? Y a-t-il encore une réalité ou tout est-il de l'ordre de la simulation ? A ce stade du questionnement, on aperçoit aisément que la réponse la plus cohérente est, une fois encore, celle offerte par la religion : accéder, par-delà la mort, à la plénitude paradisiaque de son « être de lumière » pour l'éternité, c'est échapper au

28. Voir le discours du Monde, v. 70 à 275, trad. M. Pomés.

vertigineux jeu théâtral. Il n'est pas interdit de penser cependant que certains ont alors connu l'angoisse du vide, du signe sans référent et du triomphe du factice qui débouchent sur le sentiment de l'absurde, terme moderne pour rendre compte de la disparition du sens.

Le théâtre, héritant de l'image symbolique du miroir[29], révèle sa double nature paradoxale : il est *à la fois* illusion et image de la réalité, laquelle n'est qu'illusion ; il nous trompe et, en même temps, nous représente. Fascinée par cette ambiguïté, l'époque baroque va donner une impulsion sans précédent à la technique de la mise en scène, en y intégrant les lois de la perspective, récemment découvertes dans la peinture italienne de la Renaissance[30]. La première moitié du XVIIe siècle voit la prolifération, dans toutes les Cours européennes, du modèle scénique « à l'italienne » : séparation du spectateur et des comédiens et établissement d'un décor, en fonction de la perception du public. Le spectacle ainsi conçu vise à entretenir l'illusion du réel et à abolir la conscience des acteurs, qui agissent comme s'ils étaient seuls, et celle des spectateurs, par une sorte d'aliénation mentale qui les transporte ailleurs. A la science des peintres s'ajoute celle des ingénieurs, qui construisent des machines, pour permettre ces métamorphoses, dont l'époque est friande, parce qu'elles assurent la perpétuation d'une vision du monde, dominée, on l'a vu, par la hantise du « change ». Les « pièces à machine » servaient de prétexte à l'étalement de la virtuosité de ceux que l'on appelait alors les « sorciers » : Philippe d'Aglié, à Turin ; Torelli, puis Vigarani, à Paris, du temps de Mazarin ; Cosme Lotti, collaborateur de Calderón au Palais du Buen Retiro de Madrid, et Inigo Jones, en Angleterre.

La fascination du théâtre ne se limite pas à l'exploitation

29. Voir M.-M. Martinet, *Le Miroir de l'esprit dans le théâtre élisabéthain*, Paris, 1981.

30. Voir l'œuvre du jésuite Andréa Pozzo et sa *Prospettiva di pittori e architetti (1693-1700)*, qui résume les acquis de la technique baroque.

d'une affinité entre l'existence et le jeu scénique : « la plupart de nos vacations sont farcesques », disait Montaigne. Une solution laïque à la crise baroque et une sortie des impasses intellectuelles peuvent se manifester par la réflexion sur le mécanisme théâtral, puisque celui-ci mime la vie. Prendre l'illusion de la scène pour la vérité, c'est être fou ; mais l'homme lui-même a fait l'amère expérience de la fragilité de la barrière qui le sépare de l'aliénation, comme en témoignent les nombreux « furieux » de la littérature dramatique. Il y a une analogie entre l'adhésion donnée par le spectateur à ce qu'il voit et le trouble occasionné par le songe, qui s'impose avec autant d'acuité que la veille. Au dédoublement du sujet répond le dédoublement du grand théâtre du monde : le spectacle auquel assistent le prince Sigismond *(La vie est un songe)*, Sly (*Induction* de *La Mégère apprivoisée*) ou les amants manipulés par Puck et Obéron *(Le Songe d'une nuit d'été)* est assimilé à un rêve par ceux qui savent ce qu'il en est vraiment. Par le théâtre et sa technique d'illusion, l'homme peut espérer, sinon sortir de la caverne, du moins ne plus subir ses simulacres et les dominer pleinement, grâce à une technique. De spectateur passif et trompé, il se fait acteur — dans tous les sens du terme. « *Le monde est un théâtre* » *remplace* « *la vie est un songe* ». Cette maîtrise du paraître, qui était l'apanage du Prince de Machiavel ou du Héros de Gracián, s'offre alors à tous : triompher de sa situation de victime des apparences, par la représentation du drame du paraître. La représentation pour elle-même, devenue une fin en soi, signifie la victoire de l'homme sur ses illusions, qu'il accepte car il les manipule enfin par le mécanisme de simulation : l'homme, spectateur de lui-même, se regarde être regardé, tandis que le théâtre se met aussi en scène, en une « comédie des comédiens »[31] ; image extrême, par laquelle le baroque laisse déchiffrer sa vérité.

D'autres formes de spectacle, traditionnellement consi-

31. Titre utilisé par Gougenot et Scudéry.

dérées comme moins « littéraires », demeurent néanmoins aussi caractéristiques de l'époque, qui y retrouvait certains éléments de sa problématique. Dans les fêtes de Cour, qui ont connu alors une splendeur et une magnificence remarquables, tous les genres sont mis à contribution : la volonté de glorifier le monarque hérite de la féerie et de l'héroïsme chevaleresque, les tournois et les entrées princières du Moyen Age se muent en cortèges allégoriques, et le Carnaval lègue une partie de sa liberté d'inspiration et de sa fantaisie. La *fête*, façade éblouissante et éphémère, trouve son dynamisme dans la volonté de briller et dans l'ostentation : les Grands, qui participent au spectacle, se donnent à voir et se jouent eux-mêmes, dans un grand théâtre allégorique et mythique. A nouveau, on assiste à l'insertion du factice théâtral dans la réalité quotidienne, déjà fortement théâtralisée, de la vie de Cour, où chacun voit son rôle et son costume réglés par une étiquette minutieuse. Ces célébrations du pouvoir par lui-même font appel à tous les beaux-arts, mais aussi à la musique et à la danse ; se perfectionnant en ballet mythologique en France[32], en « masque » en Angleterre, elles donneront naissance à la zarzuela en Espagne et, en Italie, à l'opéra, autre forme de spectacle « total », car cette totalité, qui a échappé à la philosophie, c'est bien le théâtre qui a tenté de la cerner.

V. VIOLENCE ET PASSION : LE PAMPHLET ET LA SATIRE

L'exaltation unanime et conformiste de la personne du Prince ne doit pas faire illusion : les conflits multiples, qui ensanglantèrent la période baroque, ont rejailli sur le ton de tout ce qui s'écrivait et même suscité diverses formes de littérature polémique, caractérisées par leur souplesse et

32. Voir H. Prunières, *Le Ballet de cour en France*, Paris, 1914, et le *Recueil de tragédies à machines sous Louis XIV* édité par l'Université de Toulouse-Le Mirail en 1985.

leur ouverture, qui permettait d'accueillir, en prose ou en vers ou en utilisant les deux à la fois, le discours théologique, les réflexions politiques, les portraits féroces ou caricaturaux, la satire et, parfois, les plus grossières insultes. Il faut le dire : la fin de l'idéologie théologico-politique, qui avait orienté la vie du Moyen Age, laissa la place à la multiplicité des confessions, des impérialismes et des ambitions partisanes, si bien que le baroque fut une époque de fanatisme. Luther lui-même n'avait pas donné l'exemple de la modération... Les guerres de Religion en France, la répression espagnole dans les Pays-Bas ou la guerre de Trente Ans forment une longue suite d'épisodes atroces.

On trouvera un simple reflet de la férocité contemporaine dans les *histoires tragiques*, récits qui retracent complaisamment la violence des comportements et l'intensité de passions peu communes. Les modèles sont italiens : surtout Bandello, traduit par Boaistuau et Belleforest (1560-1580) ; en raison du succès de fréquentes réimpressions (jusque vers 1620), la formule est reprise par François de Rosset et même par un disciple de François de Sales, l'évêque Jean-Pierre Camus. Pour ce dernier, il s'agissait, bien sûr, de montrer le vice sous tous ses aspects, pour mieux susciter l'horreur. Il n'empêche que, malgré le commentaire édifiant, le lecteur garde surtout le souvenir d'une suite impressionnante de crimes monstrueux, de viols, d'incestes ou de tortures... Que l'on en juge simplement par le titre de quelques-unes de ses œuvres publiées de 1630 à 1644 : *Amphithéâtre sanglant, Spectacles d'horreur* ou *Rencontres funestes*.

L'importance du fait religieux, en cette fin du XVIe siècle, tend même à masquer parfois la réalité politique des conflits d'intérêt : le déroulement des guerres de Religion en offre un bon exemple en France. Aussi, on ne s'étonnera pas de constater que la littérature pamphlétaire baroque est avant tout religieuse, même si les sentiments qui s'y expriment le sont moins : très caractéristique des passions du moment, l'*Apologie pour Hérodote* d'Henri Estienne, qui accumule avec complaisance les exemples les plus scandaleux de la corruption catholique. La fureur destructrice gagne ensuite la sphère politique : les Réformés, coupables de rébellion contre le pouvoir royal, n'hésitent pas à mettre en question celui-ci et à évoquer l'éventualité du régicide ; ils font donc réimprimer le curieux *Contr'un* ou *Discours sur la servitude volontaire* de La Boétie, qui démonte, de façon très moderne, le mécanisme de la tyrannie. Henri de Navarre devenu roi, les théologiens jésuites, à leur tour, réfléchiront sur l'assassinat politique... Ronsard, lui-même, entre au service de la cause catholique[33] ; décidé à écrire :

> D'une plume de fer sur un papier d'acier
>
> *(Continuation.)*

il n'en reste pas moins soucieux de l'intérêt général ; s'il commence par un ample *Discours des Misères de ce Temps*, il reconnaît avec lucidité :

> je sais bien
> Que la plus grande part des prêtres ne vaut rien
>
> *(Remontrance.)*

ce qui ne l'empêche pas de dresser un féroce portrait du « prédicant » huguenot :

> Détester le Papat, parler contre la messe,
> Etre sobre en propos, barbe longue et le front
> De rides labouré, l'œil farouche et profond,
> [...]
> Bref être bon brigand et ne jurer que certes.
>
> *(Remontrance.)*

Un tel envahissement de la littérature par les conflits du moment n'appartient pas en propre à la France de la fin du XVIe siècle : on observe également un développement des écrits polémiques en Angleterre, où différentes tendances religieuses s'affrontent, notamment lors de la controverse

33. Voir le volume XI des *Œuvres* de Ronsard, éd. Laumonier, Paris, 1973.

de Martin Marprelate, du nom derrière lequel se cachait l'auteur presbytérien de pamphlets en prose contre les évêques anglicans ; il suscita des réponses de la part d'auteurs comme Lyly, Nash ou Richard Harvey. John Donne, aussi, écrit des *Satires* où éclatent ses dégoûts devant les excès religieux (III) ou la vanité de la Cour (IV) et même Angelus Silesius s'engage dans la lutte contre les protestants, dans une longue suite de pamphlets, rassemblés sous le titre d'*Ecclesiologia*, en 1677. Cette situation favorise évidemment l'épanouissement de la veine satirique : tous les moyens sont bons pour ridiculiser l'adversaire. La *Satire Ménippée* reprend la pratique du défilé triomphal et allégorique, en l'inversant, lors de la description grotesque des partisans de la Ligue, qui inaugure les Etats généraux ; ainsi défilent le duc de Mayenne, le cardinal de Pellevé, le pédant Roze ou le noble pillard de Rieux : la satire est d'autant plus efficace qu'elle est l'œuvre de celui qui parle et qu'elle s'exerce à ses dépens, puisqu'il dit... la vérité sur ses motivations[34]. Le camp protestant n'est pas en reste avec d'Aubigné, qui offre, dans *Les Tragiques*, quelques « morceaux de bravoure » pour stigmatiser le cardinal de Lorraine ou Catherine de Médicis (assimilés à un démon ou à une sorcière) et peindre la Cour d'Henri III, « une putain fardée », les princesses royales, qu'occupent « le plaisir découvert, l'amour libre et le change », les mignons et autres entremetteurs qui font, selon une formule empruntée à Juvénal,

> Par le cul d'un coquin, chemin au cœur d'un Roy.
>
> (*Princes*, v. 1318.)

Rien d'étonnant à ce que l'on retrouve dans ces œuvres, nées des circonstances, les thèmes et les images qui hantent le reste de la littérature baroque : puisque le débat religieux est central, on s'accuse donc abondamment d'être hypocrite ou de porter un masque ; l'opposition fondamentale de l'être et du paraître est à nouveau mise à contribution, dans un

34. On notera l'utilisation de l'opposition intérieur/extérieur.

but simplement satirique. Ainsi Ronsard ne voit-il dans les prédicateurs protestants que des comédiens :

> Et vos beaux Prédicants, qui fins et cauteleux
> Vont abusant le peuple, ainsi que bateleurs.
>
> *(Continuation.)*

Une fois encore, c'est à d'Aubigné que revient le mérite d'avoir le mieux su exploiter les deux termes de l'opposition, dans un pamphlet anti-catholique : *Les Aventures du baron de Faeneste* (1617-1630), centré sur la discussion entre deux personnages au nom révélateur : « l'Auteur a commencé ces *Dialogues* par un Baron de Gascogne, Baron en l'air, qui a pour seigneurie Faeneste, signifiant en grec *paraître* ; celui-là, jeune éventé, demi-courtisan, demi-soldat ; et, d'autre part, un vieil Gentil-homme, nommé Enay, qui en même langue signifie *être*, homme consommé aux lettres, aux expériences de la Cour et de la guerre » (Préface du livre premier).

Avec moins de portée, mais au moins autant de virulence, les milieux littéraires s'adonnent aussi à la satire et à la guerre entre écoles rivales. Le meilleur exemple se rencontre en Espagne, avec le conflit qui oppose Góngora, et ses partisans cultistes, à Quevedo et aux conceptistes. Les premiers sont ridiculisés par la *Aguja de navegar cultos (Boussole pour naviguer dans les eaux cultistes)* ou *La Culta latiniparla* (portrait d'un bas-bleu qui jargonne en latin) ; Quevedo raconte qu'il a même acheté la maison de son ennemi :

> et avec un relent si vil de *Solitudes*
> que, pour la parfumer
> et la dégongoriser
> de vapeurs si grasses,
> il brûla, en guise de pastilles, du Garcilaso* (poète du début du XVIe siècle).

Quevedo avait la plume féroce, mais un Marino se battit (pas seulement par écrit) avec Gaspare Murtola, tandis qu'en Angleterre la « guerre des théâtres » opposa, durant deux ou trois ans, Ben Jonson, auteur du *Poetaster*, à Dekker, qui répliqua par *Satiromastix* (1601-1602). Les querelles littéraires eurent sans doute moins de violence en France, mais l'œuvre de Mathurin Régnier témoigne que les idées de Malherbe ne furent pas admises par tous ; la Satire IX présente les « malherbiens » comme de médiocres tâcherons du vers — ce qui n'est pas toujours faux :

> Cependant leur savoir ne s'étend seulement
> Qu'à regratter un mot douteux au jugement
> [...]
> Nul aiguillon divin n'élève leur courage ;
> Ils rampent bassement, faibles d'inventions...

Comme l'observe André Chastel, à propos du baroque italien[35], « le goût de la caricature est un dernier trait révélateur ; ce n'est plus l'ironie, mais le sens du bouffon, et parfois du monstrueux, qui convient à la vitalité de l'époque ». Dans ces conditions, on s'abstiendra de parler de *réalisme*, pour quelque aspect de la littérature que ce soit — même le roman picaresque. D'ailleurs, le réalisme implique une théorie du réel, la volonté et la capacité d'en rendre compte : or, nous savons que l'on en était alors fort éloigné ! Le style baroque donne volontiers une représentation sensible de l'abstrait (cf. l'allégorie), mais ce recours au réel est au service d'une idée et non une fin en soi. L'écrivain du temps caricature, déforme, choisit ; il joue avec les mots pour eux-mêmes, songe à la manière de dire plutôt qu'à ce qu'il dit, jongle avec les illusions et sait s'en contenter. Le terme d'*expressionnisme* semble mieux convenir.

35. *Op. cit.*, p. 464.

Epilogue

1643 : bataille de Rocroi. La grande victoire du jeune duc d'Enghien (vingt-deux ans) sur le comte de Fontaines, âgé et immobilisé dans sa chaise, au milieu de ses troupes, a presque une valeur symbolique : devant toute l'Europe, l'affaiblissement de l'Espagne et la fin de sa prépondérance sont devenus évidents. Les revers de la Fronde et les désordres civils n'y pourront rien : le 24 mars 1662, l'envoyé de Philippe IV déclare à Louis XIV, en présence de tous les ambassadeurs étrangers, « que les ministres[1] espagnols ne concourraient plus dorénavant avec ceux de France ». Il s'agit bien de la fin d'une époque, que l'Espagne a dominée et dont elle a incarné au mieux l'esprit : déçue par le monde, qui ne correspond plus à ses rêves, elle s'est tournée vers Dieu. On ne peut s'empêcher d'opposer le palais de l'Escorial, qui est aussi un monastère, où s'enferme Philippe II, à l'édification de Versailles, demeure dans laquelle tout est conçu en vue de l'exaltation du souverain. Il ne s'agit pas seulement de la décadence d'une puissance et de l'affirmation d'une autre, qui la remplace, mais de la réussite d'un Etat qui s'appuie sur la référence au sacré, pour asseoir son pouvoir (l'absolutisme), à l'encontre d'un royaume où Dieu est comme une fin en soi. On objectera en vain la révocation de l'Edit de Nantes ou la chasse aux jansénistes : derrière le prétexte de la pureté de la foi, c'est l'unité politique et religieuse d'une Eglise, fidèle alliée du monarque, qui est recherchée. Jean de la Croix désire se fondre dans la fulgurance du Transcendant ; il

1. Comprendre : les ambassadeurs.

appartient à un pays dressé à travailler « pour la plus grande gloire de Dieu ». Descartes, lui, libère l'esprit de l'impasse où il s'est fourvoyé, pour « nous rendre comme maîtres et possesseurs de la nature » ; presque au même moment, Polyeucte déplaît, paraît-il, à cause de son fanatisme : il déprécie trop le monde, ses « honteux attachements » et sa gloire fragile ; c'est pourquoi le jeune prince qui prend le pouvoir à la mort de Mazarin pense en termes de puissance terrestre : « Je commençai à jeter les yeux sur toutes les diverses parties de l'Etat, et non pas des yeux indifférents, mais des yeux de maître... la paix était rétablie avec mes voisins, vraisemblablement pour autant de temps que je le voudrais moi-même, par les dispositions où ils se trouvaient » *(Mémoires)*.

L'éclat du règne louis-quatorzien et les formules nouvelles qui s'y élaborent, aussi bien dans le domaine politique que dans celui de la littérature ou des arts en général, ne doivent pas entraîner à exiger les mêmes caractéristiques de la période antérieure : son inachèvement constitue la marque de son authenticité. Entre Renaissance et Classicisme, il n'y a pas décadence, mais une manière de vivre et de penser qui s'accommode des contraires les plus extrêmes, sans les réduire. « De sa naissance à sa mort, le style de l'âge baroque ne cessera de nous étonner par ses métamorphoses et ses contradictions ; il sera tout ensemble ostentatoire et dissimulateur ; païen dans ses formes et chrétien dans ses aspirations ; religieux dans ses origines et profane dans ses moyens ; disparate en son vocabulaire et cohérent dans sa syntaxe ; suggérant l'emphase et laissant deviner l'humour, voire le burlesque ; fils de l'angoisse de Michel-Ange et conduisant à l'euphorie de Rubens ; [...] honorant par la pompe la plus solennelle les dépouilles des jeunes saints les plus ascétiques ; aspirant à la louange du Créateur et se complaisant dans les créatures... »[2]. Cette incohérence apparente rend paradoxa-

2. G. Cattaui, *Baroque et rococo*, Paris, 1973.

lement compte de la cohérence profonde du baroque, du moins c'est ce que l'on a tenté de montrer ici. Tant pis pour ceux qui croient que « ce que l'on conçoit bien s'énonce clairement », puisque s'est présenté l'exemple d'une littérature qui s'adresse à l'émotion et à l'imagination plutôt qu'à la raison et à la logique : le sentiment, la passion et l'image y tiennent une place essentielle. Art du mouvement, le baroque est lui aussi en mouvement : dans une époque instable, il voit s'opérer le passage de la certitude (que donnent l'imitation, l'Un et la clôture) à l'inconnu, au multiple et à l'ouverture à l'infini.

Les historiens peuvent certes montrer le lien qui unit le baroque à un certain état, révolu, des sociétés d'Ancien Régime, « à la fois monarchique, aristocratique, religieux et terrien », sa leçon n'est en rien périmée, car ils doivent reconnaître, en même temps, qu'il « a su capter des forces spirituelles et sentimentales qui dépassent les contingences historiques du XVIIe siècle européen »[3]. Aussi convient-il de souligner la *modernité* de cette littérature, qui fait l'expérience tragique des limites d'une culture, devant une réalité qui se révèle plus complexe et plus fuyante, alors que l'écriture est devenue à elle-même son propre objet. Il se pourrait bien que cette fin de XXe siècle éprouve semblable incertitude, au spectacle de la crise de nos modèles idéologiques et d'un avenir inimaginable.

> Qu'on dresse ma tente ! Je coucherai là ce soir...
> mais demain où ? Allons, n'importe.
>
> (*Richard III*, V, 3.)

3. Victor-L. Tapié, *Baroque et classicisme*, Paris, 1980, p. 436 et 440.

REPÈRES BIBLIOGRAPHIQUES

NB. — Ces indications, très sommaires, renvoient, avant tout, à des instruments de travail qui fournissent une synthèse et, éventuellement, une bibliographie dans un domaine plus précis.

1 / *Ouvrages généraux de théorisation*

H. Wölfflin, *Renaissance et baroque* (trad. franç.), Paris, 1967.
E. d'Ors, *Du baroque* (trad. franç.), Paris, 1968.
Victor-L. Tapié, *Le Baroque*, Paris, 1961.
— *Baroque et classicisme*, Paris, 1980.
R. Alewyn, *L'Univers du baroque*, Paris, 1964.

— Plus centrés sur le domaine français et la littérature :

J. Rousset, *La Littérature de l'âge baroque en France. Circé et le paon*, Paris, 1954.
Cl.-G. Dubois, *Le Baroque, profondeurs de l'apparence*, Paris, 1973.

— Une lecture espagnole :

G. Díaz-Plaja, *El Espíritu del Barroco*, Barcelone, 1983 (nouv. éd.).

2 / *Evolution de la civilisation européenne*

J. Delumeau, *La Civilisation de la Renaissance*, Paris, 1967.
P. Chaunu, *La Civilisation de l'Europe classique*, Paris, 1966.
F. Braudel, *La Méditerranée et le Monde méditerranéen à l'époque de Philippe II*, Paris, 1re éd., 1949 ; 5e éd., 1982.
— *Civilisation matérielle, Economie et Capitalisme, XVe-XVIIIe siècle*, Paris, 1979 ; t. I : *Les Structures du quotidien*.
P. Chaunu, *Eglise, Culture et Société. Essais sur Réforme et Contre-Réforme (1517-1620)*, Paris, 1981.
J. Delumeau, *La Peur en Occident (XIVe-XVIIIe s.)*, Paris, 1978.
H. Hauser, *La Prépondérance espagnole (1559-1660)*, nouv. éd., Paris, Mouton, 1973.
Histoire générale des sciences (sous la dir. de R. Taton), t. II : *La Science moderne (de 1450 à 1800)*, Paris, 2e éd., 1969.
A. Koyré, *Du monde clos à l'univers infini* (trad. franç.), Paris, 1973.

F. Copleston, s.j., *A History of Philosophy*, Londres ; vol. 3, 5e éd., 1972 ; vol. 4, 7e éd., 1976.
P. O. Kristeller, *Renaissance Thought and its Sources*, New York, Columbia UP, 1979.
B. Willey, *The XVIIth Cent. Background*, Londres, 1950.
P. Mesnard, *L'Essor de la philosophie politique au XVIe siècle*, Paris, 1969 (nouv. éd.).
P. Benichou, *Morales du Grand Siècle*, Paris, 1948.

3 / *Littératures nationales*

Allemagne :

Internationale Bibliographie zur Geschichte der deutschen Literatur von den Anfängen bis zur Gegenwart, hrsg. G. Albrecht u. G. Dahlke, Berlin, München ; I : *Von den Anfängen bis 1789,* 1969.
Handbuch der deutschen Literaturgeschichte ; Bibliographien, hrsg. von P. Staff, Bern, München (8 vol.), 1974.
P. Hankamer, *Deutsche Gegenreformation und deutsches Barock*, *Die Deutsche Literatur im Zeitraum des 17. Jhdts*, Stuttgart, 1935.
H. Cysarz, *Deutsches Barock in der Lyrik*, Leipzig, 1936.
— *Barock Lyrik*, 3 vol., Leipzig, 1937 (une anthologie).
A. Moret, *Le Lyrisme baroque en Allemagne*, Lille, 1936.
Roy Pascal, *German Literature in the XVIth and XVIIth Cent.*, 1968.
L. Fischer, *Gebundene Rede, Dichtung und Rhetorik in der literarischen Theorie des Barock in Deutschland*, Tübingen, 1968.
R. Munier, *L'Errant chérubinique*, Paris, 1970.

Angleterre :

The New Cambridge Bibliography of English Literature, ed. by G. Watson and I. Willison, Cambridge UP, vol. 1 et 2 (1969), ou (en 1 vol.) :
The Shorter New Cambridge Bibliography, ed. by G. Watson, Cambridge UP, 1981.
The Oxford History of English Literature :
Vol. 3 : C. S. Lewis, *English Literature in the XVIth Cent. excluding Drama*, 1re éd., 1954.
Vol. 5 : D. Bush, *English Literature in the Earlier XVIIth Cent.*, 1re éd., 1945.
The Oxford History of England :
Vol. 8 : J. B. Black, *The Reign of Elizabeth*, 1re éd., 1936.
Vol. 9 : G. Davies, *The Early Stuarts*, 1re éd., 1945.
E. M. W. Tillyard, *The Elizabethan World Picture*, Londres, 1re éd., 1943.
M. T. Jones-Davies, *Victimes et Rebelles ; l'écrivain dans la société élisabéthaine*, Paris, 1980.
H. Fluchère, *Shakespeare, dramaturge élisabéthain*, Paris, 1966.

Espagne :

J. Simon Diaz, *Bibliografía de la literatura hispanica*, Madrid, 2e éd., 1960 ; particulièrement IV-VI ; *Siglos de Oro*, 1972-1973, ou (en 1 vol.) :
— *Manual de Bibliografía*, Madrid, 1980.
J. L. Alborg, *Historia de la literatura española*, t. II, Madrid, 1977.
F. Rico, *Historia y Critica de la literatura española*, t. III, Barcelone, 1983.
B. Bennassar, *Un Siècle d'Or espagnol*, Paris, 1982.
M. Defourneaux, *La Vie quotidienne en Espagne au Siècle d'Or*, Paris, 1964.
A. L. Constandse, *Le Baroque espagnol et Calderón de la Barca*, Amsterdam, 1951.

France :

A. Cioranescu, *Bibliographie de la littérature française du XVIe siècle*, Klincksieck, 1959 ; réimpr. Genève, Slatkine, 1975.
— *Bibliographie de la littérature française du XVIIe siècle*, CNRS, 3 vol., 1965-1967.
R. Arbour, *L'ère baroque en France. Répertoire chronologique des éditions des textes littéraires,* Genève, 1977.
A. Adam, *Histoire de la littérature française au XVIIe siècle* (5 vol.), Paris, 1962.
Littérature française, Paris, Arthaud éd., vol. 5 par J. Morel, 1973 ; vol. 6 par A. Adam, 1968.
Histoire littérature de la France, Paris, Editions Sociales, 1975 : vol. 2, sous la dir. de H. Weber ; vol. 3, sous la dir. de A. Ubersfeld et R. Desné, Paris, 1975.
J. Rousset, Le problème du baroque littéraire français. Etat présent et futur, *Studi francesi*, 1963, 21, Suppl. p. 49-60.

Italie :

Letteratura italiana, Milano, Marzorati, 1956-1974, 5 tomes en 19 vol. ; surtout :
I. *Le Correnti*, 1956, 2 vol.
II. *I Maggiori*, 1956, 2 vol.
Précis de littérature italienne sous la dir. de C. Bec, Paris, 1982.
B. Croce, *Storia della éta barocca*, Bari, 1929.
E. Raimondi, *Letteratura barocca, studi sul Seicento italiano*, Florence, 1961.
G. Getto, *Barocco in prosa e in poesia*, Milan, 1969.
V. Marucci, *L'Età della controriforma e del barocco*, Palerme, 1978.
J. Delumeau, *L'Italie de Botticelli à Bonaparte*, Paris, 1974.
Des *anthologies* de Marino et de marinistes par E. Croce, Bari, 1910 ; G.-G. Ferrero, Milano-Napoli, 1954 ; G. Getto, Turin, 1962.

4 / *Quelques thèmes littéraires*

E. R. Curtius, *La Littérature européenne et le Moyen Age latin* (trad. franç.), Paris, 1956.
J. Erskine Hankins, *Shakespeare's Derived Imagery*, University of Kansas Press, 1953.
W. Clemen, Appearance and Reality in Shakespeare's Plays, in *Shakespeare's Dramatic Art*, collected essays, Londres, 1972.
Th. Spencer, *Shakespeare et la Nature de l'homme* (trad. franç.), Paris, 1974.
John F. Danby, *Shakespeare's Doctrine of Nature*, Londres, 1949.
J. Rousset, *L'Intérieur et l'Extérieur. Essais sur la poésie et le théâtre au XVII*e *siècle*, Paris, 1976.
Victor I. Harris, *All Coherence Gone*, Chicago, 1949 ; nouv. éd., 1966.
Marjorie H. Nicolson, *Science and Imagination*, Londres, 1956.
J.-F. Maillard, *Essai sur l'esprit du héros baroque (1580-1640). Le même et l'autre*, Paris, 1973.
R. Trousson, *Le Thème de Prométhée dans la littérature européenne*, t. I, Genève, 1964.
G. Gendarme de Bévotte, *La Légende de Don Juan. Son évolution dans la littérature, des origines au romantisme*, Paris, 1906.
J. Rousset, *Le Mythe de Don Juan*, Paris, 1978.
C. Dedeyan, *Le Thème de Faust dans la littérature européenne*, t. I, Paris, 1954.
A. Dabezies, *Le Mythe de Faust*, Paris, 1972.
G. Mathieu-Castellani, *Mythes de l'Eros baroque*, Paris, 1981.
R. Chambers, *La Comédie au château*, Paris, 1971.
J. Jacquot, Le théâtre du monde de Shakespeare à Calderón, *Revue de Littérature comparée*, XXXI, 1957, p. 341-372.

5 / *L'écriture et les genres littéraires*

M. Fumaroli, *L'Age de l'éloquence. Rhétorique et « res literaria », de la Renaissance au seuil de l'époque classique*, Genève, 1980.
O. de Mourgues, *Metaphysical, Baroque and Precieux Poetry*, Oxford, 1953.
R. Tuve, *Elizabethan and Metaphysical Imagery*, Chicago, 1947.
G. Conte, *La metafora barocca*, Milan, 1972.
M. Praz, *Studi sul concettismo*, Florence, 1946 ; trad. angl. *Studies in XVIIth Cent. Imagery*, 2 vol., Londres, 1948.
M. I. Gerhardt, *Essai d'analyse littéraire de la pastorale dans la littérature italienne, espagnole et française*, Assen, 1950.
Alex. A. Parker, *Literature and the Delinquent, The Picaresque Novel in Spain and Europe (1599-1753)*, Edimbourg UP, 1967 ; trad. esp. *Los picaros en la literatura*, Madrid, 1971.
M. Lever, *Le Roman français au XVII*e *siècle*, Paris, 1981.

Histoire des spectacles, sous la dir. de G. Dumur, Paris, « Encyclopédie de la Pléiade », 1965.

M. C. Bradbrook, *Themes and Conventions of Elizabethan Tragedy*, Cambridge UP, 1re éd., 1935.

Una M. Ellis-Fermor, *The Jacobean Drama*, Londres, 1re éd., 1936.

Ch.-V. Aubrun, *La Comédie espagnole (1600-1680)*, Paris, 1966.

Historia del teatro en España, dir. J.-M. Diez Borque, t. I, Madrid, 1983.

Dramaturgie et société. Rapports entre l'œuvre théâtrale, son interprétation et son public, aux XVIe et XVIIe siècles, sous la dir. de J. Jacquot, Paris, CNRS, 1968.

R. Guichemerre, *La Tragi-comédie*, Paris, 1981.

Imprimé en France
Imprimerie des Presses Universitaires de France
73, avenue Ronsard, 41100 Vendôme
Avril 1988 — N° 33 264